L'ombre de la lune
1

M.M. KAYE | *ŒUVRES*

PAVILLONS LOINTAINS - 1	*J'ai lu* 1307****
PAVILLONS LOINTAINS - 2	*J'ai lu* 1308****
ZANZIBAR - 1	*J'ai lu* 1551***
ZANZIBAR - 2	*J'ai lu* 1552***
L'OMBRE DE LA LUNE - 1	*J'ai lu* 2155****
L'OMBRE DE LA LUNE - 2	*J'ai lu* 2156****

M.M. Kaye

L'ombre de la lune 1

traduit de l'américain par Henriette RAIN

Éditions J'ai lu

« ... et là vous pourrez voir
Notre soleil anglais, bientôt guéri après son passage
A travers la vallée de l'ombre de la lune. »
Christopher FRY, *Venus Observed*

Ce roman a paru sous le titre original :

SHADOW OF THE MOON

Dédié à
Sir John William Kaye
qui écrivit l'histoire de la Révolte des Cipayes
au Général de Brigade Edward Kaye
qui commanda un assaut
au cours du Siège de Delhi
à mon grand-père William Kaye
du Service Civil en Inde
à mon père Sir Cecil Kaye
à mon frère, le colonel William Kaye
et à tous les autres hommes
et femmes de ma famille,
ainsi qu'à tant de familles britanniques
qui ont aimé l'Inde, l'ont habitée et y ont servi.
Dédié enfin
à ce beau pays et à tous ses habitants
avec mon admiration, mon affection
et ma reconnaissance.

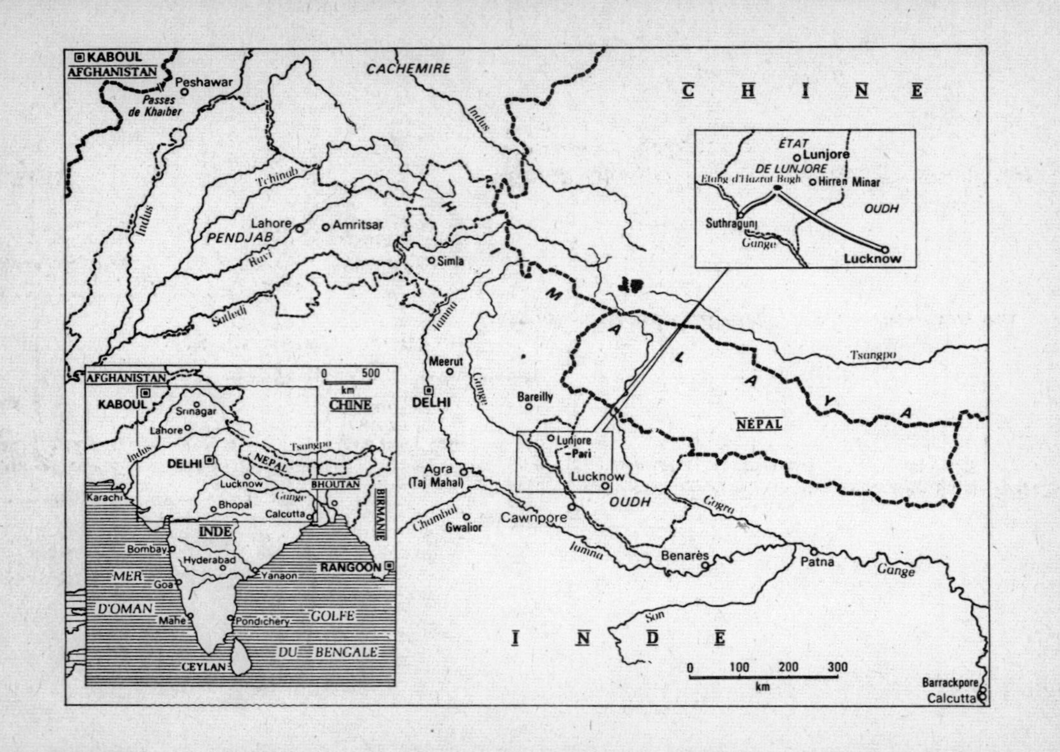
KABOUL
AFGHANISTAN
Peshawar
Passes de Khaiber
CACHEMIRE
C H I N E
Indus
Tchinab
Lahore
Amritsar
PENDJAB
Ravi
Satledj
Simla
H I M A L A Y A
Jamna
Meerut
DELHI
Ganges
Bareilly
Lunjore -Pari
Lucknow
OUDH
Agra (Taj Mahal)
Chambal
Gwalior
Cawnpore
Gogra
Benarès
Patna
Gange
Son
Tsangpo
NÉPAL
I N D E
0 100 200 300 km
Barrackpore
Calcutta
ÉTAT DE LUNJORE
Lunjore
Hirren Minar
Etang d'Hazrat Bagh
Suthragunj
OUDH
Lucknow
AFGHANISTAN
KABOUL
Srinagar
Lahore
Indus
DELHI
0 500 km
CHINE
Tsangpo
NEPAL
BHOUTAN
Lucknow
Ganges
Karachi
Bhopal
Calcutta
BIRMANIE
INDE
Bombay
Hyderabad
RANGOON
MER D'OMAN
Goa
Yanaon
Mahe
Pondichery
GOLFE DU BENGALE
CEYLAN

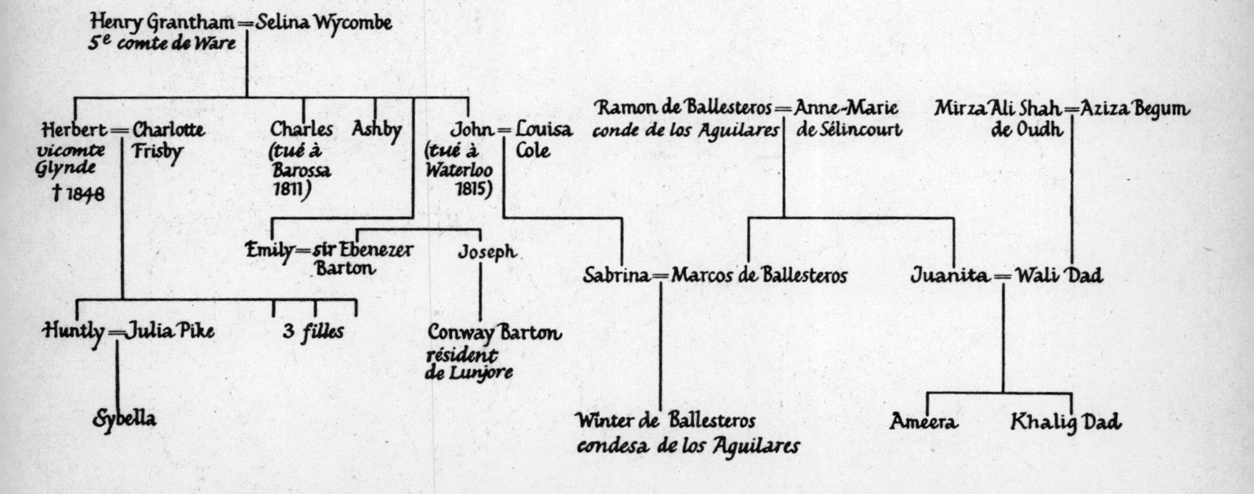

Henry Grantham = Selina Wycombe
5e comte de Ware
Herbert = Charlotte
vicomte Glynde
† 1848
Frisby
Charles
(tué à Barossa 1811)
Ashby
John = Louisa
(tué à Waterloo 1815)
Cole
Ramon de Ballesteros = Anne-Marie
conde de los Aguilares
de Sélincourt
Mirza Ali Shah = Aziza Begum
de Oudh
Emily = sir Ebenezer Barton
Joseph
Sabrina = Marcos de Ballesteros
Juanita = Wali Dad
Huntly = Julia Pike
3 filles
Conway Barton
résident de Lunjore
Sybella
Winter de Ballesteros
condesa de los Aguilares
Ameera
Khalig Dad

LIVRE PREMIER

L'OMBRE AVANT

1

– *Winter !* On n'a jamais entendu un prénom pareil, ce n'est même pas un nom ! Soyez raisonnable, cher Marcos. *Vous ne pouvez pas* appeler ainsi la pauvre petite.

– Elle sera baptisée sous le nom de Winter.

– Donnez-lui alors un second prénom classique, il en existe de si jolis.

– Non, Winter uniquement.

Mrs Grantham leva les bras en un geste d'exaspération :

– Mais pensez à l'étrange résonance qu'aura « Winter de Ballesteros de los Aguilares ».

– Sabrina le désirait, insista d'un ton entêté le jeune père bouleversé.

Mrs Grantham savait reconnaître une défaite. Il n'y avait pas à discuter avec Marcos dans l'état d'esprit où il se trouvait. Si seulement le baptême pouvait être remis à plus tard, on lui ferait entendre raison. Mais le bébé était un enfant chétif dont les chances de survie paraissaient si faibles qu'il semblait prudent de le baptiser sans délai. Marcos, pourtant espagnol et catholique, avait même accepté que la cérémonie soit célébrée par un pasteur protestant : le seul prêtre catholique proche venait de mourir du choléra et la mère de l'enfant était anglicane. Affolé, Marcos se montra d'accord sur presque tout, mais resta inflexible sur le nom de baptême de sa fille.

– Winter ! répéta Mrs Grantham en s'essuyant les yeux, la pauvre Sabrina devait avoir perdu la tête.

Mais Sabrina, la jolie Sabrina, morte en mettant son enfant au monde par la chaleur impitoyable d'un mai indien, n'avait pas perdu la tête. Elle pensait à Ware...

Au début de l'été 1788, le grand-père paternel de Sabrina, Henry John Huntly William, cinquième comte de Ware, avait épousé Selina Emily, la plus jeune fille de sir Arthur Wycombe, baronnet. Leur union avait été fructueuse car, régulièrement, à chaque printemps pendant cinq années de suite, Selina, une femme de devoir, fit à son mari cadeau d'un paquet de chair humaine braillante, enveloppé dans de la dentelle.

Herbert, Charles, Ashby, Emily et John avaient fait leur entrée dans le monde à un rythme très rapide. Mais leur mère, dont la constitution n'était pas robuste, ne put supporter un tel effort et mourut peu après la naissance de son dernier. Le comte trouva la charge d'enfants fort ennuyeuse et se montra très sévère avec eux.

Emily se révéla plus au goût de son père que ses trois frères aînés, Herbert, Charles et Ashby. Elle n'avait pas hérité la beauté de sa mère, mais la fermeté de caractère du comte de Ware. Dès l'âge de quinze ans, elle relégua dans l'ombre la vieille parente qui dirigeait la maison et s'adjugea le rôle de châtelaine de Ware. Assez curieusement, malgré sa position dans la famille, Emily, comme ses aînés, continua à craindre son père alors que John, le dernier-né, n'éprouvait aucune peur à l'égard de celui-ci.

John possédait à la fois le physique de sa mère et l'esprit de son père; le comte l'aimait comme Jacob aima Benjamin. Aussi en 1814, lorsque John obtint le brevet d'officier qu'il désirait tant, son départ assombrit-il la joie de la naissance du premier petit-fils de lord Ware, l'enfant de Herbert et de lady Charlotte Frisby.

Un an plus tard, juste après son vingt et unième anniversaire, John écrivit de Bruxelles pour annoncer son mariage avec Louisa Cole.

On ne pouvait attendre une réaction de joie de la part du comte, mais sa colère fut quelque peu atténuée par le fait que le père de la mariée, William Cole, faisait partie du Conseil d'administration de l'Honorable Compagnie des Indes orientales dont lord Ware était actionnaire. Fille unique, Louisa était donc une riche héritière.

« Je sais que vous l'aimerez, écrivait Johnny à Emily, et j'attends avec impatience le jour où je vous la présenterai. »

Mais ce jour ne devait jamais venir.

Au bal de la duchesse de Richmond, à Bruxelles, John dansa pour la dernière fois de sa vie. Un jeune homme grand, gai, rieur, outrageusement beau dans son uniforme écarlate et or tandis qu'il participait au quadrille avec sa ravissante jeune épouse. Deux jours plus tard, il était mort, tué dans l'abattoir sanglant de Hougaumont à la bataille de Waterloo.

Pendant un certain temps, la vie perdit tout son sens pour le comte de Ware. Puis le temps passa; la rage fit place à un ressentiment morne, puis à une terne acceptation.

La femme de Johnny, Louisa, vint vivre à Ware. Elle, elle n'acceptait pas son sort et n'était plus que l'ombre de la jolie créature du bal de la duchesse de Richmond.

La fille de Johnny, Sabrina, naquit le premier jour de l'année 1816, et le soir même Louisa rejoignit son mari dans l'autre monde. Peut-être, simplement, ne souhaitait-elle plus vivre. Sa belle-sœur Emily se considéra comme mère adoptive, gardienne et protectrice du bébé Sabrina.

Très blonde, au teint blanc laiteux et aux yeux gris, Sabrina grandit rapidement. Et chaque jour, elle ressemblait un peu plus à son père. Son grand-père s'était imaginé que personne ne pourrait prendre la place de Johnny dans son cœur, il découvrit que sa petite-fille occupait cette place comme de droit. Tout l'amour, la fierté et l'affection concentrés sur le père passèrent sur sa fille, au grand ressentiment de Charlotte, la femme d'Herbert. Celle-ci considérait comme une injustice de la Providence le fait que la beauté des Grantham et des Wycombe n'ait pas été donnée à ses enfants, mais à la fille du dernier fils, le moins important de la famille à ses yeux.

Lorsque Sabrina eut neuf ans, Emily l'emmena faire une visite prolongée dans sa famille maternelle. Cette visite changea leur existence à toutes deux.

À trente-trois ans, Emily, considérée à cette époque-là comme vouée au célibat, rencontra, chez la tante de Louisa, sir Ebenezer Barton de l'Honorable Compagnie des Indes orientales, en congé en Europe.

Âgé de quarante-cinq ans et très timide avec les femmes, sir Ebenezer trouva chez Emily une auditrice attentive à ses récits sur l'Inde. Ebenezer parut digne d'amour et de confiance à Emily. Ils se marièrent à Ware à l'automne 1825; Charlotte prit la relève et devint châtelaine de Ware, tout en s'occupant de l'éducation de Sabrina.

Celle-ci n'accueillit pas bien le changement. Son grand-père continua à la favoriser et à la gâter, mais elle ne pouvait être que peu de temps avec lui, puisqu'il lui fallait passer la majeure partie de ses journées dans la salle d'études avec les gouvernantes choisies par tante Charlotte.

Lorsque Sabrina atteignit ses dix-sept ans, son grand-père donna un bal pour fêter ses débuts dans le monde. Ware devint immédiatement le pôle d'attraction de tous les jeunes hommes de cinq comtés. Sabrina avait le choix entre une douzaine de partis sérieux et Charlotte la jalousait parce que ses filles ne remportaient pas le succès de leur cousine.

Marier Sabrina pour qu'elle quitte Ware devint l'obsession de Charlotte. Mais, à la grande indignation de sa tante, Sabrina ne pouvait s'intéresser à un homme pendant plus d'une semaine de suite. Ce furent Emily, lord Ware et un certain capitaine de hussards qui, finalement, permirent à Charlotte d'atteindre son objectif.

Lady Emily Barton, en visite chez son père, avait supplié celui-ci de lui permettre d'emmener Sabrina en Inde pour un an. En temps normal, lord Ware n'aurait jamais accepté de se séparer de sa petite-fille. Or Sabrina se croyait vraiment amoureuse pour la première fois. La réputation du capitaine Allington était déplorable, mais Sabrina ne voulait pas entendre raison. Puis, un soir, elle surprit son beau capitaine de hussards en train d'embrasser une certaine Mrs Jack Ormesley...

L'Inde enchanta Sabrina et elle oublia la perfidie de Dennis Allington. Elle rencontra son succès habituel auprès de la société anglo-indienne, mais ne tomba amoureuse de personne.

« Je dois vieillir, tante Emily, voilà un an qu'aucun homme ne m'a intéressée. »

C'était en 1837 et elle avait vingt et un ans.

Son grand-père avait déjà écrit pour demander qu'elle revienne, mais la santé d'Emily n'était pas excellente et Sabrina considérait qu'elle ne devait pas la quitter. Elle ne le désirait pas non plus, car le charme de l'Inde agissait toujours sur elle. En tant que membre important du Conseil du gouverneur général, l'oncle Ebenezer faisait des tournées au cours de la saison fraîche, accompagné de son épouse et de sa nièce. Ce fut au cours d'une visite officielle à la cour du roi de Oudh que Sabrina rencontra Juanita de Ballesteros.

Le père de Juanita, le conde de los Aguilares, était un Grand d'Espagne riche et excentrique qui voyageait beaucoup en Orient. Arrivé à Oudh un demi-siècle auparavant, le pays et ses habitants l'avaient beaucoup attiré, en particulier un des neveux du roi en place. Les deux jeunes gens, l'Espagnol et le musulman, devinrent vite amis.

Ramon de Ballesteros, conde de los Aguilares, ne retourna jamais en Espagne. Oudh devint sa patrie. Le roi de Oudh lui céda des terres au bord de la rivière Goomti et là, au milieu des orangers et des citronniers, il fit bâtir une maison dans un classique jardin vert, un vaste *castillo* espagnol au cœur de l'Inde.

La Casa de los Pavos Reales, la Maison des Paons, se fondit dans le cadre oriental avec la même grâce et la même facilité que son propriétaire. L'architecture espagnole avec ses patios frais et ses fontaines, ses hautes pièces et ses fenêtres dissimulées à l'abri de balcons était, dans une certaine mesure, un héritage d'un conquérant venu de l'Est.

En temps voulu, le conde se maria. Non pas avec une princesse de la maison royale de Oudh, mais avec la fille unique d'un émigré français de la Révolution française, engagé dans l'armée de la Compagnie des Indes.

Anne-Marie de Sélincourt était une douce créature aux yeux noirs qui vivait en Orient depuis l'âge de un an. Elle s'installa dans le cadre coloré et polyglotte de la grande maison de son mari sur le Goomti et ne comprit jamais à quel point celle-ci était étrange. Les épouses à la peau mate et aux yeux sombres des princes et nobles de Oudh devinrent ses amies, et son quatrième enfant, Juanita, naquit dans la maison d'Aziza Begum, épouse du grand ami de son mari, Mirza Ali Shah.

Seuls deux des sept enfants d'Anne-Marie dépassèrent le stade de la petite enfance : Marcos et Juanita. Lorsque Marcos eut quatorze ans, son père l'envoya en Espagne pour y parfaire son éducation. Lorsqu'il en revint neuf ans plus tard, sa sœur Juanita avait épousé le camarade de jeux de son enfance, Wali Dad, fils d'Ali Shah et d'Aziza Begum.

Ce mariage avait provoqué une opposition considérable, aussi bien chez les prêtres chrétiens que chez les *maulvis* musulmans, mais finalement les deux familles donnèrent leur consentement à cette union.

En visite à Oudh avec son oncle et sa tante au printemps de 1837, Sabrina Grantham rencontra Juanita de Ballesteros, épouse de Wali Dad, à un banquet dans la résidence des femmes du palais de Chuttar Manzil à Lucknow.

Si étrange que cela puisse paraître, ces deux jeunes femmes d'éducation et de tempérament tout à fait différents se trouvèrent de nombreux points communs, et une profonde affection jaillit immédiatement entre Juanita et Sabrina, à peu près du même âge toutes deux. Restée farouchement insulaire, Emily avait tout d'abord été choquée et dégoûtée à l'idée qu'une « Blanche » soit mariée à un Indien et vive dans ce qu'elle s'obstinait à appeler un « harem ». Mais elle ne résista pas au charme de Juanita et de son jeune mari si beau et si gai, pas plus qu'à son père excentrique et à sa mère si douce. Dès avril, elle autorisa Sabrina à passer de plus en plus de temps à la Casa de los Pavos Reales, ou au Gulab Mahal où demeurait Juanita, un petit palais de stuc rose situé dans un quartier tranquille de Lucknow.

Lorsque avril céda la place à mai et que la chaleur commença à irradier les murs, les dômes et les minarets de Lucknow, sir Ebenezer, sa femme et sa nièce partirent pour une station de montagne, emmenant Juanita avec eux. Non que celle-ci craignît la chaleur, mais elle attendait son premier enfant et sa santé n'était pas excellente. En outre, des troubles se préparaient en ville.

Les dirigeants de Oudh étaient parmi les plus corrompus des potentats orientaux, mais ceci n'avait pas empêché la Compagnie des Indes de prêter des troupes au roi en échange d'une grosse somme. Le plus maléfique d'une lignée d'hommes mauvais, l'actuel souverain régnant, Nasser-ood-din-Hyder, ne s'améliorait pas malgré les exhortations de sir William Bentinck. Aussi le Comité directeur de la Compagnie des Indes orientales avait-il autorisé le colonel John Low, résident de Lucknow, à prendre momentanément en charge le gouvernement de Oudh. Certain que cette disposition serait mal acceptée par l'Inde tout entière, le colonel Low avait imploré la déposition de Nasser-ood-din au profit d'un membre de la famille royale. Malgré le secret de ces transactions, Oudh bouillonnait de rumeurs...

À l'autre bout du monde, dans une petite île pluvieuse, un roi venait de mourir et une jeune fille, presque encore une écolière, montait sur le trône de Grande-Bretagne. Elle devait donner son nom à l'une des plus grandes périodes de l'histoire de l'Angleterre et, en son temps, être proclamée impératrice des Indes : l'ère victorienne commençait.

Lorsque la mousson se déclencha, Juanita voulut retourner à Lucknow, mais Wali Dad et sa mère Aziza Begum le lui défendirent.

Dans la capitale humide et chaude de Oudh, le colonel John Low continuait à plaider pour éviter l'annexion du royaume par la Compagnie. Comme beaucoup de ses contemporains, il était alarmé par le tour que prenaient les affaires de la Compagnie. À l'origine, l'Honorable Compagnie des Indes orientales, « John Company », était une société de commerçants, venus en Inde pour acheter et vendre. Ils ne voulaient pas constituer un empire. Et pourtant, il semblait que, lentement et insidieusement, cet empire leur fût imposé par la force des choses.

Au temps du Grand Mogol, un chirurgien de la marine britannique avait guéri d'une grave brûlure la fille chérie de l'empereur Shahjahan. En récompense, le médecin avait demandé que les Anglais puissent faire du commerce au Bengale. Ces premiers comptoirs, devenus florissants, donnèrent de gros dividendes et provoquèrent l'envie des autres pays faisant du commerce outre-mer. Les Français, les Arabes, les Hollandais et les Portugais cherchèrent aussi à tirer profit des richesses de l'Inde et, pour protéger leurs vies et leurs établissements, les marchands anglais avaient dû s'armer et enrôler des mercenaires. La « Compagnie des marchands » avait signé des traités avec beaucoup de roitelets de cette Inde encore médiévale et combattit pour ses alliés, si bien qu'au lieu de retirer des profits, les directeurs de la Compagnie des Indes se trouvèrent confrontés aux dépenses d'une importante armée privée, chargée de protéger leur commerce transformé en un énorme empire toujours en croissance.

Les hommes de « John Company » avaient parcouru une longue route depuis les premiers comptoirs de la côte de Coromandel au XVIIe siècle. Ils avaient triomphé du sultan de Mysore et annexé son territoire, battu les Mahrattes et les Gurkhas, déposé le Peishwa et ajouté ses terres à la présidence de Bombay. Le royaume si ancien de Oudh allait-il suivre le même chemin ? Le colonel Low était, pour sa part, tout à fait décidé à l'empêcher.

Une partie du problème qui se posait au colonel Low fut résolue pour lui. En juillet, Nasser-ood-din fut empoisonné, ce qui mit tout

Oudh en ébullition. Les rues de Lucknow furent envahies par des troupes incontrôlées prêtes à soutenir leur candidat. Seuls la fermeté et le courage de Low et d'une poignée d'assistants anglais sauvèrent la ville d'un bain de violence et de sang. Avec l'accord de lord Auckland, le gouverneur général, un vieil oncle infirme du dernier roi, monta sur le trône de Oudh. La ville se calma et Juanita regagna le palais de stuc rose.

Le frère de Juanita était revenu d'Espagne : un étranger très grand, dont le rire éveillait des échos inhabituels dans la calme Casa de los Pavos Reales.

Les pluies torrentielles de septembre lavèrent la ville, et octobre amena les jours brillants et les nuits fraîches de l'automne indien. Les Barton revinrent à Lucknow pour y passer un mois chez le Résident, et Sabrina, en visite à la Maison des Paons avec sa tante Emily, y fit la connaissance de Marcos de Ballesteros.

Il était inévitable qu'ils tombent amoureux. Marcos, brun et très romantique, aussi plein de charme et de gaieté que l'Espagne d'où il venait, et Sabrina, petite, mince et d'une blondeur surprenante.

Ils se regardèrent dans le hall blanc de la Casa de los Pavos Reales garnie de caisses d'orangers, ils se regardèrent et tombèrent amoureux l'un de l'autre.

2

Les vieilles berceuses d'Espagne, de France et d'Inde apaisèrent le sommeil de la fille de Juanita.

– *Hai Mai !* soupira Aziza Begum à son amie Anne-Marie. Souviens-toi du jour où naquit ta fille..., le temps passe vite, très vite.

Pour Sabrina, ce fut une époque enchanteresse, une page arrachée à un conte de fées. Inconditionnellement britannique et insulaire, Emily était envahie d'angoisse et de pressentiments. Elle ne trouvait l'Inde ni belle ni excitante. Elle n'y voyait que le tombeau de ses deux enfants, un pays barbare et retardataire que, de droit divin, des Britanniques tels que Ebenezer devaient gouverner et occidentaliser. Rien d'étonnant donc à ce qu'elle ne voie pas d'un œil indulgent l'attirance réciproque de Sabrina et de Marcos de Ballesteros; elle se persuada qu'il s'agissait là d'une passade de la jeune fille, comme les précédentes.

Mais, pour la première fois de sa vie, Sabrina était vraiment amoureuse. En la voyant, personne n'aurait pu en douter. Quant à Marcos, il était si habitué aux femmes brunes d'Espagne, de France et du pays adoptif de son père que la beauté dorée de Sabrina lui semblait appartenir à un autre monde où tout était rare, fragile et exquis.

Emily comprit trop tard le danger et elle décida Ebenezer à avancer la date de leur départ de Lucknow pour Delhi. Consternée, Sabrina supplia qu'on la laisse à Oudh. Emily était restée fermement sur ses positions et Sabrina avait pleuré toutes les larmes de son corps. Quatre heures plus tard, Marcos sollicitait une entrevue avec sir Ebenezer Barton pour lui demander la main de sa nièce.

Pour une fois, sir Ebenezer se trouva désorienté. Il aimait et respectait le conde de los Aguilares et savait que son épouse, Anne-Marie, appartenait à la vieille noblesse française. Il connaissait leur immense fortune et, par certains côtés, ce mariage pouvait être considéré comme excellent. Mais aux yeux de sir Ebenezer, Marcos était un « étranger » par son mode de vie. Beaucoup d'hommes tels que sir Ebenezer Barton vivaient, travaillaient et mouraient dans ce pays conquis par les « marchands de Londres faisant du commerce avec les Indes orientales », mais ces hommes ne le considéraient pas comme leur patrie. Tandis que pour Marcos et sa famille l'Inde, et en particulier le royaume de Oudh, était la patrie. Sa sœur n'avait-elle pas épousé un Indien, un homme d'une autre religion ?

Sir Ebenezer chercha un faux-fuyant et demanda du temps. Ce n'était pas à lui d'accorder ou de refuser la main de sa nièce : cette responsabilité incombait au grand-père de la jeune fille, lord Ware. Marcos devait attendre de connaître l'opinion du comte sur le sujet, ce qui serait l'affaire de quelques mois.

– Mais Sabrina a vingt et un ans, elle est majeure, dit Marcos. J'ai demandé cette entrevue parce que la correction l'exigeait; mais s'il est exact que vous ne pouvez ni accorder ni refuser votre consentement à ce mariage, lord Ware ne le peut pas davantage. La décision revient à Sabrina.

– Son grand-père est en droit de la déshériter.

Le ton de sir Ebenezer était sec.

– Elle n'aura pas besoin de cet argent. Mon père est riche et je suis son héritier. Je vous supplie, sir Ebenezer, de me permettre de m'adresser à Sabrina.

– Et si je refuse ?

Marcos rit gaiement :

– Alors je me passerai de votre permission. Je le regrette, mais je ne pourrai m'en empêcher.

– Lady Emily va être très mécontente; elle avait décidé de partir immédiatement pour Delhi afin d'éviter une déclaration.

– Suis-je un parti aussi indésirable ? demanda Marcos avec amertume.

– Non, non..., ce n'est pas ça..., mais le grand-père de Sabrina aurait voulu qu'elle épouse quelqu'un habitant l'Angleterre.

– Je ne vois pas pourquoi nous n'irions pas en Angleterre de temps à autre.

– Ce n'est pas du tout la même chose : voir quelqu'un que l'on aime tous les six ou huit ans, pendant quelques mois, n'est pas suffisant.

– Mais moi aussi je l'aime ! (La voix de Marcos était passionnée.) Dois-je sacrifier mon bonheur et celui de Sabrina pour plaire à son grand-père ?

Sabrina ne voulut pas quitter Lucknow et Emily ne put l'emmener de force : comme Marcos l'avait fait remarquer, elle était majeure, le choix d'un mari et celui de la date de son mariage lui appartenaient. Elle accepta cependant de ne rien faire avant de connaître la réaction de son grand-père.

Emily, sir Ebenezer, Marcos, le conde Ramon et Sabrina écrivirent tous au comte de Ware, et Marcos demanda une dispense à Rome. Emily annula ses visites prévues à Delhi et Calcutta et resta à Oudh.

Une lettre du grand-père de Sabrina à l'occasion de Noël leur apprit le mariage, prévu pour le printemps, de Huntly, fils de Herbert et de Charlotte, avec Julia Pike. Lord Ware demandait le retour d'urgence de sa fille et de sa petite-fille pour la cérémonie. Sabrina refusa tout net :

– Je n'irai à Ware qu'en tant qu'épouse de Marcos. J'aime beaucoup Grand-Père, il est adorable, mais c'est un vieux tyran auquel je ne fais pas confiance. Il en est resté au Moyen Âge et si je retourne en Angleterre maintenant, il s'arrangera pour m'empêcher d'épouser Marcos.

Emily abandonna la partie et attendit, avec autant de résignation qu'elle le pouvait, la réponse de son père au sujet du mariage de sa petite-fille avec Marcos de Ballesteros.

La nouvelle année commença à Oudh dans le flamboiement d'une lumière jaune safran. Une année qui verrait le couronnement de la jeune reine Victoria, l'évacuation des États pontificaux par l'Autriche, la déclaration de guerre de la France au Mexique, l'abolition de l'esclavage en Inde et la désastreuse guerre en Afghanistan.

Au-delà des frontières de Oudh, au pays des Cinq-Rivières, Ranjit Singh, le fabuleux « lion du Pendjab », vivait dans sa cour dissolue de Lahore. Dans le nord, au milieu des montagnes désertiques de l'Afghanistan, l'émir Dost Mohammed, déçu dans son espoir d'un traité avec les Anglais, commençait à regarder vers la Russie, tandis que l'envoyé britannique, Alexander Burns, empêché par la stupide obstination de lord Auckland de se faire un allié de l'Afghanistan, se préparait à retourner les mains vides en Inde.

Dans la capitale de Oudh, Sabrina Grantham

célébrait son vingt-deuxième anniversaire par un pique-nique à l'ombre d'un boqueteau au bord de la rivière, suivi d'un bal à la Casa de los Pavos Reales.

Dans la grande maison emplie de musique et de rires, Sabrina portait une robe de crêpe blanc ourlée de broderies d'or et un magnifique triple rang de perles, cadeau d'anniversaire d'Anne-Marie à sa future belle-fille :

– Ce collier appartenait à ma mère, dit Anne-Marie en l'attachant sur le cou blanc de Sabrina. Sa mère l'avait porté au mariage de Louis XVI et de Marie-Antoinette. Je le destinais en cadeau de mariage à la fiancée de Marcos, mais j'ai envie que vous l'ayez tout de suite, pour le bal de votre anniversaire. Vous le mettrez le jour de votre mariage.

Mais l'année commencée dans la joie s'assombrit subitement : Anne-Marie mourut au début de février. Le vieux conde veilla toute la nuit dans le caveau de marbre, près du lourd cercueil de plomb de son épouse, et le matin le trouva tremblant de froid et de fatigue. Ses poumons ne résistèrent pas, et il mourut trois jours plus tard.

Les jours lumineux et les nuits fraîches de la fin de l'hiver firent place au printemps indien avec ses journées chaudes et ses nuits douces. Il était plus agréable désormais de rester à l'intérieur avec les persiennes closes et de ne sortir que tôt le matin ou en fin d'après-midi.

La nouvelle mode, avec ses corsages ajustés et plus longs, ses cols montants et ses jupes amples, convenait à Emily, mais l'arrivée du temps chaud lui faisait regretter les tissus plus frais et moins classiques de la mode Directoire.

En réaction contre le relâchement et la licence des règnes précédents, l'Angleterre victorienne prenait rapidement un air collet monté, et les robes à taille haute en tissu transparent du début du siècle laissaient la place à des étoffes plus solides et plus respectables.

Mars amena une élévation de la température, des tempêtes de poussière et l'appel monotone et lancinant du *koïl* que les Britanniques surnommaient « l'oiseau de la fièvre cérébrale ». Mars amena aussi sir Ebenezer et la dispense de mariage demandée à Rome.

Sir Ebenezer trouva sa femme pâle et affaiblie par les chagrins des deux derniers mois. Elle ne paraissait pas seulement fatiguée et malade, mais aussi vieillie de dix ans. Il décida son départ immédiat pour une station de montagne à la température plus fraîche, et cette fois-ci il serait d'autant moins question pour Sabrina de refuser de l'accompagner que son oncle la tenait pour responsable de l'état d'Emily.

Emily commença donc ses préparatifs de départ. Quant à celui de Sabrina, les événements en décidèrent autrement. Par une chaude soirée de la fin mars, alors qu'un vent sec agitait les feuilles desséchées des bambous et des margousiers, et que les chiens métis hurlaient à une lune jaunâtre se levant dans le crépuscule chaud, la lettre attendue depuis si longtemps arriva d'Angleterre.

Elle était courte et précise. Le comte de Ware ne consentirait à aucun prix au mariage de sa petite-fille avec cet expatrié espagnol installé en Orient. Il ne permettrait pas à Sabrina d'épouser un étranger, fût-il riche et de bonne lignée, qui s'était établi dans un lieu aussi barbare et aussi peu civilisé. Sabrina devait regagner immédiatement l'Angleterre. Si elle refusait de le faire et persistait dans sa choquante folie, elle serait rayée du testament de son grand-père et tout futur contact avec lui et sa famille lui serait refusé. C'étaient là les derniers mots de lord Ware sur cette affaire.

Sabrina ne comptait nullement repartir pour l'Angleterre. Elle avait promis à ses oncle et tante d'attendre la réponse de son grand-père au sujet de son mariage avec Marcos de Ballesteros, mais elle n'avait pas promis de s'incliner devant sa volonté. Maintenant que le comte de Ware lui offrait le choix d'abandonner Marcos ou d'être rejetée et déshéritée, il n'y avait plus à atermoyer. Il n'était pas séant qu'elle habite chez Juanita et, puisque la santé de tante Emily requérait la fraîcheur des montagnes, Sabrina résolut tout simplement le problème en épousant Marcos.

Elle aurait aimé la présence de tante Emily et d'oncle Ebenezer à son mariage, mais elle ne voulait pas les mettre dans une situation déplaisante vis-à-vis de son grand-père. Elle laissa donc une lettre épinglée sur un coussin, dans la manière tout à fait traditionnelle, et se glissant hors de la maison, elle partit à cheval rejoindre Marcos.

Ils se marièrent dans la petite chapelle de la Casa de los Pavos Reales en présence de deux jeunes officiers du 41e régiment de Cavalerie du Bengale, amis de Marcos, en retour d'une permission de chasse, et de Juanita que l'on avait fait venir d'urgence.

Sabrina portait une robe d'Anne-Marie que Juanita et elle avaient trouvée dans une armoire en camphrier, car la future mariée n'avait que sa tenue de cheval et le collier de perles offert le soir du bal.

Vestige d'une mode datant d'un quart de siècle, cette robe était d'un satin blanc jauni par les ans, et la dentelle incrustée dans la jupe, avec sa garniture de petites perles, paraissait aussi fragile que des feuilles mortes sur le point de tomber. Sans savoir qu'il s'agissait de la robe de mariée d'Anne-Marie, les deux jeunes femmes l'avaient choisie parmi une douzaine d'autres de la même époque. Juanita ajouta une mantille de dentelle blanche rapportée d'Espagne par Marcos, et attacha le fermoir du triple rang de perles au cou de Sabrina.

Quelqu'un avait décoré la chapelle de jasmin et de roses blanches, et des bougies brûlaient sur l'autel. L'alliance, un large anneau d'or avec des petites perles, venait aussi d'Anne-Marie, mais les doigts de celle-ci devaient être légèrement plus gros car Sabrina la sentait lourde et un peu trop grande. La jeune mariée regarda ce symbole de son mariage qui avait appartenu à la mère de Marcos et elle fut envahie d'un étrange sentiment de continuité de la vie. Pour la première fois, elle comprenait que Marcos et elle, jeunes et gais, avec la vie devant eux, mourraient comme Anne-Marie et don Ramon. L'existence ne lui paraissait plus longue du tout comme lorsqu'on est jeune et impatient, mais au contraire courte et rapide, telle l'ombre des nuages courant sur la terre. Mais cela n'était pas triste car le temps n'était qu'un. Anne-Marie avait porté cet anneau quand elle était jeune, maintenant elle était morte et l'épouse de son fils le portait, comme le ferait à son tour une fille de Sabrina. Anne-Marie était encore présente en Marcos et Juanita, comme elle le serait dans les enfants et petits-enfants des nouveaux mariés.

Henry et Selina, Johnny et Louisa, Sabrina et Marcos… Le temps n'était qu'un et Sabrina fut soudain emplie d'un bonheur immense et d'une certitude d'immortalité.

« *Jesu dominus ora pro nobis* (1). » Les paroles de la bénédiction finale firent doucement écho sous le toit en dôme de la petite chapelle et Sabrina se retrouva en train de signer un papier qu'elle ne put lire à la lueur pâle de la chandelle. Il y avait de la poussière sur le document, la poussière envahissante des plaines indiennes, et la plume d'oie crissa dans le silence. Marcos signa aussi, de même que les deux jeunes officiers, le *cura* et Juanita.

– Vous êtes vraiment ma sœur désormais, dit Juanita.

– La comtesse Sabrina de los Aguilares ! ma femme, *mi esposa.*

Marcos se mit à rire et l'embrassa.

Ils burent du vin dans le grand salon et les deux officiers portèrent un toast aux mariés. Wali Dad, qui avait amené Juanita mais n'avait pas assisté à la cérémonie, fit un discours dans un persan fleuri que seuls son épouse et le *cura* comprirent, mais que tous applaudirent.

Au clair de lune, dans l'ombre des citronniers, Sabrina et Marcos se tinrent sur la terrasse tandis que leurs invités s'en allaient. La lune, qui commençait à se lever au-dessus des manguiers lorsque Sabrina était arrivée à la Casa de los Pavos Reales, était déjà basse du côté de l'ouest et malgré les prémices d'une aurore encore lointaine, l'air était frais et embaumait les fleurs d'oranger.

« Je vivrai indéfiniment, pensa Sabrina, mais

(1) En latin dans le texte.

jamais je ne serai aussi heureuse qu'en ce moment. »

Le père de Wali Dad, l'ami du conde Ramon, mourut au printemps et sir Ebenezer et lady Emily montèrent à Simla où la santé de celle-ci s'améliora. Sir Ebenezer assista aux interminables réunions qui aboutirent au désastre de la première guerre afghane.

En Angleterre, le comte de Ware avait subitement vieilli à la suite de la lettre reçue quelques jours avant le mariage de Huntly. Emily lui annonçait que Sabrina, prenant ses affaires en main, s'était enfuie pour se marier contre la volonté de son grand-père. Sabrina lui avait écrit ensuite, mais la rage et la colère du vieux lord étaient encore à leur comble : il mit la lettre de Sabrina sous enveloppe et la lui renvoya sans la décacheter.

3

La chaleur de l'été indien tomba sur Oudh comme une chape. Mais les hautes pièces blanches aux murs épais et aux jalousies fermées de la Casa avaient été conçues pour le temps chaud, comme les patios avec leurs fontaines et leurs orangers.

À l'aurore, ou tard après le coucher du soleil, Sabrina parcourait les jardins avec Marcos, ou montait à cheval en sa compagnie. Mais même à ces heures-là, la chaleur étouffante était presque insupportable et Sabrina retrouvait avec bonheur les pièces obscures où les *punkahs*[1] et les jets d'eau donnaient au moins l'illusion de la fraîcheur.

En acquérant de temps en temps des terres de l'État de Oudh, le père de Marcos avait créé un grand domaine, ce qui obligeait Marcos à être en selle pendant la majeure partie des heures chaudes. Sans Juanita, Sabrina aurait été très seule cet été-là.

Lorsque Marcos devait s'absenter pour la nuit, Sabrina se rendait au Gulab Mahal et, tandis que la lune se levait sur le crépuscule poussiéreux, les femmes s'installaient sur les toits plats du *zenana* et regardaient les minarets, les arbres verts et les coupoles dorées de la ville de Lucknow, à la fois maléfique, belle et fantastique. Aziza Begum lançait des plaisanteries, riait, s'emplissait la bouche d'étranges sucreries, ou racontait des histoires de rois, de princes et de nobles de l'État de Oudh.

Au début, Sabrina ne comprenait presque rien à la conversation de la vieille dame, mais elle consacra ses longues heures d'inaction sous le punkah oscillant à apprendre l'hindi avec Juanita, Wali Dad ou le vieux *munshi* engagé par Marcos à cet effet. Aziza Begum la félicitait de ses progrès et, en signe de son estime, lui envoya une femme de sa maison, Zobeida, comme femme de chambre.

Zobeida était la fille d'une esclave du zenana : teint foncé, solidement bâtie, adroite, complaisante, fidèle. Sabrina en vint à l'aimer beaucoup et à dépendre d'elle comme d'une nourrice de son enfance. Amour rendu par Zobeida avec le

(1) Un glossaire des principaux termes indiens se trouve en fin d'ouvrage.

dévouement protecteur d'une mère pour son enfant.

Tandis que les plaines étouffaient, dans la montagne au milieu des pins et des cèdres de Simla le gouverneur général, encouragé par des irresponsables avides de pouvoir et de conquête, avait décidé de déclarer la guerre à l'Afghanistan.

Il importait peu à lord Auckland et à ses conseillers que Dost Mohammed, émir d'Afghanistan, ait été préféré par son peuple au faible Shah Shuja. Selon eux, il était d'importance vitale que l'Afghanistan fût allié de la Grande-Bretagne et, craignant que Dost Mohammed n'intrigue avec la Russie, ils décidèrent de remettre sur le trône le Shah Shuja rejeté. Ils espéraient que la reconnaissance le lierait aux Anglais. En voulant se faire un ami de l'Afghanistan, ils s'en firent un ennemi et partirent en guerre contre l'émir pour éviter l'éventualité, peu probable, que celui-ci déclare le premier la guerre aux Anglais.

En novembre, avec l'arrivée du temps frais, « l'armée de l'Indus » se rassembla à Ferozepore avant de marcher sur l'Afghanistan. Désespéré par cette guerre qu'il considérait comme une stupidité et une injustice sans pareilles, sir Ebenezer Barton donna sa démission du Conseil et se retira à Lunjore, petit État situé à l'ouest de Oudh, pour y passer les mois d'hiver chez son très cher ami le Résident.

Des affaires concernant la famille de sa mère appelèrent Marcos dans le Sud cet hiver-là, et en raison de l'inconfort du voyage, il partit seul. Sabrina était enceinte et sujette aux nausées, et pour ne pas gêner Marcos, elle accepta d'attendre son retour en la compagnie de son oncle et de sa tante à la résidence de Lunjore.

La Résidence, une maison pleine de recoins, avait autrefois fait partie d'un bâtiment plus important : la demeure d'été d'un petit prince local. Un précédent fonctionnaire de « John Company » l'avait sérieusement modifiée, faisant abattre le zenana et ne gardant que les pièces de réception qu'il avait augmentées. La maison était bâtie sur un grand terrain, bordé par la jungle, dont elle était séparée par un *nullah* profond formant d'un côté une barrière naturelle et une défense, tandis que sur les trois autres côtés les remparts avaient été remplacés par un haut mur de pierre blanchi à la chaux. Seul le portail massif indiquait qu'il s'était agi là d'une résidence semi-royale.

Après avoir été choqués de son mariage, les Barton avaient fait la paix avec Sabrina et celle-ci était ravie de les revoir. Elle avait eu beaucoup de mal à surmonter le chagrin causé par sa lettre non décachetée. « Un jour, je retournerai à Ware et tout ira bien à nouveau. J'aime tellement Grand-Père et je sais qu'il ne pourra pas toujours me tenir rigueur de lui avoir désobéi. »

Emily n'en était pas aussi sûre, mais elle gardait le silence. L'aspect de Sabrina la contrariait en raison de sa minceur, de ses yeux cernés et de sa pâleur. Elle mangeait peu malgré les efforts combinés d'Emily et du cuisinier de la Résidence. Le bébé n'était attendu que pour la fin de juin et l'on était seulement en décembre, mais le médecin ne pouvait atténuer les nausées et les vomissements fréquents de Sabrina. Et puis, elle n'aimait pas la résidence de Lunjore.

Vraisemblablement, cette aversion résultait de son état, mais la grande maison avec ses vastes vérandas et ses pièces où s'entendait un écho lui semblait plus qu'inamicale, hostile. Différente des autres maisons sans qu'elle sache pourquoi. Parfois, elle en avait même peur. Lorsqu'elle était seule, la maison s'emplissait de murmures, de présence de défunts.

Sentant sa maîtresse mal à l'aise, Zobeida se mit à coucher sur une paillasse au pied de son lit, ce qui réconforta Sabrina.

Au début de janvier, Marcos revint du Sud et fut, lui aussi, ennuyé de l'aspect de sa femme. Ils regagnèrent la Casa de los Pavos Reales où elle reprit courage et couleurs.

Les mois chauds approchant, les Barton partirent à nouveau pour Simla où Emily désirait beaucoup que Sabrina les accompagne. Celle-ci commença par refuser avec obstination, puis se laissa convaincre et il fut convenu qu'elle les rejoindrait avec Marcos au mois de mai.

Au début de la saison chaude, la Casa de los Pavos Reales fut assez solitaire. Sabrina ne pouvait plus monter à cheval avec Marcos, Emily se trouvait à Simla et le second enfant de Juanita, un fils, la retenait au Gulab Mahal. Les visiteurs se faisaient rares à la grande maison des rives du Goomti. Mais Sabrina ne trouvait pas la solitude ennuyeuse. Elle aimait les murs blancs, les beaux portraits, les sculptures et les tapisseries apportés d'Espagne par le conde, la splendeur sombre et maléfique du Vélasquez accroché dans le grand salon et le parfum des fleurs d'oranger. Elle aimait le bruit des sabots du cheval de Marcos annonçant son retour et leurs promenades du soir sur la terrasse dallée.

Elle se sentait très heureuse, d'un bonheur serein que rien ne pouvait toucher ou abîmer. Elle aimait et était aimée. Adorée, chérie et protégée.

Très loin au nord, à la fin d'avril, Shah Shuja entra dans Kandahar avec l'envoyé britannique. Le frère de Dost Mohammed et ses hommes s'étaient enfuis devant l'avance de l'armée de l'Indus, et la population de Kandahar fit au vieux Shah Shuja un accueil tel que l'envoyé anglais crut tout l'Afghanistan prêt à applaudir le pantin d'émir et à renvoyer Dost Mohammed.

La dernière semaine d'avril, Marcos se prépara à repartir pour la côte de Malabar afin de vendre les propriétés appartenant au père d'Anne-Marie, comptant ensuite réinvestir les fonds dans l'État de Oudh. Wali Dad l'accompagnait et les deux beaux-frères promirent d'être de retour à la fin de mai.

Avant de partir, Marcos espérait confier Sabrina à sa tante puisqu'il n'y avait plus aucune raison de retarder son voyage à la montagne. Mais Emily venait d'avoir une sérieuse crise de malaria et son état causait encore une certaine inquiétude. Marcos comprit que ce n'était pas le moment d'envoyer sa femme chez lady Emily.

– Il faut qu'elle vienne chez moi, dit Juanita. Je sais qu'elle ne désire pas quitter Pavos Reales pour l'instant et qu'il y fait plus frais, mais il n'est pas bon qu'elle reste seule en un moment pareil.

Sabrina s'installa donc dans le Palais rose de Lucknow, le Gulab Mahal toujours bruissant. Ses pièces aux murs peints ou sculptés avec incrustations de marbres colorés et de nacres s'apparentaient à des fournaises. Sous les innombrables balcons découpés, les manguiers, les orangers et les *mohurs* cernaient à les étouffer les cours pavées et les jardins. Par-delà le haut mur qui entourait le palais, la ville grouillante avec ses bazars encombrés, ses mosquées dorées, ses jardins verts et ses fantastiques palais.

Tous les bruits de la ville se répercutaient nuit et jour sur les murs roses du Gulab Mahal, envahissant les pièces étouffantes à la manière des onguents et des arômes utilisés par Aziza Begum. Les femmes du zenana les emplissaient d'un lourd parfum de santal et d'essence de roses, tandis que des cuisines venait le fumet du *ghee* bouillant, du curry et de la férule persique.

Les nuits n'apportaient qu'une diminution du bruit, jamais le silence. À travers les dédales où se pressait la foule, des tam-tams battaient en contrepoint des flûtes et des cithares, des aboiements des chiens métis, des cris des enfants et des sabots des chevaux.

La chaleur augmentait avec la saison qui avançait; les murs et les toits de la maison, ainsi que les pavés des cours, l'emmagasinaient tout au long du jour pour, en quelque sorte, la restituer par vagues au cours de la nuit.

Sabrina réussissait à dormir un peu pendant la journée, car un vent chaud et sec soufflait fréquemment, ce qui permettait d'ouvrir portes et fenêtres auxquelles on suspendait des rideaux de racines tissées imprégnées d'eau. Le vent passant à travers les racines humides rafraîchissait les pièces.

Incommodée par la température, Sabrina commençait à regretter de n'être pas partie à la montagne en mars avec Emily comme le voulait Marcos. Mais elle n'irait plus jamais en montagne avec Emily. Marcos n'avait quitté Sabrina que depuis trois semaines lorsqu'une lettre très brève de sir Ebenezer Barton arriva. Emily était morte en deux jours d'une rechute de malaria.

Tante Emily qui l'avait entourée de tant d'amour, protégée des tracasseries de tante Charlotte, Emily n'était plus. Et Sabrina se sentit prise de peur comme si son rêve s'était soudain transformé en cauchemar.

L'absence de nouvelles de Marcos et de Wali Dad ne tourmentait pas Juanita ni la Begum, très au courant de l'état des routes et des difficultés du courrier. Mais Sabrina, elle, s'inquiétait et, pendant les longues heures chaudes de la nuit, son imagination cédait à toutes sortes d'idées funestes. L'Inde, qu'elle avait trouvée tout d'abord ensorcelante et belle, commençait à revêtir un aspect tout différent, car elle savait que sous cet ensorcellement et cette beauté se cachaient des abîmes de cruauté et de terreur.

À l'extrémité du haut mur qui limitait le jardin du Gulab Mahal, et juste devant sa fenêtre, se dressait une mosquée surmontée du croissant de lune, emblème de l'islam. Le soleil se levait juste derrière et, à toutes les aurores, Sabrina voyait le croissant encadré par la fenêtre et se profilant en ombre chinoise sur le ciel couleur safran. Peu après, le soleil complètement levé projetait le quartier de lune sur le sol de la chambre.

Sabrina retrouvait quelquefois la nuit le croissant surmontant la mosquée, tout noir dans le clair de lune; il en venait à symboliser pour elle toutes les terreurs de ces longues journées et cette impression grandissante d'être seule dans un pays étranger, entourée de gens d'une autre race. Une menace et un avertissement.

Elle n'était pas retournée à la Casa de los Pavos Reales depuis le départ de Marcos, et un jour où la chaleur avait été encore plus accablante que de coutume, elle fut saisie d'un vif désir de se promener à travers les jardins et le long de la terrasse bordant la rivière. Juanita proposa de l'accompagner, mais Sabrina préféra y aller seule.

L'herbe était roussie et les margousiers perdaient leurs feuilles dans les sentiers, mais les orangers, les citronniers et les manguiers brillaient de leur vert éclatant. Après le bruit, la chaleur et la couleur du Gulab Mahal, la Maison des Paons semblait étrangement fraîche et paisible.

Vers le soir, quelque part dans la plaine au-delà de la rivière, le long hurlement d'un chacal résonna, sauvage et incroyablement solitaire. Une fois de plus, Sabrina fut saisie du même incontrôlable sursaut de peur ressenti en apprenant la mort d'Emily. La terreur de l'Inde. La terreur des terres sauvages et étranges qui l'entouraient sur des distances infinies et la retenaient prisonnière. Terreur des yeux lançant des regards furtifs, des esprits indéchiffrables réfugiés derrière ces visages inexpressifs. Les incroyables cruautés pratiquées dans les palais des rois, chuchotées par les femmes du zenana. Les histoires racontées par Aziza Begum à la clarté des étoiles, sur le toit plat surplombant la ville surpeuplée, histoires de batailles, d'intrigues et de meurtres. De reines, de danseuses et de favorites, brûlées vives sur les bûchers de leurs seigneurs et maîtres.

Le dallage de la terrasse brûlait Sabrina à travers les minces semelles de ses sandales. Elle entendit la petite toux sèche du cocher et le claquement des sabots des chevaux. Elle comprit alors qu'à cette heure tardive, il valait mieux rentrer. Mais la pensée des petites pièces chaudes des appartements des femmes dans le Gulab Mahal l'emplit de répulsion, et elle s'attarda entre les arbres, peu désireuse de partir.

Une ombre s'approcha d'elle, Zobeida lui toucha le bras et elles s'éloignèrent dans l'avenue éclairée par la lune.

– Peut-être ne reverrai-je jamais la Casa de los Pavos Reales, dit Sabrina lentement, sans se rendre compte qu'elle parlait à voix haute.

Un cheval sans cavalier se tenait près du portail, à l'intérieur du Gulab Mahal, dans l'ombre des flamboyants, mais Sabrina le reconnut. C'était Suliman, le cheval de Marcos.

Son cœur bondit de joie. Hélas, ce n'était pas Marcos, lui dit un serviteur, mais un messager avec du courrier. Une lettre de Marcos, enfin ! Elle se précipita vers la chambre de Juanita, emplie de femmes. Juanita tenait une lettre à la main, son visage était pâle et effrayé.

Sabrina s'arrêta sur le seuil et resta immobile. Puis elle dit :

– Marcos ?

Juanita courut à sa rencontre et, lui entourant le cou de ses bras, la tint près d'elle.

– Ne me regardez pas ainsi, *querida*. Il ne va pas mourir. Beaucoup guérissent !

Sabrina la repoussa et s'adressa à Aziza Begum :

– Dites-moi ce qu'il a.

– Le choléra. L'un des serviteurs de ton mari a apporté une lettre de mon fils, il trouvait préférable que nous soyons prévenues. Ton mari est un homme jeune et solide; ne crains rien, il guérira. Tu n'as pas besoin de t'inquiéter outre mesure, mon petit cœur. Dans quelques jours, il sera en bon état. Bien des malades plus âgés et moins forts que lui se remettent du choléra.

Mais Sabrina ne l'entendait pas. Elle n'avait entendu qu'un seul mot, « choléra » ! Le fléau redouté de l'Asie. Marcos avait le choléra. À l'heure actuelle, il pouvait être mourant ou mort. Elle devait aller le retrouver. Immédiatement…

La chaleur de la petite pièce l'oppressait

comme si elle était palpable, mais il lui semblait que son cerveau était soudain devenu très clair et très froid. La seule chose claire dans cette bizarre chambre étouffante, emplie de visages brumeux et de couleurs brillantes. La seule chose froide dans cette ville fournaise. Elle regarda les visages qui l'entouraient, essayant de les voir nettement. Des visages sombres et inquiets. Des yeux sombres et inquiets. Les joues pâlies de Juanita. Tout le monde était bon pour elle, elle le savait. Mais on allait essayer de l'arrêter, de l'empêcher de rejoindre Marcos. Heureusement, Suliman était attaché au portail. Si seulement elle pouvait aller jusqu'à lui, elle l'enfourcherait pour retrouver Marcos et on ne réussirait pas à la rattraper.

Elle recula tout doucement. Juanita fit un pas vers elle, la main tendue, et la pièce pleine de visages sembla se précipiter en avant. Sabrina tourbillonna sur elle-même et courut vers l'escalier raide et sombre, béant devant elle. Elle entendit des pas la poursuivre et jeta un coup d'œil par-dessus son épaule. Et puis, elle tomba, tomba, tomba dans une obscurité chaude qui l'engloutit.

La fille de Sabrina naquit au lever du soleil, après une nuit d'un travail exténuant, et Juanita, qui guettait les lèvres blanches, se pencha pour saisir les mots murmurés :

– Ne la laissez... pas... toucher...

– Non, non, dit Juanita d'un ton réconfortant, sans savoir de quoi elle parlait.

– L'ombre... persista Sabrina.

Trop épuisée pour remuer la tête, elle tourna les yeux et Juanita, suivant leur regard, les vit se poser sur l'ombre curieuse du croissant de lune que le soleil du petit matin projetait sur le mur. Elle se leva rapidement et ferma les lourds volets de bois.

Les yeux clos, Sabrina sombra dans l'inconscience et Zobeida, accroupie près d'elle, l'éventa sans répit tout au long de la chaude journée. Tard dans la soirée, elle remua la tête et dit deux seuls mots : « De l'eau. » Elle but avidement, mais avec difficulté. Aziza Begum lui amena un minuscule fardeau emmailloté et le posa près d'elle, mais Sabrina, les yeux toujours fermés, n'y prêta pas attention.

Elle resta immobile sur le lit indien très bas et son esprit s'évada vers Ware en hiver. En imagination, elle toucha la neige et sentit sa fraîcheur craquante; elle y plongea les bras et en prit des poignées pour les poser sur ses joues brûlantes. Si seulement elle pouvait rester immobile, sans respirer, peut-être réussirait-elle à transformer ses fantasmes en réalité.

À côté d'elle, la toute petite créature bougea et émit un faible cri qui pénétra les brumes obscurcissant son esprit. Elle tourna la tête et força ses lourdes paupières à se soulever pour regarder l'enfant couché sur le lit.

Il était tout petit, plus semblable à une poupée qu'à un être vivant. Au lieu d'être rouge comme la plupart des nouveau-nés, il était d'un blanc laiteux avec des cheveux noirs bouclés et soyeux. De son bras, Sabrina le serra un peu contre elle et l'ombre d'un sourire apparut sur ses lèvres.

– N'est-elle pas jolie, votre fille ? demanda Juanita.

– Comme l'hiver...

– Comme quoi, *querida* ?

– Winter, l'hiver, à Ware avec la neige et les arbres sombres... l'hiver...

La voix lui manqua et elle referma les yeux, mais elle ne dormait pas.

La chaleur de la petite pièce agissait sur son corps épuisé comme une flamme invisible. Au-delà des volets fermés, le soleil donnait à plomb sur la ville et, encore plus loin, sur les plaines brûlées s'étendant, indéfinies, jusqu'à l'horizon. Quelque part, là-bas, se trouvait Marcos. *Marcos !* Était-il déjà mort ? Peut-être ne saurait-il jamais qu'il avait une fille..., un bébé qui paraissait aussi blanc et petit qu'un flocon de neige.

Une peur soudaine et aiguë, une peur purement maternelle, s'empara de Sabrina. Si Marcos devait mourir, si elle-même devait mourir, que deviendrait l'enfant ? Emily était morte. Juanita l'élèverait-elle ? *Non, non,* pensa Sabrina désespérée. Je ne veux pas de cette vie pour ma fille.

Grand-Père ! Il s'occuperait de l'enfant. Il aimait Sabrina, ces lettres furieuses ne signifiaient rien. Sabrina fut saisie d'un impérieux sentiment d'urgence. Du temps s'écoulant comme du sable entre les doigts. Il lui fallait envoyer une lettre à Ware, tout de suite, avant qu'il soit trop tard.

Serrant les lèvres, elle se força à se soulever sur l'oreiller. Un frou-frou de soie, et Juanita fut auprès d'elle :

– Qu'y a-t-il, ma chérie ? Ne bougez pas.

– Je dois écrire une lettre, une lettre à Ware, maintenant.

– Demain, *hija mia,* demain.

– Non. (Sabrina se débattit faiblement contre les mains qui la retenaient.) Maintenant, tout de suite.

– Alors, je vais écrire pour vous, vous me dicterez.

Assise tout près de Sabrina, Juanita écrivit les mots qui venaient si difficilement, en un murmure essoufflé. En français car elle écrivait mal l'anglais. Les visages de Sabrina, d'Aziza Begum et de Zobeida effrayaient Juanita et ses larmes tachaient le message.

– Occupez-vous d'elle, suppliait Sabrina à l'intention de son grand-père. Si quelque chose arrive à Marcos ou à moi, si nous ne sommes pas là, je vous confie ma fille. Bien cher Grand-Père, prenez soin d'elle pour l'amour de moi. Je ne sais pas rédiger un testament, mais cette lettre en est un. Si Marcos meurt, je lègue tout à ma fille, et je vous laisse ma fille.

Lorsqu'elle eut terminé, la Begum et Zobeida la soulevèrent et, avec l'aide de Juanita, Sabrina signa, puis sourit à sa belle-sœur. Un grand poids venait de lui être retiré du cœur.

Au coucher du soleil, Zobeida ouvrit les volets et aspergea d'eau le balcon de pierre. Le sifflement de l'eau sur la pierre chaude éveilla Sabrina. Juanita alluma une petite lampe à huile et Aziza Begum amena l'enfant.

– Comment allez-vous l'appeler ? demanda Juanita.

– Winter, chuchota Sabrina.

– *Winter ?* Mais ce n'est pas un nom, ma chérie. Il lui faut un très beau nom.

– C'est un beau nom...

Juanita ne pouvait comprendre à quel point il était beau ! Elle ne connaissait ni la neige, ni les sombres forêts de décembre. Elle ne connaissait que les couleurs dures et flamboyantes de ce pays brûlé de soleil. Elle ne savait pas ce que c'était que d'aspirer à des cieux gris, à des vents frais et au froid contact des flocons de neige.

Regardant le clair de lune par-delà la fenêtre ouverte, Sabrina se mit à délirer à voix haute.

Tous les souvenirs de Ware en hiver lui revenaient en mémoire.

La fièvre montait, Zoebida et la Begum allèrent chercher des couvertures dont elles entourèrent le corps frissonnant de la jeune mère. Mais Sabrina ne les sentit pas et, au petit matin, elle mourut.

Au-delà du balcon, le ciel pâlit avec l'aube et le soleil se leva, emplissant la pièce étouffée de lumière crue. Il projeta sur le mur l'ombre courbe du croissant de la mosquée située derrière les jardins du Gulab Mahal.

Se souvenant de la peur de cette ombre éprouvée par Sabrina, Juanita, agenouillée près du lit, se leva pour fermer les lourds volets.

4

Marcos ne mourut pas du choléra. Lorsqu'il revint chez lui, Sabrina était depuis deux semaines au cimetière et sir Ebenezer Barton, accompagné de Mrs Grantham, une parente éloignée, l'attendait à la Casa de los Pavos Reales.

Veuf, lui aussi, sir Ebenezer avait subitement vieilli. Il avait décidé de retourner à Calcutta pour y régler ses affaires, puis de se retirer en Angleterre. Un peu machinalement, il offrit son aide à Marcos et fut surpris lorsque celui-ci le prit au mot. Car Marcos désirait quelque chose : un brevet dans l'armée de la Compagnie des Indes.

Rester à Pavos Reales où il avait passé une brève année de bonheur lui était devenu intolérable, et il désirait quitter Oudh, au moins pour quelques années. Il y avait toujours à faire dans l'armée et Marcos désirait un changement et un travail dur, et, si possible, se battre. Tout plutôt que de rester ici, à la Casa que, pour lui, le fantôme de la jolie Sabrina hantait.

Sir Ebenezer ne discuta pas cette décision et promit d'user de son influence vis-à-vis de la Compagnie et du gouverneur général. Il servit de témoin pour le testament de Marcos qu'il emporta avec lui en même temps que le dernier message de Sabrina à son grand-père.

– Si quelque chose m'arrive, dit Marcos, je vous supplie de faire en sorte que les deux documents soient remis à lord Ware.

Sir Ebenezer tint sa parole de recommander Marcos et, peu après, le jeune homme fut nommé aide de camp du général, sir Willoughby Cotten, commandant les troupes avançant vers Kaboul.

Au nord de l'État de Oudh, au pays des Cinq-Rivières, Ranjit Singh, le lion du Pendjab, se mourait. Sa flamme brillante avait soudé les sikhs en une nation qui s'était taillé un empire s'étendant de la sainte Cité de Amritsar au Peshawar, à l'ombre des Passes de Khaïber. Il s'éteignit au cours de la dernière semaine de juin et avec lui le traité conclu entre lord Auckland et les sikhs, car personne ne se souciait plus de ce que deviendrait l'armée de l'Indus...

Marcos confia sa fille à sa sœur Juanita. Zobeida remplissait déjà les fonctions de nourrice sèche, et une jeune femme, Hamida, avait été engagée pour allaiter l'enfant. Marcos installa un régisseur de confiance à la Casa de los Pavos Reales, mit ses affaires en ordre et rejoignit l'armée de l'Indus. Au cours de ce même mois de juillet, débarquait à Calcutta un cadet de l'Infanterie du Bengale qui n'avait pas encore dix-sept ans : John Nicholson. Plus tard vénéré comme un dieu, il devint légendaire de son vivant.

Au début d'août, l'armée de l'Indus atteignit Kaboul et après trente ans d'exil, le pantin déniché par lord Auckland, Shah Shuja, fit son entrée dans la capitale de l'Afghanistan. Arrivé à Kaboul par les Passes de Khaïber, Marcos donna sa démission d'aide de camp en échange d'un service plus actif. Il participa à des expéditions punitives contre les soldats de Dost Mohammed, mais la mort ne voulut pas de lui.

Dans le palais de stuc rose de Lucknow, la fille de Sabrina grandissait et se développait. La maisonnée l'appelait *Chota Moti,* Petite Perle, à cause de la blancheur de son teint et parce que son prénom n'avait aucune signification pour des Orientaux et que les syllabes en étaient trop dures aux oreilles indiennes.

L'enfant habitait la chambre qui avait été celle de Sabrina, et ses yeux se posaient sur les murs colorés où des arbres et des fleurs de style persan étaient moulés en relief dans du *chunam,* un ciment poli ressemblant à du marbre coloré. Dès qu'elle put ramper, elle passa des heures à tâter les fleurs de ses petites mains et à en tracer le contour d'un doigt minuscule. Elles constituèrent ses premiers jouets et ses premiers souvenirs, si bien que, plus tard, lorsqu'elle cherchait à se rappeler sa petite enfance, il lui semblait l'avoir passée dans un jardin fantastique où elle avait joué, mangé et dormi au milieu de fleurs merveilleuses et de magnifiques oiseaux si apprivoisés qu'elle pouvait les toucher et les caresser.

Chaque animal et chaque oiseau de ces frises colorées possédait un nom bien à lui, et l'un d'entre eux devint son préféré entre tous : le premier à la portée des petites mains de Winter et qu'elle put agripper. Un perroquet stylisé ressemblant à un Sage et dont une serre levée semblait réclamer l'attention. Il s'appelait Firishta en souvenir d'un célèbre historien musulman qui avait vécu à l'époque de Akbar et Jehangir. La Begum prétendait que Firishta était l'auteur de nombreuses histoires sur les Mogols et les héros d'autrefois que les enfants aimaient écouter, aussi commençait-elle toujours ses récits par : « Firishta dit que... » Si bien que pour la fille de Sabrina, Firishta vivait et parlait. Lorsqu'elle fut plus âgée et qu'il faisait chaud, elle s'installait près du mur en plâtre rose et appuyait sa petite joue contre le corps lisse, vert et frais de Firishta et se mettait à lui parler comme s'il était un ami et un compagnon de jeux.

Juanita essaya d'habiller sa nièce à l'européenne, mais les vêtements choisis paraissaient très raides et très peu confortables à côté des mousselines et des soies légères portées par les autres enfants du Gulab Mahal. La Begum lui dit alors franchement que l'enfant étant traitée comme la propre fille de Juanita, il était absurde de l'emmailloter à la manière étrangère. On revêtit donc Winter de pantalons de soie flous, d'une tunique à manches courtes descendant jusqu'au genou et d'un *deputtah* de gaze à l'instar du vêtement de la Begum. Zobeida y ajouta de minuscules bracelets d'argent qui faisaient les délices de la petite fille.

Zobeida l'adorait. Ses propres enfants étaient mort-nés et leur bon à rien de père avait été tué dans une bagarre de rue. Elle s'occupait de la fille de Sabrina comme elle l'aurait fait pour la sienne et reporta sur elle toute la tendresse vouée à sa mère. La Petite Perle devint l'enfant chérie du Gulab Mahal, mais c'était « Beda » qu'elle aimait le plus, et vers Beda qu'elle courait si elle souffrait ou cherchait le réconfort.

Elle partageait les jeux des enfants de Juanita, Khalig Dad et Ameera, âgée d'un an et demi de plus qu'elle. La Begum considérait Winter comme sa petite-fille et lui prédisait une grande beauté. Elle l'installait avec Ameera sur ses genoux, leur chantait des chansons et les bourrait de fruits et de sucreries qui ne leur convenaient pas; aussi souffraient-elles d'indigestion et de coliques au grand dam de Juanita et de Zobeida. Mais tandis que la vie s'écoulait tranquille au Palais rose, les nuages s'amoncelaient au-dessus du lointain Afghanistan.

Au début de novembre, l'orage éclata et très vite tout le pays fut en flammes. Les postes avancés furent attaqués et leurs défenseurs massacrés. Dans plusieurs villes assiégées, les vivres devinrent rares. Akbar Khan, fils de Dost, tua sir William Machnaghten et le général Elphinstone ne prit aucune mesure pour venger cet assassinat. Un traité fut signé aux termes duquel les forces britanniques étaient autorisées à quitter le pays et une escorte leur serait fournie pour traverser les Passes.

La retraite commença avec la nouvelle année, et plus de quatre mille hommes accompagnés de douze mille non-combattants, comprenant des femmes et des enfants, marchèrent péniblement vers la neige et le froid des montagnes. Une fois dans les Passes de Khaïber l'escorte d'Akbar Kahn les abandonna à la vengeance des tribus hostiles.

Quelque part dans les Passes, parmi les milliers de combattants qui payèrent de leur vie la folie de lord Auckland, Marcos de Ballesteros mourut, le visage enfoui dans la neige froide et brillante.

Dans le petit Palais rose de Lucknow, Juanita pleura son frère en serrant la petite orpheline dans ses bras.

Le premier chagrin un peu apaisé, Juanita écrivit à sir Ebenezer à Calcutta car elle ne connaissait pas son adresse en Angleterre. Elle joignit à sa lettre les documents concernant les biens des Ballesteros que Marcos lui avait confiés avec mission de les envoyer à sir Ebenezer en cas de malheur. Elle écrivit en mars, mais sir Ebenezer était parti pour l'Angleterre deux ans auparavant, et la lettre ne l'atteignit qu'à l'automne.

Sir Ebenezer éprouvait des doutes sur la manière dont son beau-père accueillerait le testament de Marcos et la dernière lettre de Sabrina. Mais il ne le connaissait pas aussi bien que sa petite-fille. Sabrina ne se trompait pas en déclarant à Emily que quoi qu'elle fasse et, quelle que soit la colère du comte envers elle, il ne pourrait jamais s'empêcher de l'aimer.

Il avait largement dépassé ses soixante-dix ans, mais ne les paraissait pas. Le comte lut la brève lettre de sir Ebenezer accompagnant le paquet de documents, et son visage se durcit. Le mariage de Sabrina l'avait mis en rage, mais au plus secret de son esprit se cachait l'espoir qu'elle reviendrait un jour, implorerait son pardon, et que tout irait bien à nouveau.

L'annonce de sa mort lui avait porté un coup très grave, mais le fait que Sabrina eût un enfant ne signifiait rien pour lui. Cette enfant avait beau être son arrière-petite-fille, elle n'appartenait ni à lui ni à Sabrina, mais à cet étranger inconnu épousé par Sabrina contre sa volonté.

Aucune raison de la voir ou d'en entendre parler.

Il lut la lettre envoyée par Juanita à sir Ebenezer au sujet de la mort de Marcos, du testament de ce dernier en faveur de sa fille et du désir de Sabrina de confier la garde de Winter au comte de Ware.

La lettre de Sabrina mourante accompagnait le paquet. Écrite en français, l'encre en était effacée par endroits comme par des larmes. Le comte la lut une fois lentement, puis à nouveau. Et soudain, des larmes coulèrent sur ses joues.

Il resta assis, inconscient de ceux qui l'entouraient. Indifférent aux regards étonnés et embarrassés de sa famille et des domestiques.

La réaction immédiate du comte fut de vouloir envoyer quelqu'un en Inde pour chercher l'enfant de Sabrina. Sa belle-fille Charlotte se récusa, ainsi que Huntly et Julia son épouse dont la fille Sybella avait l'âge de Winter. Le comte dut faire appel à son gendre pour organiser le voyage de sa petite-nièce. Une épouse de fonctionnaire retournant en Angleterre l'accompagnerait depuis l'Inde. Les contretemps s'accumulèrent, et ce ne fut qu'à l'automne 1845 que la fille de Sabrina, Winter de Ballesteros, condesa de los Aguilares, arriva à Ware.

Elle avait six ans et demi. Et avec elle, à la curiosité mêlée de consternation chez Charlotte, Julia et les servantes, débarqua une gouvernante à la peau sombre : Zobeida.

À une seule personne près, la petite condesa fit une première impression défavorable. C'était une créature à l'ossature frêle et, selon lady Julia, à l'air maladif. La peau blanche, qui avait évoqué pour Sabrina mourante la neige à Ware, s'était transformée avec le temps et le soleil indien en un ton ivoire chaud que sa famille anglaise qualifia de « jaune ». Ses énormes yeux, d'un brun velouté comme celui des pensées, et ses cheveux noirs tirant sur le bleu, ondulés et tombant jusqu'à la taille, furent considérés comme « étrangers », et son titre espagnol, plein de sonorité, fut mal pris.

Cette enfant silencieuse parlait un anglais hésitant avec un accent prononcé. Le dépaysement radical, le contraste entre l'existence chaleureuse et colorée du Gulab Mahal et les pièces froides et sombres, la discipline victorienne et la routine de Ware, le tout, associé à la nostalgie des amis affectueux et de la seule demeure qu'elle ait jamais connue, la réduisait à un état de morne désespoir. L'enfant possédait une dignité et une réserve qui dépassaient son âge et elle ne se serait pas laissée aller à pleurer et à s'accrocher à des étrangers. Sa souffrance muette fut prise pour de la maussaderie et son parler lent pour de la stupidité, car ses parents de Ware ne comprenaient pas que l'enfant parlait quatre langues dont l'anglais était la moins courante puisqu'il lui avait été enseigné par une femme aux ancêtres franco-espagnols.

Que la fille de Sabrina apparût comme une enfant quelconque, au teint jaunâtre et au tempérament silencieux, fut un soulagement pour Charlotte, encore jalouse de Sabrina. De nature envieuse également, Julia considérait sa fille Sybella comme la prunelle de ses yeux et l'arrivée d'une enfant aussi peu attirante que Winter lui ôta son anxiété. Mais ce répit fut de courte durée : la seule exception à l'opinion peu flatteuse proférée par sa famille à l'égard de la fille de Sabrina fut celle du comte lui-même.

Entre le vieil homme et la petite fille silencieuse se forma un lien très fort de sympathie et de compréhension mutuelles. Lui seul comprit que l'enfant devait être en proie au chagrin et au mal du pays; et, malgré son jeune âge, Winter sentait la solitude et le besoin d'affection cachés sous l'aspect rébarbatif et le tempérament irascible du vieillard.

Johnny, Sabrina, Winter... Ils avaient été, chacun à son tour, les seuls à ne pas le craindre et ici encore, à la troisième génération, il avait trouvé quelqu'un à aimer, aussi Charlotte et Julia virent-elles leurs pires craintes se réaliser.

Zobeida constituait une autre écharde dans leur chair, et elles avaient fait tout leur possible pour qu'elle regagne son pays natal. Mais elles ne réussirent pas à convaincre le comte. Il était dans l'admiration de l'affection de l'Indienne pour son arrière-petite-fille, suffisamment profonde et forte pour la rendre capable d'accepter volontairement l'exil et la séparation. Zobeida resta donc à Ware, de plus en plus silencieuse au fur et à mesure que les années s'écoulaient, et vieillit à la manière rapide des Orientales. Elle parlait souvent à Winter dans sa langue maternelle, et toujours du Gulab Mahal : « Un jour, promettait Zobeida pour réconforter l'enfant solitaire et dépaysée, nous retournerons au Gulab Mahal et tout ira bien pour nous. »

Herbert, vicomte Glynde, mourut lorsque Winter eut neuf ans. Charlotte le rejoignit peu après dans la tombe. Pendant les quelques mois qui suivirent, Winter trouva la vie à Ware un peu plus facile. Personne ne la tracassait ni ne prenait la peine de la réprimander ou de la sermonner « pour son bien ». Mais cette période fut de courte durée, car la jalousie de Charlotte ressuscitait chez Julia.

Julia idolâtrait Sybella, son unique enfant, et espérait que l'affection du comte et les biens disponibles de celui-ci lui reviendraient. Elle ne s'attendait donc pas à ce qu'un lien de profonde affection naisse et se développe entre le comte et la fille de Sabrina. Elle considérait comme une offense personnelle que sa propre fille, si jolie, ne réussisse pas à avoir la première place dans le cœur du comte de Ware à cause de cette bambine anglo-espagnole, pâle et silencieuse.

Tout ce qui blessait Sybella blessait Julia, et tout affront fait à l'enfant était un affront à l'égard de sa mère. Winter ne comprenait pas les raisons de l'antipathie de Julia. Elle en était simplement consciente et faisait de son mieux pour se tenir à l'écart. Ce n'était pas facile puisqu'elle partageait avec Sybella salle d'étude et gouvernante, leçons de danse, de musique et de dessin.

Solitaire et repliée sur elle-même, Winter se réfugiait dans ses souvenirs. L'Inde se parait à ses yeux de toutes les qualités. Un pays de merveilles et de beauté où le soleil brillait toujours et où les habitants ne vivaient pas dans de grandes pièces glaciales aux affreux meubles sombres, mais au milieu de jardins pleins de fleurs étranges et d'oiseaux apprivoisés.

Au cours de ces premières années à Ware, Winter admirait sans réserve la beauté de sa cousine dont elle partageait la vie malgré elle. La blonde Sybella ressemblait à une princesse de conte de fées, et Winter trouvait tout à fait normal qu'une créature aussi éblouissante reçoive un traitement de faveur; il ne lui vint jamais à l'idée qu'il était injuste qu'elle soit punie pour une faute, alors que Sybella ne l'était pas lorsqu'elle la commettait.

Ce n'était pas une enfant morne ou dénuée

d'esprit. Mais lors de conflits avec Sybella, elle s'était aperçue que si cette dernière n'obtenait pas satisfaction, elle faisait tout de suite appel à un adulte qui, invariablement, prenait son parti. Winter aurait pu se défendre contre sa cousine, mais elle ne l'emportait pas sur la mère, la grand-mère ou la gouvernante de Sybella. Elle se serait plainte à son arrière-grand-père que, sans aucun doute, une plus grande justice aurait régné; mais elle méprisait sa cousine de se réfugier toujours dans les jupes de l'autorité et trouvait indigne d'elle de l'imiter.

Sybella se savait une héritière belle et pleine de talent, car on le lui répétait souvent. Pour la même raison, Winter se savait quelconque, terne et « étrangère ». Elle ignorait qu'elle possédait une fortune considérable et portait un titre espagnol puisque personne n'avait pensé à l'en avertir. Conformément aux ordres de sa grand-tante Charlotte, elle était appelée « Miss Winter » à Ware. Zobeida lui parlait bien de la Casa de los Pavos Reales, mais sans se rendre compte que la grande maison appartenait maintenant à Winter, comme lui appartenaient aussi les biens considérables de son père et la fortune laissée à Sabrina par sa mère Louisa Cole, fille unique d'un « nabab » de la Compagnie des Indes orientales.

Au début, Juanita avait écrit à Winter deux ou trois fois l'an, donnant des nouvelles du Gulab Mahal, mais une année les lettres cessèrent. Personne n'apprit à l'enfant que le choléra avait sévi à Lucknow, faisant dix victimes au Palais rose dont Juanita, Wali Dad et la vieille Aziza Begum. Avec le temps, le passé devint légèrement brumeux et irréel pour Winter, un peu à la manière d'un conte de fées entendu dans la petite enfance. Cependant, enfouis au fond de son cœur, demeuraient l'espoir et la promesse qu'un jour elle retournerait au Gulab Mahal et que tout irait bien à nouveau.

5

Winter était âgée de onze ans lorsque son cousin éloigné, Conway Barton, accompagna son grand-oncle Ebenezer dans sa visite à Ware.

Sir Ebenezer vieillissait, mais son influence avait été encore suffisante pour appuyer l'avancement de son neveu qui voulait faire carrière en Inde. Apprenant que celui-ci occupait un poste administratif bien payé dans un district bordant Oudh, lord Ware avait exprimé le désir de le rencontrer. Il comptait lui demander de s'occuper de certaines affaires des Ballesteros qui devaient être traitées sur place.

À trente-six ans, Conway Barton possédait encore une certaine allure. Il commençait à s'empâter, mais il était suffisamment grand pour donner l'impression d'être solidement charpenté plutôt que gros. En raison de son teint bronzé que l'Angleterre n'avait pas encore atténué, ses cheveux blonds et ses yeux bleus paraissaient plus clairs que nature. Un homme ambitieux, peu scrupuleux lorsque son avenir était en jeu, très habile et possédant une excellente opinion de lui-même.

Le comte de Ware s'était toujours flatté d'être un bon juge en matière d'hommes, mais il était âgé et fatigué et, dans ce cas particulier, il se trompa. Sa vue avait baissé, sans cela il n'aurait pas manqué de remarquer les signes de faiblesse de caractère et de dissipation déjà visibles sur le visage de Conway Barton, au lieu de quoi il se souvint de Johnny. Peut-être sa mémoire et ses yeux faibles lui jouèrent-ils un tour, ou peut-être étaient-ce les cheveux blonds ou les yeux clairs dans un visage hâlé ? Toujours est-il que l'impression demeura et faussa le jugement du vieux comte. Il s'enticha du neveu de son gendre et lui confia une grande partie des intérêts de Winter; lorsque sir Ebenezer quitta Ware, il insista pour que Conway prolonge sa visite.

Au cours de ce séjour, il vint une idée à Mr Barton. Il connaissait déjà l'histoire de Winter, et maintenant qu'on le mettait au courant de l'étendue de sa fortune, il lui sembla que cette enfant jaunâtre et peu séduisante ferait une épouse parfaite pour un homme ambitieux. De là, il n'y avait qu'un pas pour donner à cet anonyme le nom de Conway Barton. Plus il y pensait, plus cela lui paraissait intéressant. Il n'avait que trente-six ans et pouvait se permettre d'attendre six ans, même dix si nécessaire. Mais seulement s'il était sûr de l'aboutissement.

Barton réfléchit sérieusement à la question. Pour l'instant, il était peu probable que quelqu'un s'intéresse à cette orpheline anglo-espagnole, mais un jour viendrait où une foule de coureurs de dots se présenteraient à Ware et, à ce moment-là, Conway Barton n'aurait guère de chances. Il serait donc tout aussi bien de consolider ses positions à l'avance. En peu de temps, Barton avait très bien compris la situation de Winter à Ware, et il s'efforça de l'exploiter au mieux.

La chance lui sourit parce qu'il venait d'Orient, de l'Inde, le pays enchanté dont le souvenir s'estompait rapidement dans l'esprit de Winter.

Il l'avait évoqué une fois devant l'enfant et s'était aperçu de son attention avide. Alors, Conway Barton se mit à parler de la vie en Inde à la petite fille de onze ans, lui décrivant des beautés fantastiques et purement imaginaires, et ses descriptions ressemblaient tellement aux vagues souvenirs de Winter qu'elle l'écoutait avec extase.

À l'exception de son arrière-grand-père et de Beda, personne à Ware ne s'était donné la peine de lui témoigner attention ou bonté. Mais ce grand homme aux cheveux blonds se montrait gentil avec elle, lui parlait, la flattait. Elle le trouvait merveilleux et le comte, heureux que sa préférée témoigne de l'amitié à un homme qui lui plaisait à lui aussi, en vint à considérer cette amitié comme la consécration de la sûreté de son jugement.

Conway Barton fut prié de revenir à Ware, et ce fut au cours de sa dernière visite, lorsqu'il lui restait moins de deux semaines de congé, qu'il parla de Winter au comte. Il avait beaucoup réfléchi et choisit ses mots avec soin. Il s'était attaché à la fillette, et lorsqu'il reviendrait d'Inde dans huit ou dix ans, Winter serait une jeune fille. Il suggéra avec beaucoup de délicatesse que l'espérance de vie du comte ne pouvait plus être très grande et que si, hum ! quelque chose arrivait, Winter serait confiée à lady Julia avec laquelle l'enfant ne paraissait pas entièrement sympathiser. Il comprenait, bien évidemment, qu'un engagement en règle ne pouvait être contracté avec une écolière, mais il voulait savoir si, à son retour d'Inde, lord Ware lui permettrait de se présenter à Winter comme un éventuel prétendant à sa main.

Lord Ware, qui avait atteint se quatre-vingt-six ans, se tourmentait pendant ses insomnies de l'avenir de Winter. Lorsqu'il ne serait plus là, Julia s'en occuperait-elle ? Il en doutait beaucoup. On ne pouvait compter sur elle pour protéger Winter des coureurs de dots. Une solution à ses inquiétudes se présentait maintenant. Cet admirable Conway Barton qui lui rappelait son fils Johnny, ce jeune homme raisonnable et solide auquel Winter était si attachée était sûrement la personne rêvée pour prendre soin de sa petite pupille. Elle serait en sécurité si elle l'épousait et son affection pour lui la rendrait heureuse, car il paraissait vraisemblable de supposer que son attachement enfantin se développerait au cours des années, plutôt que de diminuer.

Winter fut appelée dans l'appartement de son arrière-grand-père afin d'être mise au courant de la décision prise pour son avenir. Elle fut enchantée. Depuis les décès de ses grand-oncle et grand-tante, elle vivait dans la terreur perpétuelle de la mort de son grand-père, car Beda et elle se trouveraient seules. Mais maintenant Mr Barton, qui était si gentil, presque autant que son arrière-grand-père, s'occuperait d'elles et elles ne resteraient pas à Ware. Il viendrait les chercher pour les emmener dans ce pays merveilleux dont il lui avait ravivé la mémoire. Elle serait loin de ce dragon de tante Julia à l'œil et au cœur froids.

À la demande du comte, un contrat de fiançailles en bonne et due forme fut établi aux termes duquel lui-même, en tant que tuteur légal de l'enfant, donnait son consentement au mariage éventuel de sa pupille avec Conway Barton. Dans le cas de la mort du comte de Ware, Conway devrait immédiatement faire valoir ses droits à épouser Winter, pourvu qu'elle soit en âge légal de se marier.

Le jour de son départ, Conway offrit une bague à Winter. Petite et prévue pour un doigt mince, elle était encore trop grande pour celui, très menu, de la fillette. Cette babiole sans prétention se composait d'une petite perle montée sur un simple anneau d'or.

– Vous ne pouvez pas encore la porter sur le doigt approprié, dit Conway Barton en la passant au troisième doigt de la main droite de Winter, c'est seulement un gage. Un jour, lorsque vous serez devenue une adulte, je vous offrirai le diamant le plus brillant que je pourrai trouver pour vous en Inde. Vous devez grandir rapidement et ne pas m'oublier.

L'enfant se jeta à son cou et le serra très fort :

– Vous oublier ? Comme si c'était possible ! Après mon arrière-grand-père et Beda, c'est vous que j'aime le plus au monde. Vous êtes si bon et si gentil pour moi, je vais essayer de grandir aussi vite que je le pourrai.

Conway Barton lui tapota la tête d'un geste encourageant, se dégagea et, sautant sur son cheval, quitta Ware.

Winter porta sa bague deux jours au cours desquels elle tomba une dizaine de fois. D'un ton méprisant, Sybella déclara que c'était une camelote qu'elle ne consentirait pas à porter. Leur gouvernante l'interdit pendant les leçons et, à cheval, le gant de buffle de Winter incrustait l'anneau dans sa chair. Elle abandonna la partie et porta sa bague enfilée dans un mince ruban caché sous son corsage.

Les années qui suivirent le départ de Conway Barton s'écoulèrent très lentement pour Winter. Au fur et à mesure que les deux filles grandissaient, Sybella passait de moins en moins de temps avec sa cousine en dehors des heures de leçons.

Elle accompagnait toujours sa mère dans ses visites, ou à des thés auxquels Winter n'était jamais invitée. À treize ans, Sybella se donnait des airs de jeune personne élégante dont le seul but était d'impressionner les enfants des amis de sa mère.

Le vieux comte quittait peu sa chambre et son ouïe se détériorait aussi vite que sa vue. Winter restait auprès de lui autant qu'on le lui permettait, mais il se fatiguait très vite. La conversation devenait difficile et l'enfant solitaire tirait son réconfort des histoires qu'elle se forgeait sur son avenir. Il en résulta qu'au fur et à mesure que passaient les années, son opinion sur Conway Barton prenait un tour de plus en plus romantique et irréel. Il se transforma pour elle en un chevalier blond aux larges épaules, beau, bon, doué de toutes les vertus, qui viendrait la chercher un jour par la longue avenue bordée de chênes et les emmènerait, Beda et elle, par-delà les mers, dans le beau pays où elle était née et qu'elle ne quitterait plus.

Winter avait quatorze ans lorsque Zobeida mourut. L'hiver anglais avec son humidité, ses brouillards et ses gelées éprouvait beaucoup Zobeida, mais elle n'avait jamais songé à s'en plaindre. Une toux chronique la prenait tout au long des mois froids et un jour, au cours d'une promenade dans les champs avec Winter, une brusque averse les avait trempées jusqu'aux os. Winter s'en tira avec un rhume, mais Zobeida contracta une pneumonie dont elle mourut en trois jours.

Pendant un certain temps, il sembla que le contrecoup de la mort de Zobeida avait sérieusement affecté la santé de l'enfant. Pâle et frissonnante, elle se traînait dans le château et passait de longues heures dans la chambre de son grand-père, assise silencieusement à ses pieds sur un tabouret bas. Le vieil homme souffrait beaucoup pour sa préférée, mais il savait qu'il est de ces chagrins que l'on doit supporter et qu'en fin de compte, le temps les adoucit.

Après la mort de Zobeida, Winter se tourna de plus en plus vers son avenir de chimères. Bien sûr, les années s'écoulaient lentement, mais elles passaient quand même; encore quelques-unes et Conway reviendrait pour l'épouser. Pour se réconforter, elle sortait la petite bague suspendue à son cou et la regardait. C'était son talisman, sa lampe magique, comme la pensée du Gulab Mahal dont Beda parlait si souvent, où elles devaient toutes deux retourner un jour pour y être heureuses. Mais Beda ne reverrait plus jamais le Gulab Mahal, et maintenant qu'elle était morte, Winter craignait d'oublier la langue qui avait été sa langue maternelle. Lorsque Winter serait l'épouse de Conway, savoir cette langue pourrait l'aider, alors elle s'imposa de se la parler quotidiennement et de traduire des chapitres entiers de ses livres de classe.

Elle écrivait de longues lettres à Conway Barton, mais les réponses étaient décevantes. Il était toujours Résident de Lunjore, État voisin de Oudh, situation obtenue grâce à l'influence de son oncle Ebenezer. Il aurait aimé être promu à un poste plus important et n'hésitait pas à accuser des politiciens et des membres du Conseil d'être, par envie ou malice, la cause de son séjour prolongé à Lunjore.

À cette époque-là, une influence en haut lieu remplaçait fort bien la valeur personnelle. Mais sir Ebenezer ne pouvait ni ne voulait rien faire de plus pour son neveu, parce que Conway Barton vouait un culte à deux idoles qui avaient toujours ruiné leurs dévots : la boisson et les femmes.

Pendant un certain temps, la force physique et la bonne santé de Barton le maintinrent en état satisfaisant, mais à la longue l'alcool et la vie dissipée commencèrent à réclamer leur dû, aidés par le climat et les conditions de vie en Orient. La perspective de pouvoir se retirer en Angleterre et d'y jouir d'une grosse fortune ne l'aidait pas, car il n'avait qu'une ambition : amasser des richesses, et celles-ci étaient maintenant à sa portée. Il atteindrait son but par la voie la plus facile, celle du mariage, aussi n'avait-il plus besoin de s'ennuyer à travailler. Le temps constituait le seul obstacle entre lui et l'accomplissement de son rêve et il comptait s'arranger pour le passer le plus agréablement possible.

Conway Barton méprisait tous les hommes de couleur et avait l'habitude de les traiter de « nègres » sans distinction. Mais son dégoût pour les peaux brunes ne paraissait pas s'étendre aux femmes du pays qui occupaient tour à tour le petit *bibi-gurh,* ou maison de femmes, qu'il avait fait bâtir derrière la Résidence. Il ne s'apercevait pas que chaque jour son corps reflétait un peu plus visiblement ses nombreuses débauches. Il prenait du poids, devenait gras et indolent; comme il ne se livrait à aucun exercice physique en plein air sa peau, autrefois hâlée, devenait pâle et bouffie, et ses cheveux se raréfiaient.

Son travail se détériorait avec sa silhouette, mais le fait d'être le neveu de sir Ebenezer le protégeait d'une trop grande ingérence. Et la Fortune l'avait favorisé en lui envoyant comme assistant Alex Randall, un des « jeunes loups » de sir Henry Lawrence, un de ces soldats devenus administrateurs par la force des choses.

Randall consentait à faire le travail et à laisser son chef en recevoir les compliments, arrangement qui convenait tout à fait à Barton. Le Résident s'enfonçait de plus en plus dans l'indolence et la dissipation, et ses illusions sur la grandeur et le pouvoir que lui apporterait la richesse augmentaient quotidiennement, avivées par l'opium et le haschisch qu'il commençait à taquiner. Le lettre du comte de Ware le tira brusquement de ce monde de rêve.

Winter atteindrait ses dix-sept ans au printemps suivant, écrivait le comte d'une main tremblante de vieillard. Son intention première était de ne pas la marier avant plusieurs années, mais il se sentait décliner rapidement. Les médecins ne lui donnaient pas un an à vivre et il demandait à Conway de revenir en Angleterre le plus rapidement possible pour avoir le bonheur de voir sa chère petite-fille heureusement mariée avant de mourir.

Le jour était enfin venu où Mr Barton allait pouvoir saisir la fortune tant attendue. Il n'avait qu'à envoyer sa démission, ou demander un congé de maladie, puis à s'embarquer pour l'Angleterre.

Le Résident se souleva pesamment de son fauteuil pour se rendre à son bureau et, en approchant de la porte, il vit un visage...

Un visage gras, jaunâtre et bouffi, avec des bajoues et des cernes noirâtres sous des yeux pâles et protubérants. Les cheveux étaient clairsemés, comme la moustache tachée de nicotine.

Barton s'arrêta net, fixant avec horreur l'image réfléchie par le miroir. Il comprit que s'il se présentait dans cet état à sa fiancée et à son tuteur, on le chasserait sûrement. Pour la première fois, il se voyait comme les autres le voyaient, comme le verrait la jeune fille de dix-sept ans qu'était Winter, ou même le comte de Ware, sénile et à demi aveugle.

Quel fou avait-il été de se conduire ainsi lorsqu'un avenir aussi éblouissant se trouvait en jeu ! Il ne pouvait aller en Angleterre sans risquer de perdre cette fortune qu'il considérait déjà comme sienne. Cependant, il lui était très difficile d'ignorer l'appel impératif du comte. Tout à coup, une solution se présenta qui le fit rire aux éclats. Mais bien sûr ! Si Mahomet ne pouvait aller à la montagne, la montagne devait aller à Mahomet…

La jeune fille devait venir en Inde pour s'y marier. Une fois qu'elle serait à Lunjore, seule et sans amis, la cérémonie pourrait être précipitée avant qu'elle n'ait le temps de se ressaisir. Retourner non mariée à Ware qu'elle aurait quitté avec sa robe de noces et son trousseau lui paraîtrait impensable. Il allait écrire immédiatement à Ware et à ses hommes de loi des lettres qu'Alex Randall leur remettrait. Et mieux encore, le capitaine Randall ramènerait la fiancée à Lunjore, fournissant ainsi une escorte masculine digne de confiance à la dame respectable qui devrait servir de chaperon à Winter.

À ces missives destinées à lord Ware et à lady Julia, le résident Barton ajouta une lettre affectueuse, touchante même, pour Winter, où il faisait état de sa mauvaise santé résultant de son zèle professionnel, ainsi que du devoir qui lui incombait de rester à son poste en cette période troublée.

6

Le vent glacial qui chassait de grands lambeaux de nuages devant une lune voilée amena avec lui une brusque averse de pluie mélangée de neige. Elle vint frapper la longue capote militaire qui enveloppait le cavalier solitaire cheminant sur la lande.

Le capitaine Alex Randall poussa un juron dans la nuit froide et, retenant son cheval, rassembla sur lui le lourd manteau dont le vent venait de soulever un pan.

Pour oublier la dureté du trajet et avec un sentiment croissant d'exaspération et de dégoût, il revécut mentalement les événements qui l'avaient amené à cheminer en pleine tempête nocturne vers la grande maison de Ware.

Presque douze ans auparavant, à l'automne de 1844, Alex Mallory Randall, dix-huit ans, venait de terminer ses études au Collège militaire de l'Honorable Compagnie des Indes orientales et s'embarquait pour l'Inde.

Après avoir participé à plusieurs batailles contre les sikhs, il avait obtenu le grade de lieutenant. Transféré d'un poste militaire à un poste administratif, il avait été placé sous les ordres du grand Henry Lawrence, un passionné de l'Inde et de ses habitants. Sous sa direction, Alex avait été tour à tour surveillant, constructeur de routes et magistrat. À un âge où beaucoup d'hommes occupent des emplois subalternes, il avait pris part à l'administration de grands territoires qui n'étaient pas encore soumis à des lois. Sa conduite dans une grave crise survenue à la frontière du Nord-Ouest lui avait valu le grade de capitaine, mais on ne lui avait pas permis de rejoindre son régiment afin de l'affecter à un poste plus politique que militaire.

Son supérieur immédiat était Conway Barton, résident de Lunjore. Alex Randall ne sympathisait pas avec son chef : trop de traits de caractère de celui-ci lui déplaisaient. Mais les deux hommes travaillaient ensemble dans un climat de bonne intelligence.

La veille de son départ pour un congé d'un an, Barton l'avait forcé à accepter une commission peu agréable. Une fois ses bagages terminés, un appel inattendu l'avait amené à se rendre à la Résidence sous un clair de lune dur dans une nuit chaude.

Ses pas ne faisaient aucun bruit sur l'épaisse couche de poussière qui recouvrait le sol, et au-dessus de lui la lune blanche comme un os brillait dans un ciel presque déjà gris fer. Sous le grand portail de la Résidence, l'air était un peu plus frais et Alex s'y attarda, heureux de ce léger répit dans la chaleur ambiante.

Le silence inquiétant de la nuit le frappa, puis il devint conscient d'un léger bruit provenant des profondeurs d'un banian situé à l'intérieur de l'enceinte de la Résidence.

De sa place sous le portail, Alex pouvait voir la masse sombre de l'arbre et l'idole placée entre ses racines. Comme ses yeux s'habituaient à l'obscurité, il aperçut des silhouettes accroupies autour du tronc principal où se trouvait l'idole. La voix de l'une d'entre elles se réduisait à un murmure, mais donnait une impression indéfinissable d'autorité.

De prime abord, Alex soupçonna le groupe d'être une bande de voleurs, puis il vit distinctement et reconnut Akbar Khan, le portier, et le cuisinier. Le clair de lune illumina le profil d'un homme qui remuait la tête, le *havildar* d'un des régiments autochtones cantonnés à Lunjore.

Au moins douze hommes s'abritaient dans l'ombre du grand banian et Alex en vint à la conclusion qu'il s'agissait, pour la plus grande part, de serviteurs de la Résidence. Principalement des musulmans, avec quelques hindous de basse caste, mais le havildar était brahmane. Que faisaient-ils à cette heure-là, au pied de cette idole hindoue, et pourquoi chuchotaient-ils ?

Une silhouette solitaire se détacha du groupe et apparut dans le clair de lune. C'était un *sadhu,* un saint homme hindou, nu à l'exception d'un pagne, et enduit de cendres. L'homme atteignit sans bruit le sentier menant au portail, le dépassa et disparut dans l'obscurité. Alex courut après lui, mais le sadhu s'était évanoui comme un fantôme.

Alex entendit un léger bruit derrière lui et se retourna rapidement. Akbar Khan, le portier, une ombre parmi les ombres, le saluait très bas.

– Où as-tu été ? lui demanda Alex en hindi, et qu'est-ce que les autres et toi avez à faire avec un sadhu ? Quel mal doit être conjuré ?

– Aucun mal, *Huzoor,* nous ne faisions que prier pour obtenir la pluie.

– Quel enfantillage ! Tu es un fidèle du Prophète, ainsi que Imal Din et Ustad Ali; depuis quand les musulmans prient-ils les dieux des hindous, ou frayent-ils avec leurs saints hommes ? Et qu'est-ce que le havildar Jodah Ram peut avoir à faire avec Bulaki, le balayeur ?

– Huzoor, dit Akbar Khan, quand la pluie ne tombe pas, nous souffrons tous. Sans mousson, les récoltes périssent, la famine survient et beaucoup d'hommes pleurent, les musulmans et les hindous, les sikhs et les Bengalis. Nous, musulmans, demandons la pluie à Allah et les hindous des villes la demandent à leurs dieux. C'est tout.

– Hum ! Dans les circonstances actuelles, il est concevable que tu puisses dire la vérité, mais je n'y crois pas. Et je n'aime pas cela. Et puis, ne laisse plus le portail sans gardien, vieux scélérat !

Alex s'éloigna et rejoignit la grande maison blanche à un seul étage entourée de flamboyants. Dans une cour située derrière la maison, une femme chantait une chanson indienne en s'accompagnant d'une cithare. Elle s'arrêta subitement lorsque le capitaine Randall monta les marches de la véranda.

– Qu'y a-t-il ?

La voix du Résident était pâteuse et Randall fit une grimace d'impatience et de mépris.

Un serviteur souleva la portière en bambou refendu et l'épaisse silhouette du Résident apparut sur le seuil, se profilant en ombre chinoise devant la lampe jaune.

– C'est vous, Alex ? Entrez. Juste l'homme que je voulais voir. Asseyez-vous. Buvez quelque chose. Savez-vous pourquoi je vous ai appelé ?

– Non, monsieur. J'espère qu'il n'y a pas d'ennuis avec mon congé ?

– Non, tout va bien. J'ai besoin que vous me rendiez un service. Une longue histoire. Ma future femme...

Il but une longue gorgée tandis que la transpiration coulait à grosses gouttes sur son visage pâle et bouffi, puis allait détremper le léger vêtement indien qu'il portait à la place d'une tenue conventionnelle.

Alex s'assit, résigné à écouter. Il considérait le Résident comme ennuyeux et snob, ce qui rendait sa conversation plutôt intolérable. Il savait aussi – qui ne le savait pas ? – que Barton était fiancé à une cousine éloignée, l'arrière-petite-fille du comte de Ware.

Alex fut mis au courant de tout ce qui concernait la future épouse du Résident et sa famille, et apprit que le comte de Ware demandait le retour d'urgence du fiancé en Angleterre. Ce retour étant impossible, Barton avait trouvé une autre solution.

– La montagne doit aller à Mahomet, dit Barton en riant de son trait d'esprit, et c'est là, mon cher Alex, que vous intervenez.

– Moi, monsieur ?

– Oui, vous, mon garçon. Je ne ferais confiance à personne d'autre : vous êtes un gentilhomme, ce que l'on ne peut dire de tout le monde. Aussi quand j'ai eu à décider, j'ai pensé : « Randall, l'homme qu'il me faut. Il fera l'affaire. »

Le Résident s'arrêta comme s'il avait complètement exprimé sa pensée, s'étendit sur sa chaise longue en osier et but longuement.

– Quelle affaire ?

– Quoi ? Quoi ? Mais chercher ma fiancée, bien sûr, mon garçon. L'amener ici. La montagne venant à Mahomet. J'espère qu'elle n'est pas une montagne. Elle est à demi espagnole, vous savez, et elles ont tendance à engraisser.

Pendant quelques minutes, Alex crut que son interlocuteur ne pouvait être sérieux, mais il fut vite détrompé : le Résident était tout à fait sérieux et il avait un plan parfaitement établi. Le capitaine Randall devait porter des lettres au comte de Ware, à la fiancée de Mr Barton, à ses hommes de loi, à son oncle, à son banquier. En outre, il aurait à expliquer l'affaire lui-même au comte et à ajouter ses supplications à celles du Résident pour que la condesa de los Aguilares s'embarque pour l'Inde dans un an avec le chaperon approprié, et sous la garde du capitaine Randall dont le congé serait alors terminé.

Alex avait discuté et protesté, mais en vain. Le Résident était son chef, et encourir son inimitié pouvait être lourd de conséquences pour la carrière d'Alex. Il quitta l'Inde sans savoir l'âge de Winter et si elle était tant soit peu au courant des conditions de vie qui l'attendaient en Orient. Quant au fait que son fiancé était devenu un ivrogne et un libertin, il paraissait difficile de le lui apprendre, mais si son tuteur était un homme équilibré, Randall ne doutait pas qu'une fois mis au courant, celui-ci ne permettrait pas à son arrière-petite-fille de rejoindre le Résident de Lunjore.

Le cheval de Randall se remit à trotter et Alex s'éveilla de la torpeur causée par le froid et la fatigue. Dans l'obscurité, un haut mur apparaissait, qui tournait à angle droit pour aboutir à un vaste portail de pierre surmonté par les loups héraldiques de Ware.

Des lumières brillaient aux fenêtres de la maison du gardien et le capitaine Randall devait être attendu, car les lourdes grilles de fer forgé étaient ouvertes.

Au bout de l'avenue bordée d'arbres, la grande demeure n'était, elle, nullement éclairée. Encore tout ankylosé de sa longue chevauchée, Alex gravit le perron et tira la sonnette de la porte d'entrée. Au bout d'un temps qui lui parut très long, la porte s'entrouvrit en grinçant. Un homme âgé, courbé et ridé, coiffé à l'ancienne mode, l'examina puis ouvrit suffisamment la porte pour le laisser entrer.

Le vieux domestique leva assez haut le chandelier à plusieurs branches qu'il tenait et, à sa stupéfaction, Alex s'aperçut que les murs du vaste hall étaient tendus de draperies noires.

– Je suis le capitaine Alex Randall. Lord Ware m'a demandé de me présenter aujourd'hui...

– Sa Seigneurie vous a demandé ?

Le doute perçait sous les paroles du serviteur. Alex sortit de sa poche une feuille de papier pliée en deux :

– J'ai reçu ceci il y a une semaine et ai répondu. Lord Ware n'aurait-il pas reçu ma lettre ?

– Je..., nous... avons reçu tant de lettres. Peut-être celle-ci nous a-t-elle échappé. Une semaine, disiez-vous...

Au grand étonnement d'Alex, il vit des larmes perler aux yeux du vieil homme et il l'interrogea brusquement :

– Le comte ?

– Sa Seigneurie est morte il y a cinq jours, répondit le vieux maître d'hôtel.

Alex Randall s'éveilla avec une migraine et une vive irritation. Qu'allait-il faire ? Expliquer la vérité à un vieil homme du monde était une chose, mais interroger la fiancée de Conway Barton en était une tout à fait différente. Comment diantre fallait-il agir maintenant ? Se libérer de sa mission de messager en remettant les lettres et laisser la femme se faire pendre ? Après tout, ce n'était pas son affaire à lui qu'elle se marie ou non. Il n'avait pas à jouer un rôle de Providence. Et cependant... il se retrouvait confronté à son éternelle discussion avec lui-même.

Le nouveau comte lui fit dire qu'il était trop occupé pour le recevoir le jour même et lui demandait de passer une nuit de plus à Ware.

Une longue procession de fermiers accompagnés de leur famille montait le long de l'avenue bordée de chênes pour venir saluer une dernière fois le défunt. Par manque d'occupation plutôt que par désir de s'incliner devant un inconnu, Alex se joignit à eux lorsque la foule commença à diminuer.

Une femme en grand deuil et voilée le frôla en s'approchant rapidement du cercueil. Le voile épais qui tombait presque jusqu'à ses pieds ne permettait d'apercevoir ni ses traits ni même la couleur de ses cheveux. Mais la large crinoline et la pelisse à franges, bien que lourdes, ne réussissaient pas à cacher la jeunesse de celle qui les portait. Elles ne réussissaient pas non plus à cacher autre chose : une poignante impression de chagrin intense et sans espoir. Se sentant indiscret, Alex partit brusquement.

La nuit était tombée lorsque le secrétaire vint chercher Alex pour le conduire dans les appartements privés de Sa Seigneurie. Mais c'était la comtesse et non le comte qui l'attendait.

D'un geste presque royal, Julia tendit une main blanche à Alex :

– Mon mari regrette de ne pouvoir vous voir dès aujourd'hui et espère qu'il pourra le faire plus tard. Nous vous sommes extrêmement reconnaissants d'avoir pris la peine de nous apporter ces lettres. Nous étions prévenus de votre venue par une lettre de Mr Barton et, à vrai dire, nous vous attendions quelques mois plus tôt.

– Oui, je le sais, mais je me suis arrêté en

Crimée et m'en étais expliqué auprès de Mr Barton et de feu lord Ware.

– Nous le comprenons très bien. Vous avez été blessé, je crois ? Avez-vous vu beaucoup de combats ?

– Pas mal, répondit Alex d'un ton neutre.

Mais lady Ware ne s'intéressait plus à la Crimée et revint à Mr Barton.

– ... Maintenant que nous avons eu l'occasion de vous connaître et de lire le courrier que vous avez apporté, notre position est tout à fait claire. Nous n'avons pas encore remis sa lettre à Winter, je le ferai à la première occasion.

– Winter ? La voix de Randall était intriguée.

– Ma cousine. La... condesa. Naturellement, on lui permettra de donner son point de vue, mais je suis sûre qu'elle acceptera le plan de ce cher Conway. Il est dommage qu'il n'ait pu venir en Angleterre, mais dans les circonstances actuelles, je considère qu'il serait injuste et dur de retarder le mariage. Aussi bien pour le cher Conway que pour Winter. Je suis sûre que vous serez de mon avis.

Le capitaine Randall était justement loin de partager son avis, car il était presque certain que le cher Conway de cinq ans auparavant ne ressemblait guère au Résident de Lunjore tel qu'il l'avait vu pour la dernière fois. Cinq années d'Inde étaient susceptibles de laisser leur empreinte sur la plupart des hommes, et les habitudes de Conway Barton n'étaient pas pour arranger les choses.

– Connaissez-vous l'Asie ? interrogea Alex à brûle-pourpoint.

Lady Ware parut surprise.

– Si vous voulez savoir si j'y suis allée, la réponse est non. Pourquoi me poser cette question ?

– Je me demandais seulement si vous aviez une idée de l'existence et des conditions de vie auxquelles votre cousine sera soumise ? L'Inde n'est pas un pays pour une jeune femme élevée dans l'environnement où nous nous trouvons ici.

– Quelle sottise, dit la comtesse sèchement. Des milliers d'Anglaises, dont certaines d'excellente éducation, se sont très bien acclimatées à la vie en Inde. J'en connais moi-même plusieurs. Lady Lawrence, l'épouse de sir Henry...

– Elle est morte, interrompit Alex. Ne l'aviez-vous pas appris ?

– Mon Dieu, je n'en savais rien. Pauvre sir Henry. De quoi est-elle morte ?

– De l'Inde, dit Alex laconiquement.

La comtesse se raidit d'indignation :

– Je ne vous comprends pas, capitaine Randall. Vous avez passé vous-même quelques années dans ce pays...

– Douze.

– Alors vous y avez sûrement rencontré des compatriotes. Essayez-vous de me dire qu'aucune d'entre elles ne trouvait la vie supportable ? Je ne peux croire que vous soyez sérieux.

– Non, répondit lentement Alex. Beaucoup d'entre elles ne voudraient pas être ailleurs si elles en avaient le choix. Mais en règle générale, ces femmes font partie de deux catégories : celles qui restent et endurent pour l'amour d'un mari ou d'un père toutes les tribulations que la chaleur, la maladie et l'exil peuvent apporter. La seconde catégorie comprend celles dont la position sociale en Angleterre était telle que l'Inde leur donne une situation et une importance qu'elles ne pourraient obtenir ici. Les autres femmes détestent la vie en Inde. La condesa n'appartient sûrement pas à la seconde catégorie, mais pouvez-vous être sûre qu'elle sera de la première ? J'ai cru comprendre qu'elle n'avait pas vu Mr Barton depuis plus de cinq ans.

– Ceci est l'affaire de ma cousine et ne nous concerne pas. Elle décidera sûrement par elle-même.

Elle se leva dans un impressionnant frou-frou de soie et tendit sa main au capitaine Randall qui s'inclina.

– J'espère, dit la comtesse à nouveau aimable, que cela ne vous contrariera pas de rester encore deux jours. Mon mari espère vous voir demain après-midi, après l'enterrement.

Une fois le service terminé et le cercueil du défunt comte de Ware déposé dans le mausolée familial, le capitaine Randall se retrouva à côté de sa voisine du dîner de la veille au soir, lady Wycombe.

– Attendons sous le porche que l'on vienne nous chercher, nous aurons moins froid.

Une femme seule s'appuyait au tronc d'un if proche. Elle ne bougeait absolument pas et Alex comprit que c'était son immobilité même qui lui donnait une impression de déjà vu : il s'agissait de la même femme qui se trouvait la veille, rigide, devant le cercueil du comte. Un coup de vent subit arracha son long voile noir et découvrit le visage jeune d'une personne qui n'est pas sur ses gardes.

Un petit visage d'une chaude couleur ivoire. Un front large et un menton pointu, d'énormes yeux noirs sous des sourcils noirs bien dessinés. Les épais cheveux ondulés possédaient le brillant bleuté du plumage des corbeaux; bien que trop grande pour satisfaire aux canons de la beauté de l'époque, sa bouche avait de quoi faire battre le cœur d'un homme.

– Qui est la jeune fille appuyée à cet if ? demanda le capitaine Randall à sa compagne.

Lady Wycombe se retourna :

– Mais nous avons parlé d'elle au dîner d'hier soir, c'est Winter, la condesa de los Aguilares.

D'une enfant quelconque, la fille de Sabrina s'était transformée en une jeune fille d'une beauté étrange et troublante. Contrairement à sa cousine Sybella, Winter ne possédait aucun des attributs propres aux belles de l'époque victorienne, aussi n'y avait-il rien d'étonnant à ce qu'elle semblât insignifiante aux yeux des femmes. Il en allait autrement avec les hommes. Lorsqu'elle eut seize ans, leurs têtes se tournaient à son passage et les yeux masculins la suivaient dès qu'elle entrait dans une pièce.

L'enfant décharnée et anguleuse s'était muée en une mince jeune fille dont la silhouette séduisante transparaissait sous la crinoline tout récemment mise à la mode. Son petit visage s'était un peu rempli et possédait des proportions harmonieuses. Sa bouche légèrement grande s'incurvait agréablement et le ton rouge des lèvres était beau et brillant. La peau jaunâtre s'était transformée en un chaud ton ivoire et sa poitrine ne devait rien aux rembourrages auxquels recouraient les autres jeunes filles. Les expressifs yeux noirs de Winter se relevaient un peu vers les tempes, ce qui déplaisait aux femmes alors que les hommes trouvaient ce détail irrésistible. Mais, même les femmes les plus sévères dans leurs critiques étaient obligées de reconnaître la beauté exceptionnelle de son long cou mince et de ses épais cils, noirs et soyeux.

Winter possédait aussi un port gracieux, apanage de beaucoup d'Espagnoles. Peut-être était-ce comme son teint un héritage de Marcos ? Personne jusqu'ici n'y avait prêté attention.

Ce fut seulement au cours de l'été 1855, lorsque Winter eut seize ans, que lady Julia découvrit que le vilain petit canard anglo-espagnol s'était transformé en cygne. Julia avait organisé une réception d'été pour la jeunesse, que l'on ne devait pas appeler « bal » puisque Sybella ne ferait son entrée dans le monde qu'au printemps suivant.

On exécuta pour Sybella une fort belle robe avec corsage de satin blanc et jupe en gros de Naples blanc ourlée de blonde et parsemée de bouquets de primevères blanches, de bruyère et de muguet. Ses boucles dorées étaient retenues par une guirlande des mêmes fleurs.

La toilette de Winter fut beaucoup moins soignée. À vrai dire, lady Julia avait demandé à la femme de charge, Mrs Fleckner, de veiller à ce que Miss Winter ait une robe convenable. Celle-ci devait être blanche et le plus simple possible. Winter étant plus jeune que Sybella, on lui faisait une faveur en l'admettant à cette soirée, il ne fallait pas qu'elle l'oubliât.

Mrs Fleckner trouva de la mousseline indienne et l'on confia la confection de la toilette à une couturière locale; le résultat plut à lady Julia. Mais l'effet du vêtement une fois sur Winter fut tout à fait inattendu. Peut-être cela venait-il de sa grand-mère Anne-Marie de Sélincourt, mais la simple robe de mousseline blanche acquit sur la jeune fille une allure de rare distinction que beaucoup de Françaises et peu d'Anglaises peuvent donner à un vêtement tout à fait quelconque.

La magnifique chevelure bleu-noir de Winter fut tirée en arrière et enfermée dans une résille de soie blanche, et elle ne portait aucun bijou.

Elle ne savait d'ailleurs même pas qu'elle en possédait. Mais après avoir attaché la large ceinture de taffetas blanc et vérifié si la jeune fille pouvait descendre dans la salle de bal, Mrs Fleckner cueillit un bouton de rose grimpante pour le fixer juste au-dessus de l'oreille de Winter.

Celle-ci remporta un succès étonnant et Julia en fut à la fois en colère et étonnée. Elle ne pouvait comprendre pourquoi sa nièce intéressait des hommes dont elle s'attendait à ce qu'ils n'aient d'yeux que pour Sybella. Non que Winter éclipsât sa cousine, c'était impossible. Sybella s'était taillé la part du lion en ce qui concernait l'attention masculine, mais Julia remarqua très vite que les hommes les plus âgés, et aussi les meilleurs partis, se retournaient plusieurs fois pour regarder la fille de Sabrina. Lord Carlyon, beau, riche, blasé, encore célibataire à trente-cinq ans, demanda à Sybella qui pouvait bien être la belle créature en blanc.

– Ma cousine Winter. Un prénom bizarre, n'est-ce pas ?

– *Winter !* (Il répéta le mot avec une sorte de terreur.) Comme c'est parfait.

– *Que voulez-vous dire ?*

La voix de Sybella devenait pointue.

– Je trouve que ce prénom lui convient admirablement. Elle ressemble à la neige et aux ombres noires : froide et mystérieuse et pourtant... (Il émit un rire bizarre :) C'est donc là la cousine très quelconque venant d'Asie. J'ai entendu parler d'elle. Le vilain petit canard en personne. Veuillez me présenter, lady Sybella.

Arthur Carlyon n'était pas un jeune homme impressionnable, mais un beau garçon noceur possédant une grande expérience des femmes.

Il savait d'avance qu'il s'ennuierait au bal de lady Julia, mais une vague curiosité à propos de l'héritière de Ware l'avait poussé à s'y rendre. Il avait trouvé Sybella très enfant gâtée et insipide. Et puis, il n'aimait pas les blondes et aucune femme ne l'intéressant à cette soirée, il s'apprêtait à s'en aller lorsque son œil s'arrêta sur Winter de Ballesteros.

Cependant, l'air sûr de lui et les manières doucereuses de Carlyon ne firent aucune impression sur la jeune cousine de Sybella : Winter ne se montra nullement sensible à l'honneur que Carlyon lui faisait, et lui qui la considérait comme une proie facile fut remis à sa place avec une grâce froide, digne d'une hôtesse de Londres expérimentée. Il fut assez malavisé pour considérer son rejet comme de la coquetterie de petite jeune fille, et Winter dut lui infliger un affront qui ne laissait aucun doute quant à son opinion de l'homme. Lord Carlyon trouva déplaisante cette expérience tout à fait nouvelle et salutaire pour lui.

Il n'avait pas été le seul à remarquer la beauté peu courante de Winter et les commentaires allaient bon train, si bien que la soirée ne pouvant être reconnue comme un succès sans réserve, Julia ne répéta pas son erreur. Winter n'assista plus aux bals, mais un nombre surprenant de jeunes gens venaient officiellement à Ware pour voir Sybella et s'arrangeaient pour rencontrer Winter. Sans même prétendre faire visite à Sybella, lord Carlyon vint demander la condesa; lady Julia lui répondit d'un ton glacial que Winter se trouvait dans la salle d'étude et qu'elle était trop jeune pour recevoir des visiteurs. N'étant pas suffisamment intéressé pour poursuivre cette affaire, lord Carlyon abandonna la partie. Mais d'autres ne l'abandonnèrent pas.

Devant cet afflux d'éventuels partis intéressants pour Winter et non pour Sybella, il n'y avait qu'une solution : Conway Barton devait revenir en Angleterre et épouser sa fiancée. Au printemps suivant, elle aurait dix-sept ans et serait tout à fait en âge de se marier.

– Je lui ai déjà écrit, dit le vieux comte.

Il n'avait pas l'intention d'écrire car il ne souhaitait pas marier Winter avant ses dix-huit ou dix-neuf ans, voire même ses vingt ans. Il avait fêté son quatre-vingt-dixième anniversaire l'année précédente et se sentait exceptionnellement bien...

Mais la neige demeurée longtemps, le printemps tardif et humide avaient eu une influence néfaste sur la santé du vieillard. Sentant la vie le quitter, il écrivit vraiment à Conway Barton.

L'arrivée de la chaleur de l'été améliora la santé du comte et il regretta presque sa lettre à Conway Barton, mais il commença à dresser ses plans pour la cérémonie de mariage. Cette lettre avait dû atteindre Conway avant la fin de juin. Évidemment, il lui faudrait un certain temps pour organiser sa démission et son remplacement au sein de la Compagnie des Indes (car pour le comte il n'était pas question que Winter aille en Inde, Conway devrait prendre sa retraite en Angleterre et s'occuper uniquement de sa femme et gérer la fortune de celle-ci). En tenant compte de tous les retards éventuels, le marié devrait arriver en Angleterre au début de la nouvelle année, suffisamment à temps pour annoncer les fiançailles et organiser la cérémonie pour mai, lorsque Winter aurait atteint ses dix-sept ans. Les médecins devaient faire en sorte que le comte tînt jusque-là.

Au début de l'automne arriva une lettre venant

d'Inde. Naturellement, Barton avait le plus vif désir d'épouser la pupille du comte, mais des difficultés imprévues l'obligeaient à rester à son poste pour l'instant. Cependant, il espérait que sa proposition recevrait l'approbation du comte de Ware : il s'était longuement étendu sur ce sujet par écrit et envoyait cette lettre détaillée par les soins d'un subordonné de toute confiance, le capitaine Randall, qui devait arriver en Angleterre à l'automne. Le capitaine avait tous pouvoirs pour discuter l'affaire en question avec lord Ware.

Mais justement le capitaine Randall avait été considérablement retardé. À Alexandrie, au lieu de continuer vers l'Angleterre, il décida d'accompagner des amis se rendant en Crimée. Là, tout à fait illégalement, il s'était fait attacher à l'état-major du général Windham, avait participé au siège de Sébastopol, puis fut blessé à la sanglante bataille du Redan. N'ayant débarqué en Angleterre qu'à la fin de février, il avait seulement atteint Ware au cours de la seconde quinzaine de mars.

LIVRE DEUXIÈME

KISHAN PRASAD

7

Le soir même des obsèques du vieux lord, le sixième comte de Ware fit demander à Alex Randall de venir le voir. Puisqu'il n'avait pu parler franchement avec la comtesse, le capitaine comptait révéler maintenant la vérité à son mari.

– Puis-je me permettre de suggérer, monsieur, qu'il serait sage de remettre de... quelques années le départ de la condesa pour l'Inde ? Jusqu'à ce que le pays soit plus calme. Je ne pense pas qu'ici, en Angleterre, il soit très facile d'être parfaitement au courant de l'affaire de Oudh...

– Vous vous trompez. Au mois d'août dernier, j'ai assisté à un banquet donné par la Compagnie des Indes et y ai appris que le pays est paisible et prospère, répondit le comte Huntly de Ware.

– Les annexions de territoires nous attirent de solides inimitiés parmi ceux que nous avons dépossédés. On sait que lord Dalhousie et le Comité directeur sont en faveur de l'annexion de Oudh, et le danger provenant de la population locale s'en trouvera considérablement accru pour les Anglais résidant en Inde.

– Vos propos me semblent bien alarmistes, capitaine Randall, et peu conformes à votre réputation de courage.

Alex sourit d'une manière peu agréable. Sa voix resta calme, mais son léger ton traînant s'accentua :

– Je vous le répète, l'acquisition arbitraire de Oudh signifierait qu'une province, presque aussi étendue que l'Angleterre, serait inondée de troupes en débandade et de nobles aigris pour lesquels l'annexion aurait entraîné la perte de leur pouvoir, de leurs privilèges, voire de leurs moyens d'existence. En outre, bien que la population de Oudh soit en majorité hindoue, il s'agit ici d'un des derniers États musulmans. Non seulement l'opération effectuée par la Compagnie des Indes éveillerait l'hostilité de tous les musulmans, mais encore augmenterait la crainte de nous voir absorber toute l'Inde et qu'aucun État ne soit plus en sécurité. J'ajoute que, puisque nous n'avons pas à l'heure actuelle suffisamment de troupes britanniques à notre disposition pour tenir les territoires nouvellement acquis, il faudrait faire appel aux troupes autochtones mécontentes de notre ingérence.

» Nous devons tenir l'Inde, mais tout ce que j'ai vu et entendu au cours des dernières années me persuade que nous nous dirigeons aveuglément vers un désastre. J'en suis absolument certain. Comme je suis certain que nous survivrons. Mais ce n'est vraiment pas le moment de s'encombrer de femmes, ou d'y envoyer une jeune fille qui ne connaît rien à l'Orient.

Le comte Huntly se redressa alors de toute sa taille et regarda son interlocuteur d'un air hautain :

– Mon cher capitaine Randall, s'il y avait le moindre risque à envoyer ma cousine en Inde, vous pouvez être certain que Mr Barton ne l'aurait jamais proposé.

– Je vois qu'il me faut parler clairement. Je

suis parfaitement conscient de ce que l'on pourra m'accuser de déloyauté vis-à-vis de mon supérieur, mais le sujet me paraît assez sérieux pour que je passe outre. Ce que j'ai à vous dire est confidentiel, naturellement, mais en tant que parent et tuteur de la condesa, vous devez être mis au courant.

Sans passion et avec beaucoup de clarté, Alex expliqua quel homme était devenu Mr Barton.

Les yeux de lord Ware paraissaient encore plus protubérants à la lumière du feu et, un peu nerveusement, il dit que, bien sûr, il ne se doutait pas..., ce que le capitaine Randall avait révélé était très troublant... N'exagérait-il pas ? Lui-même n'arrivait pas à imaginer...

Randall l'interrompit brusquement :

– Je vous demande de croire, monsieur, que ce que je vous ai dit sur le Résident est inférieur à la vérité. Je ne pourrais vivre en paix avec ma conscience si j'escortais votre jeune cousine en Inde sans vous avoir mis au préalable au courant de ces faits désagréables. Maintenant, je me sens délié de mon obligation, car c'est à vous de décider.

Il s'inclina brusquement et se retira.

Randall dîna seul. Ensuite, lady Ware le fit venir dans ses appartements afin de lui présenter sa cousine. Le capitaine Randall poussa un soupir et suivit le secrétaire de la comtesse, après avoir pris un petit paquet que le Résident lui avait demandé de remettre personnellement à sa fiancée.

– Merci d'être venu jusqu'à nous, capitaine Randall. Voici ma fille Sybella et la future épouse du cher Conway, Winter de Ballesteros.

Alex fit un salut rapide. Lord Ware évita de croiser son regard, mais lady Ware le lui rendit avec une affabilité un peu narquoise très significative : « Son mari l'a prévenue, pensa Alex, et elle a pris sa décision. Elle ne dira rien à cette enfant et ne fera rien pour empêcher le mariage. » Il murmura quelques mots polis dans la direction de Sybella qui lui souriait, puis rencontra les grands yeux attentifs de la fiancée du Résident. De propos délibéré, il étudia un certain temps le jeune visage visiblement sur ses gardes.

Une légère rougeur apparut sur les joues pâles. Alex sortit de sa poche le petit paquet cacheté du Résident :

– Mr Barton m'a demandé de vous remettre ceci personnellement.

Les mains de la jeune fille se fermèrent sur le paquet en le serrant très fort. Les couleurs et la vie illuminèrent soudain son visage, le parant de beauté. Elle esquissa le geste d'enfouir le paquet dans la poche de sa jupe, mais lady Ware prit la parole d'un ton de calme autorité :

– Vous pouvez l'ouvrir, ma chère, ce doit être votre cadeau de fiançailles.

Winter baissa les yeux sur le petit paquet. Elle n'avait pas besoin de l'ouvrir pour savoir ce qu'il contenait. Elle n'avait jamais oublié la phrase de Conway : « Un jour, je vous offrirai le diamant le plus brillant que je pourrai trouver pour vous en Inde. » Il la faisait venir en Inde et il avait envoyé le diamant. Tous les rêves de Winter se matérialisaient enfin. Elle ne voulait pas ouvrir le cadeau de Conway en présence de cousine Julia et de cet étranger qui la regardait avec cet intérêt froid et spéculatif. Il ne s'agissait pas d'un objet à livrer à l'opinion d'yeux dénués de sympathie, mais d'un objet exclusivement personnel.

– Eh bien, nous attendons, dit cousine Julia.

La jolie coloration s'évanouit du visage de

Winter et, de ses doigts tremblants, elle brisa le cachet de cire.

La lumière du foyer éclaira une énorme émeraude taillée, incrustée dans une curieuse monture d'or indien. Alex la reconnut et reçut un choc subit de colère et de dégoût. Il avait vu cette pierre de nombreuses fois. Trois ans auparavant, elle ornait la main d'un membre d'une maison princière, Rao Kishan Prasad, au sujet duquel Alex était très bien informé car l'homme l'intriguait. On chuchotait des histoires bizarres à son sujet et l'apparition de son anneau parmi les biens du Résident de Lunjore avait soulevé des questions dans l'esprit d'Alex. De quelle corruption la fabuleuse pierre était-elle le gage ? La dernière occupante du bibi-gurh de la résidence de Lunjore, une danseuse, se pavanait avec cette bague alors qu'elle virevoltait pour le plaisir des invités à l'une des réceptions plus que douteuses du Résident, à laquelle Alex assistait avec une certaine répugnance. Ce dernier avait revu aussi Kishan Prasad plus récemment dans un endroit inattendu, et il fronça les sourcils avec incrédulité et dégoût.

Sybella sursauta d'envie et d'admiration, et les yeux de lady Ware s'élargirent d'étonnement involontaire. Mais pour Winter un vent froid venait de souffler sur la chaleur brillante allumée dans son cœur par la lettre de Conway. Il avait oublié ! En une seconde, elle reprit possession d'elle-même. Pourquoi aurait-il pris à son sens littéral une phrase prononcée pour une enfant ? Il voulait seulement dire qu'il lui enverrait un jour un bijou de valeur pour remplacer la modeste bague offerte à son départ. Il s'en était souvenu et le lui avait envoyé.

Winter glissa sur son troisième doigt de la main gauche la bague à l'aspect barbare en pensant que bientôt Conway passerait une alliance à ce même doigt. Alors, elle serait en sécurité, protégée, aimée et délivrée de la solitude pour toujours. Elle sourit légèrement en direction du joyau, comme s'il existait une connivence entre lui et elle, puis leva les yeux pour rencontrer de la colère et du dégoût dans ceux du capitaine Randall.

L'espace d'un instant, l'intensité de ce dégoût la surprit : pour une raison inconnue, cet homme lui était hostile. Non, pas à elle. À Conway. Mais, voyons, c'était impossible, Conway lui-même avait envoyé ce subordonné chargé d'être son messager et d'escorter sa future épouse jusqu'en Inde. Si Conway lui faisait confiance, il ne pouvait être un ennemi. Elle s'était trompée, et d'ailleurs l'expression désagréable avait disparu du visage de Randall dont les yeux gris étaient devenus vagues.

Le bref moment de silence fut rompu par lady Ware qui remerciait Randall de ses bons offices et l'assurait que la jeune condesa et son chaperon seraient ravis de profiter de sa protection au cours du voyage.

– Vous m'excuserez de vous faire mes adieux maintenant : je ne suis guère une lève-tôt et je suis sûre que vous devez avoir hâte de partir demain matin. Je crois que vous voyagez à bord du *Sirius* ? Je vous écrirai pour vous tenir au courant de ce que j'aurai organisé pour cette chère Winter.

Alex avait rempli sa tâche, ce qui mettait sa conscience en paix, mais maintenant il se sentait inexplicablement en colère. Ce n'était pas une femme adulte et équilibrée qui allait être liée par le mariage à ce *roué* obèse de Résident de Lunjore. C'était une jeune fille, ou même plutôt une enfant. Cependant, pour des raisons que la bavarde lady Wycombe, sa voisine de table de l'autre soir, avait exposées clairement, la famille de cette enfant la livrait le plus vite possible au destin qui l'attendait avec Conway Barton, sans l'avoir prévenue de la nature de celui-ci.

Randall était tout à fait conscient de l'inconvenance qu'il y aurait à révéler lui-même la vérité à Winter. Le franc-parler de l'époque Regency avait laissé la place à une extrême pruderie où l'on cachait soigneusement aux jeunes filles les simples faits de la vie et les aspects les plus grossiers des distractions masculines. Mais douze années passées en Inde avaient ôté à Randall toute considération pour les conversations de bon ton et il décida subitement, et non sans obstination, que la fiancée du Résident ne marcherait pas aveuglément vers son destin si lui, Alex, pouvait l'en empêcher. Une fois revenu dans sa chambre, il trouva papier à lettres et plume et écrivit un mot bref qu'il cacheta. Une jeune femme de chambre répondit à son coup de sonnette et accepta, contre une pièce d'or, de remettre la missive à Miss Winter elle-même.

L'aube du lendemain se leva froide et grise. Medusa, la jument de Randall, l'attendait à la porte du château, tenue par un palefrenier. Alex monta rapidement en selle, heureux de quitter ces lieux. Excité par la vitesse de la course, il lâcha un certain temps la bride à Medusa, puis il entendit ce qui lui sembla d'abord un écho de son galop et il ralentit. Il s'aperçut qu'un autre cavalier chevauchait dans l'avenue de chênes, cavalier qui se matérialisa sous la forme de Winter.

– Vous... vous avez un message pour moi, capitaine Randall ? Un message de Conway... Mr Barton ?

Alex nia d'un mouvement de tête.

– Mais... vous m'avez écrit.

– Pardonnez-moi ce subterfuge, mais je souhaitais vous voir en privé. J'ai quelque chose à vous dire dont, apparemment, votre famille n'a pas voulu vous parler, aussi ai-je dû employer cette méthode pour être sûr de vous rencontrer.

Il vit la mince silhouette se raidir et se tenir plus droite, les yeux sombres sur leurs gardes :

– Que désirez-vous me dire ?

Alex l'examina un certain temps, les sourcils froncés :

– Quel âge avez-vous ? demanda-t-il à brûle-pourpoint.

Cette question inattendue la prit par surprise et elle y répondit par une sorte d'obéissance instinctive au ton d'autorité de la voix :

– Seize ans, mais j'aurai bientôt...

– *Seize ans !* Ce n'est pas convenable ! Avez-vous une idée quelconque de ce que vous allez faire ? De la vie que vous allez mener ? Du pays dans lequel vous vivrez ?

Winter le regarda avec surprise :

– Mais... vous êtes bon. (Sa voix marquait de l'étonnement et Alex comprit, non sans pitié, que dans la vie de cette jeune créature la bonté avait dû être rare.) Vous pensez que je vais dans un pays étranger et que je peux y être malheureuse. Mais c'est tout le contraire : je retourne chez moi. Ne saviez-vous pas que mon père, un Espagnol, était né à Oudh et moi aussi ? L'Inde est plus ma patrie que l'Angleterre puisque je suis née dans un palais indien de Lucknow et la nourrice qui m'a élevée était une *pahari*, une montagnarde de Kufri. J'ai parlé la langue hindi avant l'anglais, et je suis encore capable de la parler. Écoutez. (Elle passa de l'anglais à l'hindi le plus courant :) De quoi aurais-je peur alors que je retourne vers les miens et la maison de mon père ?

Entendre ce langage familier ranima la colère d'Alex et, remarquant son expression, Winter lui demanda d'un ton haletant :

– Que se passe-t-il ? Conway est-il malade ? Est-ce cela que vous essayez de me dire ?

– Non. Il n'est pas malade, tout au moins de la manière que vous imaginez. Mais je suppose qu'il a considérablement changé depuis que vous l'avez vu.

– Je m'en doute bien, dit Winter rapidement. J'ai changé aussi. Je n'étais qu'une enfant alors et maintenant, je suis devenue adulte. Les années vécues en Inde ont été marquées pour Conway par un travail harassant, la maladie et les lourdes responsabilités. Il paraîtra plus âgé, mais cela importe peu.

– Vous ne comprenez pas. J'ai considéré de mon devoir de mettre lord Ware au courant de la situation réelle, mais apparemment il n'a pas jugé bon de vous informer ou de prendre des mesures pour empêcher votre mariage.

– *Empêcher ?*

Toute pâle, Winter le fixait.

– Oui, l'empêcher. Je ne sais pas comment était Mr Barton il y a cinq ou six ans, mais je sais dans quel état il est maintenant et je ne peux que vous conseiller fortement, dans votre intérêt, d'annuler votre départ pour l'Inde et de remettre votre mariage jusqu'au moment où Mr Barton reviendra en Angleterre afin que vous puissiez juger par vous-même.

Soudain les yeux de Winter brillèrent de colère et sa voix trembla :

– C'est vous qui dites cela ? Vous, son subordonné de confiance ? (Winter vit la subite rougeur qui affluait aux joues hâlées d'Alex et sa voix se fit méprisante :) Je ne me trompais donc pas ! Vous appartenez au clan de ses ennemis et complotez derrière son dos parce que vous êtes jaloux. Et c'est à *moi* que vous osez parler contre lui ! (Elle leva le menton d'un geste hautain.) Vous n'avez rien d'autre à dire ?

– Oui, je ne pouvais pas m'attendre à ce que vous acceptiez le témoignage d'un étranger, fût-il un « subordonné de confiance », qui parle contre son chef. Je vous répète seulement qu'il serait tout à fait sage d'attendre ici avec votre famille le retour de Mr Barton. Vous verriez ainsi de vos yeux ce qu'il en est.

– Cela ne suffit pas, je dois vous demander d'être plus précis, monsieur. On ne peut porter des accusations voilées et en rester là. Ou bien serait-ce que vous préférez les allusions aux paroles nettes ?

– Non, répondit lentement Alex, mais je ne veux pas offenser vos oreilles en abordant des sujets qui peuvent dépasser votre entendement. Cependant, puisque vous y tenez, votre fiancé n'est pas un mari pour une femme jeune et bien élevée et...

Alex vit le jeune visage devenir aussi blanc que la brume qui les environnait et une seconde avant qu'elle lève la main, il sut ce qu'elle allait faire. Pour une raison qu'il eût été incapable d'expliquer, il n'essaya pas d'éviter le coup. La lanière du fouet entama son visage d'une balafre et un mince filet de sang coula de la commissure de ses lèvres vers son menton. Soudain, et d'une manière tout à fait inattendue, il se mit à rire :

– Vos mains sont remarquablement vives et agiles. Je crois que je me suis trompé sur votre compte. Après tout, vous pouvez être l'épouse qui lui convient.

Une vive couleur apparut sur le visage de la

jeune fille; elle fouetta son cheval qui bondit en avant pour galoper le long de l'avenue et disparaître dans la brume.

Le capitaine Randall essuya le sang qui coulait sur son menton et se remit à rire. Et voilà pour l'idée si répandue des jeunes filles bien élevées, fragiles comme des plantes, et sujettes aux évanouissements et aux vapeurs ! Il se demanda s'il avait vu Winter de Ballesteros pour la dernière fois. Cela semblait probable, car après cet incident elle refuserait ses services et prendrait un autre bateau pour l'Inde. Elle mettrait son fiancé en garde contre lui et sa situation s'en trouverait compromise. La trace du coup de fouet commençait à le faire souffrir :

– Je n'ai que ce que j'ai mérité, dit Randall en lâchant la bride à Medusa.

Persuadé qu'il n'aurait plus aucun rapport avec Ware, Alex fut surpris, et assez ennuyé, de recevoir trois mois plus tard une lettre de lady Ware. Une place avait été retenue pour sa cousine sur le navire *Sirius* partant de Londres pour Alexandrie le 21 juin. Elle voyagerait en compagnie de Mrs Abuthnot qui rejoignait son mari, commandant d'un régiment d'Infanterie du Bengale à Delhi. Mrs Abuthnot, ses deux filles et Winter seraient heureuses de profiter de l'aide et de la protection du capitaine Randall pendant leur voyage.

La pensée des quatre femmes à escorter n'occupa pas très longtemps l'esprit de Randall. Le 30 mars, on apprit que la guerre de Crimée était terminée. Et tandis qu'il entendait le canon célébrant le traité de paix, Alex pensait à tous les morts qui pourrissaient sur les hauteurs de Sébastopol et au visage souriant de Kishan Prasad regardant avec une exultation méchante l'armée britannique déguenillée et démoralisée à son retour de l'échec du Redan. Il ne comprenait pas pourquoi des hommes tels que Kishan Prasad avaient eu l'autorisation de se rendre en Crimée. Mais c'était un fait et Alex était persuadé qu'il n'en sortirait rien de bon.

Au début de mars, il avait lu un entrefilet dans la presse : « *Oudh va être annexé et le général Outram sera nommé Résident en chef.* » Une semaine plus tard, le journal en disait un peu plus : « *Une armée de 16 000 hommes est maintenant réunie à Cawnpore et sera dans quelques jours à Lucknow. On ne s'attend à aucune résistance, mais lord Dalhousie ne veut jamais prendre aucun risque. Le roi sera détrôné et recevra une pension.* »

Le marquis de Dalhousie, gouverneur général de l'Inde, avait toutes raisons d'être satisfait de ses succès. Il avait ajouté le Pendjab et la basse Birmanie à l'Empire britannique, le diamant Koh-i-noor à la couronne, pacifié la frontière occidentale de l'Inde et apporté à ce pays les bienfaits de la civilisation sous la forme du chemin de fer et du télégraphe.

Comme beaucoup d'autres, et depuis un certain temps, en cette fin de mars, Alex était conscient du nuage qui se levait dans le ciel bleu de la Compagnie des Indes. Deux ans auparavant, sir Henry Lawrence écrivait : « *...Le traité de Oudh nous permet de prendre la direction du pays si besoin est. Nous pouvons donc protéger les paysans sans empocher leurs fermages... J'appartiens cependant à une petite minorité. L'armée, le corps des fonctionnaires, la presse et le gouverneur général sont tous contre moi. Nous n'avons pas le droit de signer un traité un jour et de le dénoncer le lendemain.* »

Alex se souvenait des paroles de sir Henry

Lawrence et aussi du petit groupe de serviteurs et de cipayes[1] qui chuchotaient dans l'ombre du banian près de la grille de la résidence de Lunjore, et il avait peur.

Lorsque mars céda la place à avril, la politique et les problèmes concernant le pays qu'il aimait continuèrent à obséder Alex, de plus en plus impatient de partir. Lunjore avait des frontières communes avec Oudh, la province nouvellement annexée, et du travail attendait Alex. Du travail que le Résident Barton était incapable d'exécuter car, suivant à la lettre la politique de la Compagnie de décourager les grands propriétaires terriens, politique qu'il approuvait pleinement, Barton ne faisait preuve d'aucun doigté dans ses rapports avec les chefs locaux. La présence de Randall était donc nécessaire pour atténuer les difficultés et les injustices qui découlaient de la stricte application d'une manière d'agir aveugle. Ces préoccupations au sujet de Lunjore, ajoutées à d'autres, n'avaient guère laissé au capitaine Randall le temps de penser à la fiancée du Résident, et lorsque la lettre de lady Ware la lui remit en mémoire, il jeta non sans impatience cette lettre dans la corbeille à papier.

Winter avait également oublié Alex. Elle n'éprouvait ni doutes ni craintes au sujet de son avenir. La longue attente se terminait. Elle était enfin devenue adulte et Conway l'appelait. Elle allait revoir l'Inde, son pays enchanté, et laisser derrière elle Ware, Sybella et cousine Julia.

Avec une gentillesse inattendue d'elle, cette dernière avait envoyé Winter à Londres, la confiant à une parente lointaine chargée de l'agréable mission de choisir le trousseau de la jeune mariée. Bien qu'âgée, lady Adelaïde Pike

(1) *Cipaye,* mot francisé de *sepoy.* Voir glossaire à *sepoy.*

était enjouée et bonne, et Winter ne se douta pas que la décision de Julia n'avait pas été dictée par le désir de lui procurer un trousseau approprié, mais plutôt par celui de l'éloigner au plus vite de Ware.

Lady Adelaïde choisit pour Winter des jupes de plus en plus larges pour être mises en valeur par une crinoline. Des robes du soir en tarlatane avec cinq volants bordés de franges de soie et rayés de rubans de velours; en tulle blanc sur fond brillant blanc, le tulle réuni en festons par des chaînettes de perles et des bouquets de camélias blancs; en mousseline blanche pékinée de lamé argent; en moire antique couleur rose-thé. Des robes d'après-midi en mousseline, en mérinos, en taffetas et en léger barège français de tons pastel. Des robes d'intérieur de cachemire gris, de batiste, de popeline, de jaconas imprimé. Des gants de toutes les couleurs, des mitaines de filet noir, d'absurdes coiffures du soir en dentelles, perles ou rubans. De ravissants bonnets de paille ou de velours garnis de plumes ou de blonde et des douzaines et des douzaines de terrifiants jupons, pantalons de batiste bordés de ruchés et autres sous-vêtements.

C'était une ère de prodigalité. Le règne de l'énorme. Énormes repas, énormes familles, énormes jupes s'étalant, énorme Empire s'agrandissant. Une ère de vie fastueuse et de misère écrasante, de pruderie inconcevable, de complaisance insupportable et d'esprit d'entreprise incomparable. Ces douzaines de jupons et de pantalons à ruchés, considérés comme indispensables à la garde-robe féminine, étaient à la fois le symbole de la prodigalité et celui du dur labeur dans les taudis surpeuplés où des femmes usaient leurs doigts, leurs yeux et leur jeunesse à coudre ces fanfreluches pour un salaire de quelques pence.

Winter alla faire ses adieux à l'oncle de Conway, le vieux sir Ebenezer Barton. Ce dernier avait pratiquement perdu la tête, mais il tendit à Winter un coffret de maroquin usé contenant les bijoux d'Emily que celle-ci comptait offrir à Sabrina. Ces derniers étaient superbes : des parures d'émeraudes et de diamants, des colliers, des bracelets, des bagues, des broches, des peignes et des boucles de souliers et de ceintures.

Julia regarda le trésor offert à Winter avec une froide désapprobation, et Sybella avec une envie non dissimulée. Malgré la recommandation de Julia de mettre tous ces bijoux dans le coffre-fort d'une banque, Winter les emporta avec elle en Inde. Aussi bien les joyaux d'Emily que le triple rang de perles que la mère de Marcos avait donné à Sabrina.

Julia fit l'effort inouï d'aller elle-même jusqu'à Londres pour confier sa jeune parente à Mrs Abuthnot avant d'aller voir des amis dans le Surrey. Elle ne resta qu'une nuit en ville, mais ce fut suffisant pour voir le fiacre emmener la fille de Sabrina jusqu'au paquebot *Sirius* qui devait la conduire à Alexandrie, terme de la première moitié du voyage pour l'Inde.

8

Mrs Abuthnot était aimable, corpulente et bavarde. Elle avait à peine l'âge de Winter au moment de son mariage avec George et de son départ pour l'Inde et n'atteignait pas encore la quarantaine. Lottie et Sophie, les seules survivantes des sept enfants Abuthnot, étaient au contraire minces, timides, silencieuses. Petites et blondes, elles devaient ressembler à leur père.

Sophie, quinze ans, partageait la cabine de sa mère, tandis que Lottie, de trois ans plus âgée, se vit allouer la cabine voisine en compagnie de Winter. Ces cabines étaient petites, étroites et peu meublées et les premiers jours du voyage n'eurent rien d'agréable.

Lottie, Sophie et Mrs Abuthnot gagnèrent leurs couchettes alors que le paquebot se trouvait encore dans l'estuaire de la Tamise, mais Winter monta sur le pont pour voir la côte anglaise disparaître dans la grisaille humide du soir.

Le bateau se mit à rouler et à tanguer, des éclaboussures d'écume piquèrent les joues de Winter qui commençait à sentir venir les nausées. Mais elle n'avait pas le courage de descendre dans l'étroite cabine où Lottie, étendue sur sa couchette, avait déjà succombé aux affres du mal de mer. Malgré les douches d'embruns, il était préférable de rester à l'air; elle serra les dents et se mit à marcher de long en large.

Le pont, maintenant déserté, se soulevait et s'enfonçait sous ses pieds et elle commençait à regretter sa décision de ne pas descendre. Elle aurait dû se retirer dans sa cabine lorsqu'elle en avait encore la force car, maintenant, tout d'un coup, il lui semblait impossible de bouger. Gelée et envahie par les nausées, elle ne pouvait rien faire d'autre que de s'accrocher au bastingage mouillé.

Winter n'entendit pas les pas derrière elle. Les aurait-elle entendus qu'elle ne s'en serait pas préoccupée. Ce stade était dépassé. Elle comprit seulement que des bras l'entouraient, la maintenaient et qu'elle n'avait plus besoin du bastingage.

Quelqu'un la souleva aussi facilement qu'un enfant, et une voix d'homme contenant un soupçon de rire dit : « Je suppose que ceci fait partie des devoirs d'un messager ? » Et on l'emporta dans la direction des cabines.

Elle sentit qu'on ouvrait brusquement la cabine, et malgré le bruit infernal et les craquements du bateau avançant péniblement, elle entendit les gémissements et les hoquets de Lottie Abuthnot. Winter détourna avec peine sa tête de ces bruits désagréables et enfouit son visage dans l'épaule de l'homme qui la portait. Il dit : « Juste ciel ! » d'un ton de résignation semi-humoristique, ferma la porte sur les malheurs de Lottie et s'en alla brusquement.

Quelques instants plus tard, étendue sur une couchette, Winter ouvrit les yeux sur le visage du capitaine Randall. Il paraissait amusé. Winter abaissa ses paupières et, appuyant sa main sur sa bouche, réussit en faisant un gros effort à dire d'une voix étouffée :

– Partez, je vous en prie, je... je crois que je vais être malade.

– J'ai vu pire, vous savez, dit-il en prenant une cuvette.

Et, tout à coup, Winter cessa d'attacher de l'importance au fait qu'il reste ou non.

Elle s'éveilla au matin, un matin froid et humide où la pluie tombait dru. Le bateau avançait en craquant, tremblant et grognant sur une mer fortement agitée. La petite cabine se soulevait et descendait d'une manière alarmante devant les yeux de Winter qu'elle referma en frémissant de terreur. Prise d'une idée subite, elle les ouvrit à nouveau. Ce n'était pas la cabine qu'elle partageait avec Lottie. C'était une cabine inconnue. Celle du capitaine Randall, bien sûr. Il l'y avait amenée la veille au soir parce que

Lottie était malade et il avait dû dormir ailleurs, probablement dans le salon. Elle pouvait seulement s'étonner qu'il se soit donné la peine de déménager. Winter resta immobile, revivant avec horreur les détails de son déplorable effondrement de la veille. Comment était-il possible de se conduire ainsi ? Au lieu d'insister pour qu'il la laisse seule, elle n'avait rien fait pour empêcher le capitaine Randall de rester dans la cabine et de lui porter secours; si elle se souvenait bien, son assistance avait même été la bienvenue ! Elle le revoyait lui tenant la tête au-dessus de la cuvette, car elle n'en avait plus la force, lui lavant le visage à l'eau fraîche, puis lui ôtant son manteau et son bonnet détrempés par les embruns. Avec une absence totale de gêne tout à fait surprenante, il avait ensuite fait avaler de force du cognac à la jeune fille.

Winter ne se rendait absolument pas compte de ce que la vie d'un fonctionnaire dans l'Inde de cette époque exigeait de compétences diverses, inhabituelles pour la moyenne des hommes. Alex Randall avait été amené à accomplir des actes qui dépassaient de loin ses obligations professionnelles. Amputer la jambe d'un homme écharpé par un tigre blessé. Pendre un assassin. Loger et nourrir trente-sept petits enfants d'un mois à six ans au cours d'une année d'épidémie et de famine. Jouer le rôle de sage-femme dans un accouchement. Arracher une veuve hurlante du bûcher où se consumait son mari qu'elle voulait suivre.

Winter s'étonna de ce que Randall ne lui ait pas ôté sa robe. Elle remua avec précaution car sa tête la faisait terriblement souffrir. Elle découvrit alors qu'elle ne portait plus sa robe de voyage noire, maintenant jetée sur une chaise avec les cerceaux de baleine de sa crinoline. Les couvertures qui couvraient Winter ne cachaient que des jupons et des pantalons à ruchés.

Une investigation plus poussée lui révéla un fait abominable : le capitaine Randall avait aussi délacé son corset !

La honte provoquée par cette découverte la porta à se mettre sur son séant, mais ce geste manquait de sagesse. La cabine se mit à tourner devant ses yeux et elle dut appuyer sa tête douloureuse contre les planches de bois verni qui formaient le cadre de la couchette.

Quelqu'un frappa à la porte qui, après une pause, s'ouvrit sur le capitaine Randall. Il paraissait en si bon état que c'en était presque offensant. Il croisa le regard hostile de Winter et lui sourit :

– Je vous apporte un peu de nourriture. Ai-je le droit d'entrer ?

– C'est votre cabine, aussi ne puis-je vous empêcher d'y être. Mais il serait plus décent de ne pas évoquer le sujet de la nourriture.

Alex rit et, pénétrant dans la cabine, referma la porte derrière lui et posa un petit plateau sur la table :

– Vous vous sentirez beaucoup mieux lorsque vous aurez mangé quelque chose. Ce ne sont que du potage chaud et quelques biscuits.

Winter regarda le plateau et frémit. La petite cabine plongeait, s'enfonçait, et remontait indéfiniment à une cadence qui la rendait malade, et la soupe dans le bol de porcelaine débordait sur le plateau.

– Allez-vous-en ! dit Winter dans un hoquet. Emportez ça et allez-vous-en.

Alex s'assit près d'elle sur le bord de la couchette.

– Si vous avez l'intention de continuer à avoir le mal de mer, vous vous rendrez compte qu'il vaut mieux avoir quelque chose à vomir.

Elle ne sut comment cela se passa, mais elle se retrouva appuyée à l'épaule d'Alex tandis qu'il la nourrissait de potage et de biscuits de mer comme il l'aurait fait avec un enfant malade.

Le potage était chaud et nourrissant et, contrairement à ce qu'elle croyait, elle réussit à avaler une certaine quantité de biscuits et se sentit beaucoup mieux. L'épaule du capitaine Randall se révélait tout à fait confortable pour une tête douloureuse. Elle essaya de se souvenir que cet homme était un ennemi qui avait trahi Conway et qu'un jour, d'un coup de fouet, elle lui avait infligé une plaie au visage, plaie qu'il méritait d'ailleurs. Mais tout ceci ne semblait plus avoir d'importance. Elle éprouvait seulement un étrange et inexplicable sentiment de sécurité. Elle ne savait pas pourquoi la présence et le contact de cet homme, ennemi de Conway et par conséquent d'elle aussi, lui procuraient cette chaude impression d'apaisement et de bien-être. Le tangage du bateau semblait moins fort, ou peut-être la nourriture lui avait-elle fait du bien. Elle se sentait infiniment bien et peu désireuse de bouger.

Alex posa le bol vide.

– Il est préférable que votre chaperon ainsi que toutes les femmes à bord soient accablées par le mal de mer car je craindrais sans cela d'avoir attenté définitivement à votre réputation. Pour l'instant, elles ne pensent qu'à leurs maux, vous pouvez donc sans crainte rester ici.

– Ce n'est pas possible, je dois retourner à ma propre cabine.

– Je ne vous le conseille pas. Votre compagne ne paraît nullement aller mieux et dix minutes auprès d'elle anéantiraient tout le bien qu'une bonne nuit et un repas vous ont apporté.

– Comment le savez-vous ? Vous vous êtes occupé des autres aussi ?

– Oui, admit Alex avec une ébauche de rire. Les femmes de chambre font tout ce qu'elles peuvent, mais elles n'ont chacune que deux mains. Étant donné que, pour parler en termes techniques, votre chaperon et ses filles sont à ma charge aussi, je me suis senti obligé d'offrir mes bons offices. Je suis persuadé que, lorsqu'elle se sentira mieux, Mrs Abuthnot aura du mal à me pardonner, mais pour l'instant elle est relativement reconnaissante.

– Si vous avez délacé son corset, remarqua Winter, cela m'étonnerait qu'elle vous pardonne un jour.

Winter avait parlé sans réfléchir, ce qu'elle s'était efforcée d'éviter pendant un tiers de sa courte existence. Lorsque les mots lui eurent échappé, elle aurait donné tout au monde pour les rattraper. Comment avait-elle pu dire une chose pareille ! Les sous-vêtements féminins étaient considérés comme un sujet tabou et elle venait d'en parler à un homme, et un homme étranger de surcroît. Un homme qui avait eu l'impudence d'agir comme sa femme de chambre. Cousine Julia s'en serait évanouie d'horreur. Cependant, le capitaine Randall ne s'en formalisa pas. L'incongruité des propos de Winter semblait lui avoir échappé, et il répliqua avec un sérieux imperturbable :

– Cela ne fut pas nécessaire. Elle paraissait s'être dégagée seule.

La vue des joues rouges de Winter et ses yeux agrandis d'horreur firent comprendre pour la première fois à Alex que sa manière d'agir risquait d'être considérée comme peu orthodoxe et très choquante. Il dit gravement :

– Puis-je vous donner un avis, condesa ? Le

bon sens sera toujours pour vous un meilleur allié qu'une adhésion sans réserve aux conventions. Si je vous avais laissée passer la nuit dans des vêtements humides et inconfortables, cela aurait pu vous éviter une gêne morale passagère, mais cela n'aurait pas amélioré votre santé. Et dans le pays où vous allez, la santé est très importante. Vous ne pouvez vous permettre d'être malade en Inde.

Le rouge de la honte quitta les joues de Winter et l'horreur dans ses yeux fit place à l'intérêt. Que le bon sens soit préférable aux conventions était un point de vue si diamétralement opposé aux enseignements donnés par toutes les femmes qui s'étaient occupées de son éducation et de celle de Sybella que cela semblait presque une hérésie. Cependant, à y réfléchir, cette idée était si visiblement juste et pratique que Winter eut l'impression d'être subitement libérée de ses chaînes. Une fossette se creusa dans sa joue et elle sourit.

C'était la première fois qu'Alex la voyait sourire, mais il ne lui sourit pas en retour. Il resta assis sans bouger à la regarder et ne la vit plus comme une enfant abandonnée, mais comme une jeune femme. Son visage en forme de cœur était plus pâle qu'à l'accoutumée et les cernes sous ses yeux les agrandissaient encore. La blancheur de son jupon et de son cache-corset fripés faisait ressortir le ton ivoire de ses bras nus et de ses épaules. Ses cheveux qui se déroulaient en une masse de boucles lançaient des éclairs bleuâtres dans la grisaille froide de la cabine.

Alex eut la vision, soudaine et troublante, des mains moites et tremblantes du Résident de Lunjore s'enlaçant autour de cette splendeur brune, puis glissant sur ces douces épaules ivoire. Son visage se durcit. Il se leva brusquement et prit le plateau :

– Le Capitaine pense que nous quitterons ce mauvais temps vers le coucher du soleil. Vous feriez mieux de rester où vous êtes, tout au moins aujourd'hui. Je dispose de cette cabine jusqu'à Gibraltar.

– Mais, et vous ?

– Je m'arrangerai, répondit brièvement Randall.

Il ferma la porte derrière lui et Winter ne le revit pas pendant un certain temps. Un steward lui apporta son plateau de déjeuner et, à la fin de l'après-midi, elle se sentit suffisamment bien pour mettre sa robe et regagner sa cabine. Ce changement ne se révéla pas très avisé. Dans le calme et l'intimité de la cabine du capitaine Randall, elle avait réussi à surmonter l'effet produit par la mer, mais dix minutes passées en compagnie de Lottie Abuthnot suffirent à lui donner de nouvelles nausées. La cabine empestait et les lamentations de Lottie ne cessaient pas; Winter se réfugia sur sa couchette qu'elle ne quitta pas de plusieurs jours.

Les prévisions optimistes du Capitaine en matière de temps se révélèrent erronées, mais une Mrs Martha Holly, qui avait retrouvé son pied marin après une éclipse de vingt-quatre heures, vint à l'aide des Abuthnot.

Tout à la fois forte, vive et maternelle, Mrs Holly avait été infirmière. Elle avait mis au monde et perdu plusieurs enfants en Inde, mais le chagrin et l'adversité ne paraissaient pas avoir tempéré son courage invincible. Après une année passée en Angleterre, elle rejoignait son mari en Inde.

Ses soins énergiques atteignirent leur but et lorsque quatre jours plus tard le *Sirius* quitta le mauvais temps pour retrouver le ciel et la mer bleus, Mrs Abuthnot elle-même parut sur le pont.

Parmi les passagers se trouvaient d'autres femmes, dont Mrs Gardener Smith et sa fille Delia, aussi en route pour Lunjore. Outre deux généraux et un juge, un certain nombre d'officiers de tous rangs revenaient de congé, ainsi qu'un groupe important de civils. Deux personnes étaient très connues du capitaine Randall : le colonel Moulson qui commandait l'un des régiments d'Infanterie du Bengale en garnison à Lunjore et grand ami de Mr Barton, et un Indien très mince et très bien élevé qui parlait un excellent anglais et était accompagné de plusieurs serviteurs indiens. Ce Kishan Prasad rencontré par Alex devant Sébastopol.

Kishan Prasad et sa suite attirèrent tout de suite l'attention de Winter, car les teints mats et l'hindi au rythme si rapide lui rappelaient ses souvenirs d'enfance et le cher visage brun de Zobeida. Des souvenirs de sa patrie et non d'une terre étrangère.

Kishan Prasad s'était adressé à elle un soir où, à l'abri de la bâche de la dunette, elle regardait le soleil se coucher sur l'Atlantique. D'une manière inattendue, la brise avait soulevé son léger châle dont les franges de soie s'étaient emmêlées autour d'une épontille. Kishan Prasad, qui passait par là, lui avait porté secours. Elle l'avait aimablement remercié et il s'éloignait lorsque son regard tomba sur la main gauche de Winter. Elle portait la bague de Conway et Kishan Prasad s'était arrêté net à sa vue. Tel un chat face à la lumière, les pupilles de l'homme s'étaient rétrécies et il dit de sa voix douce dont seules les intonations chantantes trahissaient le fait qu'il n'était pas anglais :

– Vous portez une bague très originale. Puis-je

me permettre de vous demander d'où elle vient ? Elle ressemble aux bijoux de mon pays, le Rohilkhand.

– Peut-être en provient-elle, répondit Winter en levant la main pour que son interlocuteur voie mieux le bijou. Cette bague est un cadeau de celui que je vais épouser, Mr Conway Barton.

– Ah ! Mr Barton. Très intéressant. Il est bien Résident de Lunjore ?

– Oui. Le connaissez-vous ?

– Un peu. Je possède des terres dans le district de Lunjore.

Kishan Prasad était un homme sympathique, à la conversation agréable, et il fut rapidement en bons termes avec la majorité de ses compagnons de voyage. Mrs Gardener Smith elle-même, qui pourtant ne trouvait pas convenable qu'un gentilhomme indien converse librement avec de jeunes Européennes, lui reconnut une très bonne éducation.

– Qui est-il ? demanda-t-elle au capitaine du navire.

– Simplement un riche Indien revenant d'une visite de l'Europe. Le Grand Tour, j'imagine.

– C'est à se demander ce qu'il a pu en tirer, remarqua Mrs Abuthnot. Le contraste entre nos grandes villes et la misère de l'Asie doit provoquer un vif étonnement chez ces visiteurs venus d'Orient. Lottie, ma chérie, je vous en prie, abritez-vous sous la bâche : le soleil est très fort et les taches de rousseur sont *si peu* seyantes.

– Oui, Maman, murmura Lottie avec soumission, tandis qu'à l'abri de ses cils ses yeux surveillaient un groupe de jeunes officiers assemblés au bout du pont.

Les taches de rousseur pouvaient être considérées comme peu seyantes, n'empêche que, chez un homme, elles étaient très attirantes.

Le lieutenant Edward English était un grand garçon, généreusement pourvu de taches de son, de cheveux roux et de charme. De ses grands yeux bleus, il admirait ouvertement Lottie dont la blondeur et la fragilité faisaient grande impression sur son cœur sensible. Il n'avait pas perdu de temps pour faire sa connaissance, mais la mère de Lottie ne permettait à aucun jeune homme de s'intéresser à elle dès le début du voyage, et elle s'arrangeait pour garder Mr English à distance respectueuse. Mrs Abuthnot était bien décidée à marier sa précieuse Lottie au premier *parti* vraiment convenable qui s'offrirait, mais Edward English était-il un parti convenable ? Il faudrait qu'elle se renseigne. Elle avait le temps de réfléchir et beaucoup d'autres hommes voyageaient sur le *Sirius*...

Et aussi, bien sûr, plusieurs autres jeunes filles. Notamment Miss Delia Gardener Smith. Vaguement parente d'un pair d'Angleterre, sa mère se prenait pour quelqu'un d'important. Lorsqu'elle apprit que Mrs Abuthnot servait de chaperon à une jeune fille titrée, une cousine du comte de Ware et la fiancée du Résident de Lunjore, elle n'eut de cesse de faire sa connaissance. Elle déclara Lottie jolie et Sophie une charmante enfant, mais elle ne sut comment qualifier la jeune condesa de los Aguilares et, comme beaucoup d'autres avant elle, Mrs Gardener Smith admirait peu l'insolite beauté de Winter.

– Je la trouve très réservée, dit-elle à Mrs Abuthnot.

– Je la crois surtout timide. La pauvre petite est orpheline. Elle est délicieuse et ne se met guère en avant. À mon avis, Mr Barton a beaucoup de chance.

D'autres passagers partageaient cette opinion,

mais ils étaient exclusivement masculins. Le colonel Moulson en faisait partie.

Célibataire, le colonel Moulson appréciait beaucoup les femmes et se vantait d'être un grand connaisseur en matière de charmes féminins. Il avait remporté des succès en son temps et ce que ses mérites ne pouvaient plus lui apporter, il l'obtenait en payant, mais sa vanité lui interdisait de le reconnaître. L'âge aidant, son penchant pour les jeunes filles se développait et aucune n'était à l'abri ni de ses regards en coulisse, ni de ses tapotements furtifs, pas plus que de ses pressions de mains. Il terrorisait Lottie et Sophie, trop inexpérimentées pour savoir éviter ses avances. Mais les yeux sombres et froids de Winter avaient une manière de le transpercer qu'il trouvait tout à fait déconcertante. Et pourtant, il l'avait prévenue qu'en tant que fiancée d'un de ses grands amis, il se sentait une responsabilité tout à fait spéciale à son égard.

Winter s'étonnait de ce que cet homme aussi peu sympathique soit un ami de Conway, mais cela devait faire partie des obligations de sa charge. À cause de Barton, elle s'efforça d'être polie vis-à-vis du colonel Moulson; et heureusement pour elle, il lui fut facile d'éviter les tête-à-tête car beaucoup d'hommes à bord ne demandaient qu'à accompagner la jeune condesa.

À vrai dire, un seul homme ne paraissait pas intéressé par elle : le capitaine Randall. Il ne se mêlait jamais au groupe qui entourait Winter, et elle en vint à conclure qu'il l'évitait de propos délibéré. Tout cela l'irritait sans qu'elle sût pourquoi et elle s'aperçut qu'elle surveillait Randall à la dérobée, le trouvant inférieur à Conway.

Alex Randall était élancé, très hâlé, indéniablement beau garçon avec ses yeux gris bordés de cils noirs. De taille moyenne (alors que dans le souvenir de Winter, Conway était exceptionnellement grand), la minceur de Randall et son allure le faisaient paraître plus grand qu'en réalité. Les yeux bleus, la blondeur et l'épaisse moustache de Conway rehaussaient sa beauté virile par contraste avec Randall toujours rasé de près. Et puis, Conway était le type même du chevalier et se serait méprisé d'attaquer un homme derrière son dos comme l'avait fait Randall.

Et pourtant, cette étrange impression de ressentiment demeurait chez Winter. Randall aurait pu au moins lui parler. N'était-il pas chargé de veiller à son confort et à sa sécurité ?

Elle l'avait rencontré un soir dans le couloir sombre qui menait aux cabines et il s'était effacé pour la laisser passer. Winter rassembla ses jupes, car le passage était étroit et allait s'éloigner lorsqu'elle changea d'avis et s'arrêta. Relâchée, sa crinoline alla balayer les murs du couloir, empêchant le capitaine Randall de bouger.

– Je..., je ne vous ai jamais remercié pour votre aide, dit-elle, non sans hésitation. C'était si aimable de votre part... et je ne voudrais pas que vous me trouviez ingrate.

Alex s'inclina sans parler. Une rougeur subite monta aux joues de Winter et elle reprit brusquement d'une voix un peu haletante :

– Je suis désolée... de vous avoir frappé de mon fouet. C'était impardonnable.

– Mais tout à fait compréhensible, dit Alex d'un ton grave.

Elle attendit qu'il s'excuse des paroles prononcées lors de la scène du fouet, mais il resta silencieux.

Winter réunit alors les plis de sa robe, mais à ce moment-là, le vent du soir venant d'Espagne fit tanguer le bateau et la jeta contre Randall.

Les bras de l'homme la retinrent un instant et, une fois de plus, elle retrouva le sentiment de sécurité du premier matin de la traversée. Levant la tête, Winter vit dans les yeux d'Alex une lueur singulièrement semblable à de la colère. Puis, il la remit sur pied et partit rapidement.

Après cet incident, Winter ne fit plus l'effort de lui parler. Elle répondait à un salut bref par un salut aussi bref et n'éprouva aucune difficulté à l'ignorer.

9

Le *Sirius* devait faire une courte escale à Malte et la majorité des passagers avait retenu des chambres à terre pour se changer de l'espace confiné du navire. Un dîner les attendait à l'hôtel Impérial et, à la fin du repas, Mrs Abuthnot décida qu'elle-même et les trois filles devaient aller au lit.

Winter partageait encore la chambre de Lottie. Malgré l'heure tardive, elle n'éprouvait aucune envie de dormir. La pièce ouvrait sur une cour où des plantes tropicales poussaient en profusion. Winter écarta le rideau tiré devant la fenêtre et regarda le clair de lune.

De l'autre côté de la cour, un point lumineux orange et une légère odeur de cigare trahissaient la présence d'un grand jeune homme appuyé à un pilier. Winter le regarda quelques instants, puis parla doucement par-dessus son épaule :

– Lottie ?

– Oui ?

– Comment trouvez-vous Mr English ?

Lottie émit un petit hoquet :

– Winter ! Comment pouvez-vous ?... Pourquoi, je... Bien sûr, il est très sympathique, mais Maman dit...

– Il est là dehors, surveillant notre chambre.

Un frou-frou rapide, et Lottie un peu haletante rejoignit Winter. Cette dernière murmura :

– Je ne pense pas qu'il y ait grand mal à ce que vous sortiez pour... pour admirer les fleurs ? Elles sont très belles.

– Oh ! non... je ne pourrai pas !

– Pourquoi pas ? Votre mère n'a rien contre Mr English, je l'ai même entendue dire à Mrs Gardener Smith que c'est un jeune homme très bien élevé qui connaît les Grimwood Tempests.

– Non, répondit Lottie d'un ton malheureux, Maman n'a rien contre lui, seulement...

– Seulement quoi ?

– Elle... Maman me trouve trop jeune pour juger en matière d'hommes et elle considère que les occasions ne me manqueront pas dans un proche avenir.

– Et que pensez-vous, *vous* ? La rencontre d'autres hommes vous fera-t-elle changer d'avis ?

– Non ! Mais Maman ne me permettra pas de lui parler hors de sa présence à elle et... je ne pourrai jamais aller le rejoindre dehors : ce serait trop choquant et indigne d'une jeune fille bien élevée.

Winter se tut quelques instants, puis dit d'un air réfléchi :

– L'autre jour, quelqu'un m'a donné un conseil. Il – on – m'a dit que le bon sens était presque toujours préférable à un respect d'esclave pour les conventions. J'y ai beaucoup pensé depuis et j'ai trouvé cette idée très raisonnable.

– Et vous trouvez qu'ici le bon sens est de mon côté ?

– Je le pense, mais n'en suis pas absolument sûre.

– Moi, j'en suis sûre, dit Lottie.

Elle effleura la joue de Winter d'un baiser rapide et se glissa derrière une arcade.

Winter la vit quitter l'ombre pour le clair de lune, et la haute silhouette à l'extrémité de la cour s'avança, puis un massif de lauriers-roses les cacha à sa vue. Elle laissa retomber le rideau et rentra dans la chambre, mais la chaleur de la nuit et la clarté de la lune agissaient sur elle. Prise d'une impulsion subite, elle releva ses larges jupes et détacha sa crinoline qui tomba sur le sol en un cliquetis de baleines. Après l'avoir enjambée, Winter prit dans son sac une mantille noire et sortit sur la pointe des pieds.

Winter ne voulait pas rester dans la cour dont elle était sûre que le lieutenant English et Lottie devaient occuper un des bancs de pierre. Quelques minutes plus tard, elle quittait l'hôtel et dévalait une rue étroite qui la mena à une place silencieuse plantée d'arbres et bordée de maisons aux toits plats et aux balcons couverts. Winter la traversa en restant dans l'ombre, ses légers souliers ne faisant aucun bruit dans la poussière encore chaude. Une cascade de fleurs de couleur indiscernable tombait d'un haut mur au-delà duquel des orangers et deux hauts cyprès se profilaient en ombres chinoises sur le ciel clair. Un figuier tordu s'appuyait contre l'angle d'un arc-boutant. La jeune fille s'arrêta près de lui et le regarda. Il constituait une admirable échelle et un instant plus tard, elle se trouva en haut du mur, un peu essoufflée et riant de sa situation.

Devant elle s'étendait un jardin attenant à une grande maison particulière située au-delà d'une rangée d'aloès et d'un boqueteau d'orangers, au bout d'une grande pelouse. Appuyée à une branche, Winter s'installa dans l'ombre du figuier pour y profiter de la beauté de la nuit et de son calme que seuls les sabots d'un petit troupeau de chèvres troublaient. Puis elle entendit des pas venant dans sa direction. Ils s'arrêtèrent au pied du figuier et un moment plus tard, quelqu'un grimpa comme elle l'avait fait. Elle s'enfonça encore plus à l'abri et retint son souffle. Sa robe noire se fondait avec les feuilles et il était évident que l'homme tout proche d'elle ne la voyait pas. Il portait un vêtement sombre et sans forme, et bien que Winter ne pût discerner son visage, elle l'entendait respirer. Elle le vit se pencher en avant, puis sauter au milieu d'un massif de lauriers-roses et de géraniums et il s'évanouit dans la nuit.

Une porte s'ouvrit dans la maison comme un carré de chaude lumière contrastant avec la nuit noir et argent. Quelques instants plus tard, trois hommes émergèrent des aloès et s'avancèrent dans le jardin.

Ils parlaient anglais à mi-voix, mais quelque chose dans leur ton suggérait qu'ils n'utilisaient cette langue que par nécessité, parce que c'était la seule qu'ils possédaient en commun.

Winter discerna une seule phrase dans leurs murmures, une phrase curieuse à entendre dans une île méditerranéenne :

« ... comme avant le soulèvement des Mahrattes. Seulement, dans ce temps-là c'était du millet. Cette fois-ci, ce seront du pain et des *bakri.* »

« *Bakri* », pensa Winter en se souvenant du troupeau de chèvres un peu plus tôt. Qui pouvait bien parler de l'invasion mahratte et utiliser le mot hindi pour « chèvre » ?

Un des hommes fumait un cigare et l'odeur du tabac traversait le jardin. Un grand homme barbu et bien bâti dont la taille faisait sembler petits ses deux compagnons. L'un d'entre eux, plutôt gros, portait un long manteau ajusté et une coiffure ronde. Mince et de taille moyenne, le troisième homme était habillé de sombre et Winter présuma que c'était lui qui avait grimpé sur le mur.

Les trois inconnus traversèrent la pelouse et s'arrêtèrent à quelques mètres de l'endroit où Winter était assise, et elle comprit qu'il existait une porte dans le mur, cachée par l'ombre de l'arc-boutant. Elle vit clairement les visages de deux des trois hommes, mais celui en vêtement sombre lui tournait le dos et il parlait d'une voix douce, vaguement familière à l'oreille de Winter :

– Nous aurons besoin d'argent, de beaucoup d'argent.

Le grand homme émit un rire bref :

– De l'argent, toujours de l'argent. C'est partout la même histoire. Nous, pays riche, nous restons pauvres parce que nous distribuons nos richesses aux autres.

– En pots-de-vin, mon ami. En pots-de-vin. Ne jetez-vous pas votre pain à la surface des eaux ?

– Bien sûr que si. Nous ne sommes pas fous. Une année, une centaine d'années, deux cents ans. C'est la même chose. Nous sommes patients. Nous aussi pouvons attendre.

– Mais les prix montent, murmura l'homme mince. Trente pièces d'argent ne sont plus considérées comme suffisantes. Ce sont trois cents, puis trois mille, et enfin trois cent mille.

– Vous pouvez vous estimer heureux d'être payés. À dans quatre mois, alors.

Le petit homme gras se glissa par la grille et l'inconnu au manteau esquissa un geste d'adieu à l'orientale. Lorsqu'il se retourna pour partir, la lune l'éclaira en plein et Winter reconnut un des passagers du *Sirius :* Kishan Prasad.

Le gros homme attendit que le bruit étouffé des pas ait disparu, puis il regagna la maison. Winter poussa un soupir de soulagement et s'apprêtait à remuer lorsqu'un bruit l'arrêta. Un très léger bruit, mais douloureusement audible dans le calme de la nuit. Il venait d'en dessous d'elle et elle comprit avec horreur que ce n'était pas Kishan Prasad qui avait grimpé sur le mur. Un autre homme était encore là, et il y était demeuré tout le temps, sans bouger, au milieu des lauriers-roses.

Les buissons remuèrent comme sous l'action d'un coup de vent et une silhouette se détacha : un homme nu-tête, bizarrement enveloppé d'une étoffe destinée à cacher ses traits car elle lui couvrait le menton.

Désireuse de partir avant qu'il ne la découvre, Winter remua son pied avec précaution, mais elle n'avait pas compté sur les crampes. Une très vive douleur lui arracha un hoquet et, en dessous, l'homme se retourna immédiatement; le clair de lune fit alors briller le canon d'un pistolet.

Pour la première fois de la nuit, Winter eut peur. Elle s'efforça de se mettre debout, tenant ses jupes d'une main et la plante grimpante de l'autre, mais ses jambes engourdies ne lui permirent pas d'aller assez vite. L'homme attrapa sa cheville, tandis que la plante se cassait entre les mains de Winter qui tomba avec son agresseur dans le massif de lauriers-roses et de géraniums.

Il la serrait si fort qu'elle craignit pour ses côtes, et les plis de l'étrange vêtement l'étouffaient et l'empêchaient de crier. Elle se débattit énergiquement, mais le souffle lui manqua et, abandonnant, elle ne bougea plus. L'étreinte qui l'enserrait se relâcha légèrement et elle tourna la tête pour respirer un peu.

L'homme ne bougeait pas et elle comprit qu'il écoutait les petits bruits de la nuit. Elle resta tranquille aussi un moment pour économiser ses forces : si elle arrivait à appeler, peut-être l'entendrait-on de la maison. Rassemblant toute son énergie, elle ouvrit la bouche pour appeler au secours. Mais elle n'émit aucun bruit car, d'une manière subite et inexplicable, sans même qu'elle ait pu voir son visage, elle sut qui était l'inconnu. En hoquetant, elle prononça son nom d'un ton incrédule : « Capitaine Randall ! »

Elle le sentit sursauter, il tordit son bras pour le libérer et, de sa main, écarta du visage de Winter la masse de ses cheveux épars.

– *Sacrebleu !*

– Pourquoi ?…

– Taisez-vous ! murmura Randall, furieux.

Alors elle entendit le bruit qu'écoutait si attentivement Alex. Un faible trottinement. Alex se raidit et retint son souffle. Le trottinement s'approcha et elle comprit qu'un animal était dans le jardin. Le grand barbu avait dû lâcher un chien de garde dont les pattes piétinaient le sol très sec. Elle l'entendit renifler, puis lâcher un petit jappement excité. Soudain le silence fut déchiré par un miaulement, un fracas dans le buisson et un tonnerre d'aboiements.

Alex était déjà debout et jeta littéralement Winter sur le mur sans gâcher son souffle en paroles. D'une main, elle s'accrocha à une branche du figuier et de l'autre au faîte du mur, donna un violent coup de pied, entendit un juron derrière elle et se mit à quatre pattes pour gagner le salut.

10

Une demi-minute plus tard, ils atteignaient le sol. Alex lui saisit le bras et ils se mirent à courir tout en restant à l'ombre du mur.

Il l'entraîna à travers la place, puis dans une étroite ruelle, bordée de hautes maisons, qui aboutissait à une autre place pavée dominée par de larges marches et la façade d'une église. S'arrachant à la poigne d'Alex, Winter alla d'un pas hésitant jusqu'aux marches et s'y laissa tomber, le dos appuyé à la balustrade sculptée.

Alex la suivit et se tint devant elle, les sourcils froncés. Elle le regarda, la bouche ouverte pour mieux respirer puis, soudain, elle éclata de rire.

Un rire gai, courageux, plein de la magie de la jeunesse et du clair de lune. À l'entendre, Alex ressentit de l'admiration. Il s'était attendu à des larmes ou à de l'hystérie, mais pas à un rire. Abasourdi, il la contemplait, incrédule. Puis il s'assit à côté d'elle et se mit à rire aussi.

Alex s'arrêta le premier.

– Que faisiez-vous en cet endroit ? demanda-t-il brusquement.

– Je contemplais la lune.

Il la prit par le poignet qu'il serra fortement.

– Je veux la vérité.

– Mais c'est la vérité. La nuit était si belle que je ne pouvais pas me coucher, je voulais sortir et j'ai fait l'école buissonnière. Grâce au figuier j'ai grimpé sur le mur et me suis assise pour regarder la lune et sentir les fleurs.

– Est-ce vraiment tout ?

– Oui. J'ai voulu me sauver lorsque je vous

ai vu, mais j'avais une crampe, et vous m'avez attrapée. Et vous, demanda-t-elle d'un ton curieux, pourquoi étiez-*vous* là ? Surveilliez-vous Kishan Prasad ?

– Oui. Je voulais savoir qui il allait retrouver.

– Que faisaient ces hommes ? Qui étaient-ils ?

– Ils complotaient diaboliquement. L'un est russe, l'autre persan; je connais le troisième depuis trois ans.

– Parlez-moi de lui.

– Kishan Prasad ? Il appartient à l'une des grandes familles du Rohilkhand. Un homme extrêmement habile et aigri, ce qui constitue toujours un mélange dangereux. Il a été élevé dans l'un des meilleurs collèges d'Inde où il était toujours le premier en disciplines anglaises. À la fin de ses études d'ingénieur pour la Compagnie, il est sorti dans un rang bien supérieur à aucun Européen. Mais parce qu'il n'était pas européen, il a été seulement nommé *jemadar,* ce qui le soumettait à un sergent européen, son inférieur en tout point. Un homme arrogant, insolent et stupide qui ne perdait aucune occasion de l'insulter. Les Indiens ont une civilisation plus que millénaire et écrivaient des livres alors que les Européens vivaient dans des grottes. Kishan Prasad est un descendant de princes et un homme très fier. Trouvant sa situation intolérable, il a donné sa démission à la Compagnie. Nous y avons perdu quelqu'un de très bien et gagné un homme dangereux...

» Il y a un an, il s'est embarqué pour faire un voyage en Europe, ce qui est étrange de sa part car en quittant l'Inde, il a perdu sa caste et, à son retour, il devra payer une forte somme aux prêtres pour la retrouver. Je l'ai rencontré pour la dernière fois en Crimée lorsqu'il a vu les Anglais échouer dans l'assaut du Redan à

Sébastopol. Il a eu sur place des contacts avec des agents russes... Nous n'aurions jamais dû permettre à un Indien de voir l'armée britannique en Crimée. Ou, l'ayant vue, de retourner en Inde pour en parler.

Alex se leva.

– Il est temps que vous rentriez.

L'hôtel était sombre et la lune n'éclairait plus la cour. Winter s'arrêta à l'entrée et se tourna pour regarder l'ombre qu'était Alex :

– Capitaine Randall...

– Condesa ?

La nuit était si calme que Winter pouvait entendre le murmure de la mer, la respiration calme d'Alex et les battements de son propre cœur. Elle avait conscience d'un étrange essoufflement et d'un sentiment d'attente, comme si quelque chose allait lui arriver.

Les jasmins, les géraniums et l'odeur salée de la mer emplissaient l'obscurité d'un lourd parfum, aussi fort que le bruit d'une musique lointaine. Une étrange magie dans la nuit. Un narcotique et un envoûtement. Brusquement et à son grand étonnement, Winter fut consciente d'un fantastique élan : celui de tendre les mains dans l'ombre et de saisir la tête brune d'Alex pour l'attirer contre la sienne. Pendant un certain temps, elle crut sentir ses cheveux épars sous ses doigts... la forme de sa tête et sa bouche chaude. Un coq se mit à chanter quelque part et dissipa l'ensorcellement de la nuit, ramenant Winter à la réalité. Une horreur mêlée d'incrédulité envahit son esprit et son corps, suivie par une vague de honte. Elle se détourna et s'enfuit comme si elle était poursuivie par les Furies.

Lottie dormait et Winter se déshabilla dans le noir. Elle ne réussissait pas à voir clair en elle. Elle n'éprouvait aucune affection pour le capitaine Randall. Comment le pourrait-elle dans le cas de quelqu'un qui avait parlé de Conway comme Randall l'avait fait ? Et pourtant, un peu plus tôt, à la moindre esquisse de geste vers elle, Winter se serait jetée dans ses bras.

« Seule une mauvaise femme aurait pu désirer une telle chose, ou même *penser* une telle chose », se dit Winter. Elle enfouit sa tête dans l'oreiller et pleura.

Alex demeura quelque temps là où Winter l'avait laissé et lorsqu'il regagna enfin sa chambre, le sommeil le fuit.

Couché sur le dos dans la chaude obscurité, il pensait à l'Inde et aux mises en garde toujours ignorées d'hommes tels que sir Henry Lawrence. À l'énorme stupidité d'un Conway Barton. Aux avertissements murmurés par les espions, au sadhu vu à la résidence de Lunjore et au visage de Kishan Prasad regardant avec attention et avidité les soldats britanniques repoussés du Redan, trébuchant et mourant dans la boue et le sang devant Sébastopol.

Parmi les « jeunes loups » de Lawrence, beaucoup avaient appris les langues et dialectes de l'Inde. Ils avaient essayé de connaître, de comprendre et d'aimer les peuples au milieu desquels ils vivaient et travaillaient. Ils sentaient venir l'orage et voyaient s'approcher de plus en plus l'ombre d'événements sinistres. Mais ils étaient largement dépassés par la cohorte des gens contents d'eux-mêmes, les suffisants, les fats et les stupides. Par les fonctionnaires importants de la Compagnie qui faisaient peu de cas des bruits de soulèvement général, les traitant d'hystérie ou de craintes sans fondement d'une minorité timorée et douée de trop d'imagination. Par les colonels des régiments tellement entichés de leurs hommes et de leurs bataillons en raison de leurs longues années de service qu'ils considéraient toute insinuation comme insultante vis-à-vis d'eux-mêmes et de leurs soldats. Ils traitaient ceux qui les avertissaient de froussards et d'agitateurs. Une sorte de satisfaction béate régnait en haut lieu et mettait un bandeau sur les yeux de ceux qui se refusaient à voir.

Alex se retournait sans cesse dans son lit, comme si cela pouvait l'aider à chasser les pensées qui l'empêchaient de dormir. Kishan Prasad... Kishan Prasad était une victime de la mentalité des Conway Barton. Un homme intelligent et bien élevé dont la valeur ne servait à rien à cause de la couleur de sa peau.

Depuis longtemps Alex soupçonnait Kishan Prasad d'être engagé dans des activités subversives et en avait averti Barton. Le Résident avait demandé des preuves qu'Alex ne pouvait lui fournir, car il s'agissait plus d'intuition et de rumeurs que de faits patents. Il avait suggéré diverses mesures qui pourraient contrôler ce que ferait Kishan Prasad, mais on les avait ignorées et, peu de temps après, la fabuleuse émeraude offerte à Winter était venue en la possession du Résident. Ce pouvait être une coïncidence, mais ce n'en était probablement pas une. Kishan Prasad avait pu circuler comme il avait voulu, visiter la Crimée et prendre contact avec des *agents provocateurs*.

Malgré son admiration sans bornes pour Henry Lawrence et John Nicholson, Alex ne pouvait croire comme eux au droit divin des Britanniques à gouverner les autres pays. Il travaillait dans le même but qu'eux, mais pour une raison différente : sa conviction qu'il était préférable pour l'Angleterre, l'Inde et le monde que les Britanniques, plutôt que les Russes, détiennent le pays des Mogols.

À l'âge de quinze ans, Alex avait voyagé en Russie avec son père et ce pays secret, aux horizons illimités, avait laissé une marque indélébile sur son esprit et son imagination. Pour lui, la Russie était l'Ennemi. Un ennemi à craindre plus que tout autre parce que l'immensité même de son territoire le rendait invulnérable, comme Napoléon l'avait appris à ses dépens.

Alex n'avait jamais oublié ni cette année passée en Russie ni le fait qu'au-delà des Passes de Khaïber commençait le royaume des cosaques. « Il faut que nous tenions l'Inde, pensait-il, jusqu'à ce qu'elle soit assez forte pour tenir seule, et non pour aucune des raisons avancées par des imbéciles du genre Conway Barton. »

Conway Barton... Quels dégâts aurait-il faits au cours de l'année qui venait de s'écouler ? Les hommes comme Barton, en minorité heureusement, imaginaient que le simple fait d'appartenir à une race de conquérants leur donnait droit à être traités avec terreur servile et admiration; ils ne s'apercevaient pas que leurs débauches, leur brutalité et leur vénalité étaient considérées avec rage et mépris par la population locale parce que colère et dédain se cachaient derrière des paupières baissées et des visages asiatiques indéchiffrables.

Pour la première fois depuis qu'elle l'avait quitté en courant, Alex pensa à Winter de Ballesteros qui allait épouser le Résident de Lunjore. Il n'y en avait pas une comme elle sur un million. Elle n'avait pas poussé de cris et ne s'était pas évanouie lorsqu'il l'avait arrachée de ce mur la tête la première, s'était débattue contre lui et n'avait pas bronché en voyant l'énorme chien. Et après avoir couru avec lui pour se sauver, elle ne lui avait infligé ni larmes ni crise de vapeurs, mais s'était mise à rire. Elle était mille fois trop bien pour un débauché tel que Conway Barton.

Non qu'Alex crût encore à l'éventualité de ce mariage. Il était évident que la jeune fille chérissait l'idée qu'enfant elle s'était faite de l'homme, et également évident que le Conway Barton de 1856 ressemblerait tellement peu à cette idée qu'un seul regard suffirait à la décevoir totalement.

Au début, Alex avait cru qu'après ce long voyage pour gagner un pays où elle n'avait ni amis ni famille, elle ne pourrait faire autre chose que de se marier, si désagréable que cela puisse lui paraître. Mais il avait changé d'avis depuis longtemps, car la fiancée du Résident n'était pas une poule mouillée. Malgré sa jeunesse, elle possédait à la fois du caractère et du courage et était tout à fait capable de rompre son engagement, même au pied de l'autel s'il le fallait. Il le lui souhaitait, d'ailleurs.

Peut-être aurait-il dû lui donner un baiser ce soir. Cela aurait-il changé quelque chose ? Au cours d'un bref instant, dans l'obscurité, il lui aurait suffi de la toucher pour qu'elle tombe dans ses bras, et il se demandait ce qui l'avait retenu. Certainement pas un sentiment de loyauté vis-à-vis du Résident de Lunjore, et ces jolies lèvres passionnées auraient été douces sous les siennes. Cela avait-il été un obscur sens de sécurité personnelle ? Une crainte subite de s'attacher sans pouvoir s'échapper ?

Alex eut soudain conscience de ce que le carré de ciel limité par sa fenêtre n'était plus constellé d'étoiles, mais pâlissait avec l'aurore d'un jour nouveau; et alors que les premiers bruits de vie qui s'éveille montaient du port et de la ville grouillante, il se coucha sur le côté et s'endormit.

11

Le surlendemain, les voyageurs se levèrent au petit jour pour aller s'embarquer sur le *Sirius* et la petite île disparut dans la brume.

Les longs jours se tiraient lentement pour Winter, mais Lottie et Edward trouvaient que le temps passait trop vite à leur gré. Fidèle à la promesse faite à Lottie dans le jardin, Edward avait demandé à Mrs Abuthnot, en l'absence du père de Lottie, la permission de faire sa cour à la jeune fille. Il l'avait aussi mise au courant de sa situation financière, tout à fait satisfaisante, et s'était montré si sérieux et si séduisant que le cœur de Mrs Abuthnot avait fondu. Si le père de Lottie était d'accord, ce ne serait pas elle qui se mettrait en travers des projets des jeunes gens. Edward English appartenait à une « bonne famille » et possédait à la fois avenir et moyens d'existence.

Au fur et à mesure que le bateau approchait de l'Égypte, la chaleur devenait plus intense. Les passagers devaient quitter le *Sirius* à Alexandrie et se rendre au Caire par le train le lendemain matin. La fin de journée fut occupée par une promenade à travers la ville, puis les voyageurs retournèrent sur le *Sirius* afin d'y passer leur dernière nuit à bord. Très peu d'entre eux réussirent à dormir en raison de l'air étouffant venant de la terre et du vacarme des dockers arabes rechargeant les soutes à charbon.

La chaleur n'incommodait pas Winter, mais le bruit l'empêchait d'autant plus de dormir que Lottie n'arrêtait pas de remuer dans la petite cabine. N'y tenant plus, Winter déclara qu'elle montait sur le pont. S'enveloppant d'un grand châle, elle quitta la cabine.

Avec tous les hommes qui chargeaient à la lumière des torches, le pont ressemblait à l'illustration de *L'Enfer* de Dante. Un éclat de rire s'ajouta tout à coup aux bruits de la nuit et, se retournant rapidement, Winter vit arriver du pont de dunette un groupe d'hommes qui lui coupaient son chemin. Ils étaient visiblement allés dîner et boire à terre et paraissaient très excités. L'un d'entre eux se mit à raconter une histoire corsée que Winter ne comprit pas, mais qui cependant la fit rougir. Un commandant, dont Winter savait qu'il allait en Chine, n'était habillé que d'une sorte de pagne et elle s'aperçut soudain qu'il n'était pas le seul : certains des ses compagnons arpentaient le pont très légèrement vêtus. Comprenant à quel point sa présence était déplacée, Winter essaya de se frayer un chemin à travers les ombres. Une main saisit son bras, la fit pivoter et la voix du capitaine Randall dit :

– Que diantre faites-vous sur le pont ? Se passe-t-il quelque chose ?

– Non... il faisait si chaud dans la cabine que je pensais...

– Avez-vous perdu l'esprit ? Ce n'est pas un endroit pour une femme. La moitié des hommes est allée festoyer à terre et l'autre est semi-vêtue. En outre, cela grouille de débardeurs arabes. Vous allez regagner immédiatement votre cabine. Maintenant, avancez !

Il la dirigea d'une main ferme vers l'escalier des cabines, mais au moment où ils l'atteignaient, un homme en arrivait qui déboucha sur le pont : le colonel Moulson, visiblement ivre.

Ce dernier n'était pas spécialement agréable lorsqu'il était sobre et empirait lorsqu'il avait bu. Alex fit rapidement passer Winter derrière lui et s'interposa entre elle et la silhouette oscillante. Mais il manqua de rapidité. Le colonel n'était pas suffisamment ivre pour avoir perdu son sens de l'observation :

– Diantre, un jupon ! Vous avez amené une petite amie à bord, Randall, voyons-la un peu !

– Je suis désolé de vous décevoir, monsieur, mais cette dame désire descendre. Veuillez nous laisser passer.

– *Dame !* vociféra le colonel. Ça, c'est incroyable, franchement incroyable. S'il s'agissait d'une dame, elle ne serait pas sur le pont. Ne soyez pas un empêcheur de danser en rond, mon vieux. Qui est-elle ? Une Gitane ou une Arabe ? Venez ici, ma beauté, que l'on vous voie.

Il s'approcha d'un pas incertain et Alex le détourna en répétant avec une certaine impatience :

– Veuillez nous laisser passer, monsieur.

– Jamais de la vie ! rétorqua le colonel.

Reculant, il barra de ses deux bras étendus l'entrée de l'escalier. À l'autre bout du pont les noceurs, attirés par le bruit, commençaient à s'approcher. Sans tourner la tête, Alex s'adressa à Winter :

– Il va vous falloir courir, dit-il brièvement.

Il avança d'un pas et saisit de sa main droite la cravate du colonel, tandis que la gauche aboutissait sur son estomac protubérant. Une seconde après, Winter avait disparu et l'officier était étendu sur le pont. Alex et Moulson, toujours sur le sol, furent rapidement entourés par un groupe de spectateurs.

– Permettez-moi de vous aider, monsieur.

Alex se pencha vers le colonel haletant.

Le colonel Moulson se releva en titubant et repoussa la main d'Alex. Le visage écarlate de rage, il déchira sa cravate froissée :

– Vous me rendrez compte de ceci, Randall, bafouilla le colonel.

– J'en serai enchanté, répondit Alex avec une rapidité déconcertante.

Une proportion considérable de la rougeur du colonel se mit à disparaître en même temps que sa colère tombait. Il regarda Alex d'un air menaçant et sa respiration se fit moins sifflante.

– Je dois m'excuser de ma hâte, dit Alex d'un ton doucereux. Une des dames, un peu nerveuse, a été effrayée par la lumière et le bruit. Elle a cru... à un incendie sur le bateau et est montée sur le pont en courant. Je lui ai proposé de l'accompagner en bas, mais le colonel Moulson la prenant pour une femme d'un autre genre lui a barré le passage. J'ai dû un peu le rudoyer. J'espère qu'il me le pardonnera.

Le colonel prit un air renfrogné, mais le regard d'Alex était beaucoup moins conciliant que ses paroles, et tandis que les vapeurs de cognac se dissipaient dans le cerveau de Moulson, il lui vint à l'esprit que la dame en question pouvait très bien avoir un mari qui l'attendait à Calcutta. Dans ce cas, sa responsabilité dans cette aventure pourrait être mise en cause. Il bredouilla une réponse acide aux excuses d'Alex et s'en alla en vacillant.

Alex le regarda pensivement. Quel dommage qu'il se soit agi du colonel Moulson !... Il n'avait jamais aimé l'homme et le considérait, non sans mépris, comme un compagnon parfait pour Conway Barton. Mais il avait été nécessaire, pour le bon équilibre des affaires à Lunjore, de rester en bons termes avec Moulson, et Alex regrettait que la nécessité l'ait obligé à s'en faire un ennemi puisque l'existence n'en serait que plus difficile à Lunjore. La tâche de veiller à ce que la condesa de los Aguilares n'ait pas d'ennuis ne se révélait pas une sinécure.

Winter ne revit Alex que deux nuits plus tard, lorsqu'ils quittèrent Le Caire pour Suez dans un « omnibus du désert » traîné par des mules et des chevaux. Mais il s'assit en face d'elle sans lui parler, et Sophie Abuthnot, posant sa tête sur l'épaule d'Alex, s'y endormit.

Winter en ressentit un vif sentiment de déplaisir absolument irrationnel. C'était ridicule que Sophie s'abandonne ainsi à dormir sur l'épaule de quelqu'un, et s'il fallait qu'elle le fasse, elle aurait pu incliner sa tête sur son autre voisine, l'épouse d'un commerçant de l'Artillerie du Bengale. Elle ferma les yeux avec détermination et se mit à penser à Conway.

Lorsqu'elle les ouvrit à nouveau, elle vit le visage détendu d'Alex sous la pâle clarté de la nouvelle lune. Sa bouche était plutôt ferme et, contre toute attente, sensible. C'était l'assistant de Conway et elle supposait qu'elle le verrait beaucoup plus lorsqu'elle aurait épousé le Résident. Cette idée la troublait et elle se dit qu'il serait peut-être préférable – elle ne savait pas pour lequel des deux – qu'il soit transféré dans un autre district.

Deux jours plus tard, laissant derrière eux la poussière et la lumière éblouissante de Suez, les voyageurs s'embarquèrent sur le *Clamorgan Castle* pour descendre la mer Rouge.

À trois jours de mer d'Aden, le bateau essuya une tempête qui se calma après vingt-quatre heures de tangage et de roulis. Ils passèrent le long d'une épave et le capitaine envoya une chaloupe pour voir s'il restait des survivants. Le bateau vide avait visiblement été un transport de troupes britanniques en route pour la Chine. Il était plus que probable qu'aucun homme à bord n'avait pu atteindre le rivage.

Winter se trouvait sur le pont, mais sa joie à se savoir maintenant sur l'océan Indien s'évanouit à la vue du bateau naufragé. Un soupir lui fit tourner la tête. Kishan Prasad se tenait près d'elle, les yeux fixés sur l'épave. Pour une fois son visage indéchiffrable n'était pas sur ses gardes et Winter, horrifiée, put lire ses sentiments avec une certitude pénible.

Il pensait avec une exultation méchante, féroce même, aux hommes qui avaient été sur ce bateau, luttant dans une mer démontée contre les vagues et les requins. Il soupira à nouveau avec haine et satisfaction, et Winter s'en alla en courant.

Alex Randall arrivant en sens inverse la prit par le bras :

– Que se passe-t-il, le mal de mer ?

– Non, répondit Winter en un hoquet, c'était Kishan Prasad. Il regardait le navire échoué et paraissait *heureux*. Il haïssait ces Anglais et souhaitait ce naufrage.

– Ce n'est pas étonnant. Il s'agissait de soldats britanniques. S'il avait pu les noyer de ses propres mains, il l'aurait fait.

– Pourquoi ? Sommes-nous détestés ?

– Supposiez-vous que les Indiens nous aiment ? demanda Alex avec une certaine irritation. En Asie, les avantages de la civilisation occidentale ne sont pas nécessairement considérés comme une bénédiction lorsqu'ils sont imposés par un conquérant étranger.

Il regarda le visage pâle de Winter : il était visible que la jeune fille n'avait jamais considéré l'Inde comme un pays conquis dont les habitants pouvaient haïr tout ce qui était anglais. Il ne put s'empêcher de dire avec une sorte de colère exaspérée :

– J'ai prévenu votre cousin Ware que ce n'était pas le moment d'envoyer une jeune femme en

Inde, mais il ne m'a pas écouté. Personne n'a voulu m'écouter !

Il la quitta brusquement et monta sur le pont humide.

Deux jours plus tard seulement, Kishan Prasad tomba par-dessus bord et ce fut Alex qui vint à son secours.

12

Alex ne savait pas qu'il s'agissait de Kishan Prasad. S'il l'avait su, le cours de nombreuses vies aurait peut-être été changé.

La journée avait été chaude et calme, et il ne restait de la tempête des jours précédents qu'une longue houle qui faisait monter et descendre la ligne d'horizon à un rythme lent.

Après quatre heures de l'après-midi, les ponts étaient pratiquement désertés par les passagers qui se changeaient pour dîner. Montée de bonne heure pour retrouver son Edward, Lottie regardant au-dessus d'elle avait aperçu Kishan Prasad contemplant la mer, debout sur le garde-roues. Le bateau s'enfonça soudain dans le creux d'une lame exceptionnellement profonde et Lottie vit Kishan Prasad, pris à l'improviste, glisser, tomber et passer sous le bastingage. Une minute après il avait disparu et Lottie se mit à hurler et à courir.

Deux des matelots, un de leurs officiers et le colonel Moulson avaient aussi vu quelqu'un tomber et ils commencèrent à s'agiter le long du pont en criant. Avec ce qu'il considérait comme une admirable présence d'esprit, le colonel Moulson empoigna deux chaises longues et les jeta par-dessus bord, où les suivit bientôt une cage à poules lancée par un matelot.

– *Un homme à la mer !* hurlèrent Moulson et l'officier.

Alex dormait dans une tache d'ombre et fut éveillé par les cris de Lottie, le visage décomposé et montrant la mer, qui trébucha sur lui. En courant sur le pont, il eut le temps d'apercevoir une main désespérée qui se tendait au-dessus des flots écumants.

– Ne vous inquiétez pas, Randall, dit Moulson d'un ton cassant. Ce n'est qu'un Noir. Il doit être noyé maintenant : ces gens-là ne savent pas nager.

Une crise de rage à l'état pur saisit Alex comme l'aurait fait une rafale. Il enleva ses chaussures d'un coup de pied, enjamba le bastingage et plongea, les jambes les premières. La mer houleuse le recouvrit.

Il pensait qu'il s'agissait d'un des serviteurs de Kishan Prasad, car Moulson aurait dit « un matelot » pour un membre de l'équipage. Il vit une forme sombre se débattre, puis disparaître. Alex inspira à fond et plongea. L'homme luttait faiblement et pendant une minute qui parut un siècle à Alex, ils s'enfoncèrent tous les deux. Alex réussit à agripper l'homme, puis donna de furieux coups de pied qui les amenèrent à la surface de l'eau.

Il ne savait pas encore qui il tenait. Il prit le semi-noyé par les aisselles et nagea vers la lourde cage à poules en bois que la houle faisait monter et descendre. Après de nombreux efforts, Alex réussit à soulever l'homme et à le déposer sur la cage à poules, la face tournée vers la mer. Puis il l'y maintint en nageant debout.

Le *Clamorgan Castle* était loin et il lui faudrait du temps pour revenir et envoyer une chaloupe.

Une longue attente se préparait. La houle enfonça une fois de plus la cage dans l'eau écumante et l'Indien toussa, eut un haut-le-cœur, leva la tête et remua faiblement.

– Restez tranquille, imbécile, dit Alex en hindi.

L'homme obéit mais tourna la tête peu après et Alex vit pour la première fois qui il avait sauvé.

Les deux hommes se dévisagèrent pendant un certain temps et Alex fut conscient d'une étrange torsion au creux de son estomac : une colère inutile contre le destin et contre lui-même, contre le fol instinct et la croyance qui l'avaient poussé à plonger sans réfléchir pour sauver un homme en train de se noyer, alors que la Providence faisait de son mieux pour terminer les jours de Kishan Prasad. Et dire qu'il avait risqué sa peau pour un homme qu'il considérait comme l'un des plus dangereux ennemis de la suprématie anglaise en Inde !

Si seulement il avait attendu ! Si seulement il s'était renseigné avant de plonger ! C'était la phrase de Moulson : « Ce n'est qu'un Noir », qui avait mis Alex en fureur. Il était tombé dans un piège en sauvant Kishan Prasad. L'eau de mer lui parut amère et il regarda le visage gris de Kishan Prasad, puis se mit à rire.

Les lèvres de l'Indien esquissèrent une grimace de compréhension totale et il dit d'une voix enrouée, entrecoupée de pénibles inspirations :

– Qui croyiez-vous avoir sauvé..., sahib ? (Le titre était plus proche de l'insulte que du respect.) Un homme de votre race ? Le sahib général peut-être ?

– Non, dit Alex qui nageait toujours debout. Je croyais qu'il s'agissait de l'un de vos *naukerlog*.

Une lueur d'étonnement et d'incrédulité passa dans les yeux sombres.

– Mon *domestique* ?

– Oui, répondit brièvement Alex. Si j'avais su que c'était vous...

– Vous m'auriez laissé me noyer, termina Kishan Prasad qui luttait pour retrouver sa respiration.

– Oui. Ne parlez pas, vous allez vous fatiguer et le navire n'est pas près de nous rejoindre.

Kishan Prasad resta silencieux pendant longtemps et lorsque enfin il parla, ce fut d'une voix qu'il n'arrivait pas à garder tout à fait ferme :

– Vous disiez que si vous aviez su qu'il s'agissait de moi, vous m'auriez abandonné à ma mort. Mais il me semble que la mort attend maintenant l'un de nous. Regardez là-bas...

Alex tourna la tête et son diaphragme se contracta, car dans la vague proche apparaissait un long corps brun et argenté dont la nageoire triangulaire émergeait de l'eau. Un requin !...

Alex semblait avoir perdu tout pouvoir de remuer. Accroché d'une main à la cage à poules, il regardait le petit œil froid du requin qui les examinait.

Kishan Prasad murmura d'une voix rauque :

– Cette cage en bois ne supportera pas deux hommes et ma vie t'appartient.

Il avait oublié de parler anglais. Il commença à glisser de la cage pour la quitter et Alex lui dit d'un ton furieux :

– Ne soyez pas stupide, remontez, vous ne savez pas nager.

Se souvenant avoir entendu dire que les requins n'aimaient pas le bruit, Alex frappa l'eau de ses mains mises en cornet. Le requin prit le large et revint. Kishan Prasad était dans l'eau, se retenant à la cage d'une main. Alex lui dit à nouveau :

– Remontez, idiot ! et l'empoignant par la

taille, il jeta Kishan Prasad sur la cage où il se tint à quatre pattes.

Le requin avançait lentement sur l'eau, le long d'une vague parallèle à eux, et Alex eut un spasme de panique paralysante.

– Oh ! mon Dieu, si seulement j'avais un couteau, murmura-t-il sans se rendre compte qu'il parlait tout haut.

– Tenez ! hoqueta Kishan Prasad en fouillant ses vêtements trempés dont il tira un couteau muni d'une lame longue d'une vingtaine de centimètres.

Ce n'était guère une arme contre le monstre qui tournait autour d'eux, mais sentir ce couteau dans sa main donna à Alex un sursaut d'espérance. C'était quand même un moyen de défense, n'avait-il pas lu que les pêcheurs de perles de Ceylan combattaient les requins avec un couteau ?

Il battit l'eau à nouveau et cria; l'animal s'en alla, puis revint. Il semblait suspendu dans l'eau au-dessus d'eux et il vint à l'idée d'Alex, tandis qu'il s'accrochait à la cage à poules, que la ruée de ce grand corps contre elle risquait de la retourner et de déloger Kishan Prasad. Alex avait oublié que l'Indien était un ennemi dont il aurait accueilli la mort avec plaisir, regrettant passionnément de l'avoir sauvé. L'homme sur le radeau était un frère humain, et en tant que tel ils étaient associés dans la lutte contre le tueur marin.

Alex lâcha la cage et nagea, les yeux fixés sur la nageoire qui avançait. Elle venait à lui très lentement, puis tourna. D'un effort surhumain, il l'évita. Un avertissement enroué de Kishan Prasad lui fit croire qu'une chaloupe arrivait. Puis il vit un mouvement sur sa gauche..., une autre nageoire. Puis une troisième. Les trois requins l'encerclaient en simples curieux. Le premier revint pour l'attaquer et il réussit à l'éviter. Maintenant, ils allaient tous se précipiter, mais Alex n'attendrait pas d'être mis en pièces sans s'être défendu. Les doigts serrés sur le manche du couteau, il nagea vers le requin le plus proche et le frappa de toutes ses forces. Le couteau trancha dans le flanc de l'animal et fut arraché de la main d'Alex. Un nuage de sang envahit l'eau. Figés un instant, les requins se précipitèrent sur leur compagnon blessé, tels des lévriers sur un renard. L'eau sombre devenait rouge de sang. Alex nageait désespérément pour s'écarter de la curée. Il nageait encore lorsque quelqu'un l'attrapa par les épaules et le hissa dans une chaloupe.

– Il était temps, dit le second du navire. Hé ! Descendez, Mr Prasad.

Alex s'assit, encore étourdi, et fit une grimace à Kishan Prasad qui rit et le salua de la tête. Pour l'instant, ils n'étaient plus des ennemis, mais des hommes qui ne croyaient pas échapper à la mort et cependant y avaient échappé. Ils étaient vivants et intacts. Ils burent le grog bien tassé tendu par le second et se sourirent faiblement tandis que les matelots ramaient en direction du *Clamorgan Castle* dont les passagers rassemblés sur le pont poussaient des hourras.

Comme à travers un épais brouillard, Alex fut conscient de bruit, de cris, de voix, de gens qui lui serraient la main ou lui tapaient l'épaule. Il se sentait comme endormi ou, plutôt, ivre. Il traversa la foule avec beaucoup de peine et alla se laisser choir sur sa couchette où il s'endormit immédiatement.

Il s'éveilla de bonne heure le lendemain matin, plus dispos qu'il ne l'était ces derniers temps. Il se dirigea vers l'arrière et, s'appuyant au bastingage, il regarda d'un œil distrait le long sillage blanc du navire. Des pas derrière lui le firent se retourner sur Kishan Prasad. Les deux hommes se dévisagèrent en silence, du regard froid et calculateur d'adversaires examinant leurs épées.

– Je voudrais vous remercier..., dit enfin Kishan Prasad.

– Vous n'avez pas à me remercier, coupa brièvement Alex.

– Vous voulez dire parce que si vous aviez su qu'il s'agissait de moi, vous ne m'auriez pas sauvé ? Est-ce là la vérité ? Si vous aviez su, et étant au courant du fait que, incapable de nager, je me serais noyé, vous ne seriez pas venu à mon secours ?

Alex lui rendit son regard avec des yeux durs :

– Non, je n'aurais pas levé le petit doigt pour vous sauver.

Kishan Prasad s'inclina gravement, comme s'il venait de recevoir une réponse que tous deux attendaient et comprenaient.

– C'est la raison pour laquelle je suis venu vous remercier, dit-il. Non pour ce que vous avez fait pour moi, mais pour ce que vous aviez le courage de faire pour un de mes domestiques. Peu d'hommes auraient risqué leur vie pour... un Noir et le serviteur d'un Noir.

– Vous me surestimez, dit Alex brusquement. Il n'y avait aucun risque, je suis un nageur très solide.

– Et les requins ? demanda doucement Kishan Prasad.

– Vous me forcez à reconnaître que j'avais complètement oublié la possibilité des requins. Si j'y avais songé, je vous donne ma parole que je n'aurais pas sauté. Donc,vous voyez, vous ne me devez rien.

– Néanmoins, dit Kishan Prasad en souriant, que ce soit volontaire ou non, vous m'avez rendu la vie que les dieux m'auraient prise. Dans le passé j'ai comploté contre votre race. (Il vit la lueur soudaine dans les yeux d'Alex et rit, levant la main en signe de protestation :) Oh non ! ce n'est pas une preuve, je ne vous dis rien que vous ne sachiez déjà. Et ici, personne ne nous entend. Votre Résident n'agira pas contre moi, je le sais.

– Moi aussi, je le sais, répondit Alex avec amertume. Voulez-vous dire que votre cœur a changé parce que j'ai risqué ma vie pour vous sortir de la mer ?

Kishan Prasad sourit et secoua la tête.

– Hélas, non, je n'ai pas changé. Au nom de mon pays, de mes compatriotes et de mes dieux, je ferai tout ce qui est en mon pouvoir pour renverser votre Compagnie.

– Et moi, je ferai tout ce qui est en mon pouvoir pour vous faire pendre ou exiler, pour le bien de mes compatriotes qui gouvernent votre pays.

– C'est bien, nous nous sommes compris et nous ne sommes pas des enfants.

Il tourna un petit anneau qu'il portait à la main droite et, l'ôtant, il le tendit à Alex. C'était une bagatelle en trompe l'œil, en argent curieusement ciselé et encastrant trois petites pierres rouges qui auraient pu être des rubis ayant des défauts. Un ornement étrange sur la main d'un Kishan Prasad.

– Voulez-vous porter ceci en gage de ma reconnaissance ? Cet anneau ne vaut pas dix roupies, mais c'est un talisman qui peut un jour vous sauver d'un très grand mal. Si, comme je le souhaite, vient le jour de la chute de la Compagnie des Indes et de la destruction de sa charte inique de vols et d'annexions, regardez cet anneau et souvenez-vous de Kishan Prasad. Car ce jour-là, qui sait, il pourra vous rembourser une partie de ma dette.

Les sourcils froncés, Alex regarda la main tendue et ne fit aucun effort pour cacher son hésitation. Puis il tendit la main et, prenant l'anneau, il le glissa au petit doigt de sa main droite, puis dit lentement :

– Je ne me rappelais pas qu'il pouvait y avoir des requins lorsque j'ai enjambé le bastingage hier. Mais vous vouliez me donner votre place sur la cage à poules quand vous les avez vus venir. Je porterai cet anneau parce qu'il est le cadeau d'un homme brave.

Kishan Prasad réunit ses mains en joignant le bout de ses phalanges puis s'inclina gravement par-dessus et s'éloigna.

13

« Nous serons à Calcutta demain, pensa Winter. Un jour encore, et je verrai Conway ! »

Il ne semblait pas possible que la longue attente commencée six ans auparavant dans la grande avenue de Ware puisse être enfin terminée. Pas possible non plus que dans deux jours seulement elle ne soit plus ni « Miss Winter » ni la condesa de los Aguilares, mais Mrs Conway Barton quittant l'église au bras de son beau mari, pour vivre heureuse toujours, comme une princesse de conte de fées.

Le *Clamorgan Castle* avait jeté l'ancre au-delà des Sandheads, attendant la première lueur du jour et la marée grâce à laquelle il commencerait, avec le pilote à bord, la lente remontée du Hooghly jusqu'à Calcutta. Étendue sur son étroite couchette, Winter se demandait si Conway viendrait la rejoindre à l'embouchure du fleuve, ou à bord du bateau remontant la rivière, comme le colonel Moulson le croyait possible.

Tandis que Winter regardait la mer à travers son hublot, le ciel vira au gris et un coq commença à chanter dans les cuisines. Bientôt, le soleil transformerait en or la mer couleur de vase, les sifflements du maître d'équipage déchireraient l'air; on entendrait un bruit de pas précipités et le grincement de la chaîne de l'ancre. Le dernier jour !

À part les quelques objets de dernière minute, Winter avait terminé ses bagages la veille, car elle ne pouvait accepter de perdre un instant de cette journée merveilleuse. Les fourrés emmêlés des bambous, les huttes à toits de chaume entourées de tamariniers et de corossoliers, les terres brunes et basses, les temples et le large Hooghly couleur de boue avec ses bas-fonds traîtres et ses courants inattendus, tout était merveilleux et excitant aux yeux de la jeune fille qui, douze longues années auparavant, était passée là avec Zobeida pleurant sur la patrie qu'elle quittait.

Tout bateau qui approchait, toute voiture aperçue sur la rive pouvait amener Conway. Un cavalier derrière un rideau d'arbres ou une silhouette portée dans un palanquin primitif pouvait être lui.

Voyant Winter courir sur le pont pour s'appuyer au bastingage chaque fois qu'un canot approchait du navire, Alex Randall ressentit le même désir, mi-colère, mi-exaspération, de lui dire qu'elle ne devait pas se conduire ainsi : il ne fallait pas laisser voir à tous ce visage rayonnant d'attente, car avant la fin du jour elle aurait constaté par elle-même ce que les années avaient fait du Résident Barton, et elle n'aurait plus jamais cet air ravi. En examinant ce visage jeune et vulnérable, Alex se prit à penser, sans aucune passion, que ce serait un plaisir d'étrangler Barton.

Le ciel était toujours embrasé par le lever du soleil lorsque le *Clamorgan Castle* atteignit son mouillage à Calcutta, et les canots se succédèrent pour amener à bord les parents et amis des passagers, ou emmener ceux-ci à terre. Oubliant son respect des conventions, Mrs Abuthnot se jeta dans les bras d'un petit homme tout rond, au visage angélique, avec des cheveux blanc argent et des yeux bleus très doux qui se révéla être le colonel Abuthnot. La famille enfin réunie se retira dans l'intimité de la cabine.

À l'écart du tourbillon des retrouvailles et des adieux, Winter scrutait chacun des canots. Mais aucun ne contenait de visage familier. Elle avait vu s'en aller Kishan Prasad, chargé de guirlandes de fleurs et de brillants apportés par les amis venus le chercher. Un bateau à rames avait amené un Indien vêtu d'un étrange uniforme couleur sable au-devant duquel Randall s'était avancé rapidement.

Après un salut raide en atteignant le pont, la figure de l'homme s'était plissée en une grimace de pur plaisir et Winter vit Alex tendre la main et saisir l'épaule de l'homme, souriant du même sourire. Comme des frères se retrouvant après une longue séparation, les deux hommes s'étaient regardés longuement sans rien dire, avec affection et soulagement de se retrouver saufs. Puis la main d'Alex était tombée et ils s'étaient mis à rire. Ils s'éloignèrent en parlant rapidement.

Les ponts encombrés se vidaient et Winter surveillait avec anxiété les canots qui gagnaient le rivage avec leurs passagers. Enfin, quelqu'un lui toucha le bras et elle se tourna rapidement : c'était seulement le capitaine Randall. Son visage ressemblait dangereusement à de la pitié, aussi Winter raidit-elle ses épaules et leva-t-elle son menton d'un coup sec. Elle paraissait très jeune, pensa Alex, et malgré l'air hautain de ce menton levé, très effrayée et très méfiante. Il dit brusquement :

– Il n'a pas pu venir. Mon ordonnance a apporté des lettres de Lunjore.

D'une main peu ferme Winter prit le paquet tendu. Ses doigts se serrèrent si fort que le papier raide craqua, tandis qu'elle sentait des larmes perler au bord de ses paupières, mais elle les refoula. Elle ne se le pardonnerait jamais si Alex voyait des larmes dans ses yeux. Elle dit « merci » d'une toute petite voix. Alex se détourna brusquement et s'en alla.

Winter s'accrocha au bastingage, car elle tremblait, et les larmes qu'Alex ne devait pas voir demeuraient dans ses yeux, obscurcissant d'une sorte de brouillard le fleuve, les arbres et les maisons sur le rivage. La déception était presque trop amère pour être supportée. Ce jour devait être la fin d'un long voyage, mais le voyage n'était pas terminé en fin de compte. Elle baissa les yeux sur la lettre et, au bout de quelque temps, en brisa le cachet.

La fièvre du travail, écrivait Conway, l'avait empêché de rejoindre Winter à Calcutta. Elle comprendrait sûrement à quel point c'était un chagrin pour lui, comme c'en était un pour elle. Mais le devoir avant tout, et il était certain que Winter n'aurait jamais voulu qu'il néglige son devoir, même pour elle. Il avait écrit à Randall pour lui demander de prendre toutes dispositions nécessaires pour qu'elle se rende dans le Nord. Puisque les Abuthnot allaient à Delhi, elle aurait intérêt à rester avec eux jusque-là. Ce n'était pas tout à fait la route, mais puisque lui-même s'y rendrait prochainement et habiterait chez le Résident, Mr Simon Fraser, cela s'arrangerait très bien. Ils pourraient se marier à Delhi et passer leur voyage de noces à visiter l'ancienne capitale des Mogols. Bien sûr, il s'agissait d'un retard de quelques semaines, mais qu'était-ce à côté de toute la vie qu'ils passeraient ensemble ?

L'écriture était désordonnée, Conway devait être bien fatigué. Fatigué et déçu. Sa propre déception à elle lui paraissait maintenant très égoïste. Quelle noblesse de la part de Conway de faire passer le devoir avant le bonheur personnel ! Cher, cher Conway !

Winter froissa la lettre entre ses doigts et la pressa sur son cœur en combattant son désir de poser sa tête sur la balustrade de bois et de pleurer. Mais elle ne devait pas pleurer, cela risquait d'être pris pour une critique de Conway. Elle se détourna du bastingage et marcha résolument vers sa cabine, la tête haute, le visage calme, les yeux secs et brillants.

Mrs Abuthnot se montra maternelle et pleine de sympathie. Le cher Alex l'avait déjà prévenue en lui remettant une lettre *charmante* de Mr Barton. Quelle déception ! Mais c'était la vie en Inde. Il fallait apprendre à la supporter. Naturellement, elle continuerait à chaperonner la chère Winter, ce serait délicieux de l'avoir avec elle ! Mais il y aurait hélas à attendre un peu car le colonel Abuthnot avait des affaires officielles à régler à Calcutta et à Barrackpore. Sa femme et ses filles devaient descendre chez les Shadwell, des commerçants à Calcutta. Ceux-ci avaient bien connu sir Ebenezer et ils accepteraient sûrement d'accueillir Winter. Ce serait amusant de voyager ensemble jusqu'à Delhi, Lottie en était ravie !

La maison des Shadwell se révéla être une demeure grandiose, à deux étages, donnant sur Garden Reach et entourée de pelouses et de jardins bordés par la rivière. Au grand soulagement de Winter, on lui attribua une chambre seule.

Elle ferma la porte derrière elle et s'y appuya, très lasse, mais enfin débarrassée de la contrainte de garder un visage serein. Elle pouvait pleurer maintenant, personne ne la verrait, cela la détendrait. Mais elle ne pleura pas. Elle regarda la pièce haute de plafond, avec ses murs blanchis à la chaux et ses fenêtres ouvrant sur une grande véranda. La chambre était aussi différente d'une chambre anglaise que le lent Hooghly l'était d'une rivière en Angleterre.

Elle se rendit lentement jusqu'à la véranda, ses jupes bruissant doucement sur les nattes. En dessous d'elle, une longue pelouse descendait entre d'épais bouquets d'arbres jusqu'à la rivière, dorée dans le crépuscule. Dans le ciel vert pâle délavé, les premières étoiles commençaient à mettre des points lumineux et l'air du soir s'emplissait de bruits à moitié oubliés, mais cependant familiers : conques retentissant dans un temple; lointains battements des tam-tams; appels de paons et hurlements d'un chacal; aboiements des chiens métis et toutes les nombreuses rumeurs d'une ville indienne. L'air sentait la poussière cuite et recuite par le soleil, les feux de bouse de vache, la fumée de bois, les œillets d'Inde, le jasmin et l'odeur fétide de la rivière, tandis que dans le crépuscule grandissant des milliers de petits points lumineux pailletaient les fourrés de bambous. Au-dessus, des formes sombres voletaient dans le jardin : les lucioles et les chauves-souris que le vieux sir Ebenezer avait souhaité voir encore une fois.

Winter s'appuya sur la large balustrade de la véranda et poussa un long, long soupir de satisfaction. Il n'importait plus que Conway n'ait pu venir l'accueillir à Calcutta et que demain ne soit finalement pas le jour de son mariage. Elle pouvait attendre. Elle était revenue chez elle.

Les supplications de Lottie, sa pâleur et les arguments avancés par Edward English auprès du colonel Abuthnot eurent raison de celui-ci et, un matin, les deux parents accordèrent leur consentement à un mariage aussi proche que possible. Les deux jeunes gens pourraient ainsi jouir de quelques jours de bonheur avant l'affectation du lieutenant English qui risquait d'être lointaine.

Malgré l'heure matinale, Mr Shadwell fit apporter du champagne pour boire à la santé et au bonheur des fiancés.

Ce fut à ce moment qu'un domestique annonça le capitaine Randall que Mrs Abuthnot accueillit affectueusement et remercia encore de sa sollicitude au cours du voyage. Il félicita les fiancés d'une voix un peu préoccupée et annonça qu'il était seulement venu pour faire ses adieux. Il regrettait de ne pouvoir accompagner les voyageurs à Delhi, mais il ne devait pas retarder son retour à Lunjore.

En lui serrant la main, Winter lui dit quelques mots de remerciements cérémonieux auxquels Alex, les yeux fixés sur la pendule, répondit qu'il avait été heureux de pouvoir lui être utile. Visiblement pressé et impatient de s'en aller, il avala une demi-coupe de champagne avec une hâte distraite, puis partit. Le grincement des roues de sa voiture disparut dans l'avenue et Winter s'étonna de se sentir soudain seule et sans protection. Un sentiment absurde, bien sûr, le colonel Abuthnot n'était-il pas là pour prendre sa place et veiller à ce qu'il ne lui arrive rien ?

Mais au cours des longues journées qui s'étiraient, elle fut surprise de voir à quel point Alex lui manquait. Non pas l'homme en lui-même, mais cette impression qu'il lui avait donnée d'être en sécurité tant qu'elle serait avec lui. Elle s'attendait à ce que son départ et le fait qu'il ne lui revienne plus de veiller à son confort et à sa sécurité la soulagent, mais d'une manière contradictoire elle éprouva plutôt une sensation d'insécurité et de perte. Ce qui, décida-t-elle, venait de ce qu'Alex avait un lien avec Conway.

14

Edward English partit le lendemain pour Meerut et Lottie chercha le réconfort qu'elle put trouver en préparant son mariage qui devait avoir lieu à la fin d'octobre. Mais le séjour forcé des voyageuses à Calcutta ne se passa nullement dans l'oisiveté, car les Shadwell organisèrent pour leurs invités de nombreuses distractions, et les invitations à des bals et des réunions, y compris un bal chez le gouverneur, affluèrent à Garden Reach.

Mrs Gardener Smith et Delia étaient également à Calcutta où le colonel Gardener Smith passait avec elles deux les premières semaines de sa permission de trois mois. Les deux groupes se visitaient souvent, ou allaient de compagnie faire leurs emplettes.

En tant que capitale et quartier général du gouverneur général et du Conseil, et siège du Gouvernement suprême, Calcutta soutenait sa réputation de gaieté. Le bal du gouverneur constitua une révélation pour Lottie et Sophie qui n'avaient jamais assisté à semblable réception. Accoutumée à l'invariable noir et blanc des hommes venus danser à Ware ou dans les soirées de Londres, Winter elle-même avait cru un instant que le gouverneur général donnait un bal costumé.

Des hommes, dans les magnifiques uniformes des régiments dont les noms n'étaient guère connus hors de l'Inde, les régiments de Cavalerie, d'Infanterie et d'Artillerie du Bengale, des hommes portant le bleu pâle et or de la Cavalerie légère, le jaune serin du Skinner's Horse, le vert des compagnies Rifle et l'écarlate des régiments d'Infanterie rivalisaient d'élégance avec les soieries brillantes et les vaporeuses tarlatanes des robes du soir, que ce soit par la richesse des couleurs ou le brillant de la dentelle d'or. Ces hommes étaient six fois plus nombreux que les femmes.

Tels des corbeaux au milieu des paons évoluaient les riches commerçants de Calcutta en vêtements beaucoup plus sobres, Mr Shadwell entre autres, ou les membres du Conseil et les officiers supérieurs de la Compagnie des Indes orientales. Les invités indiens, dont beaucoup scintillaient de bijoux et portaient des brocarts hauts en couleur ou des mousselines, se mêlaient à la société présente mais ne dansaient pas. Lottie remarqua avec surprise qu'il n'y avait pas de femmes indiennes.

– En Orient, on laisse les femmes à leur place, dit le colonel Abuthnot avec un clin d'œil. Un gentilhomme indien considère comme tout à fait déplacé de permettre aux femmes de sa famille de fréquenter une assistance semi-nue. Quant à les autoriser à être étreintes par un homme étranger pour se dandiner au son de la musique, c'est proprement impensable.

– Comment pouvez-vous parler ainsi, George ! (Mrs Abuthnot était scandalisée.) Vous ne réprouvez pas la danse, quand même ? Quant au terme semi-nu, il est *ridiculement exagéré,* et je m'étonne que vous vous exprimiez ainsi devant vos filles.

– Je n'ai pas dit que je désapprouvais la danse, ma chère, mais je reconnais avoir souvent pensé que nos danses occidentales devaient apparaître très relâchées aux yeux des Orientaux. Et puis, vous devez admettre que la mode actuelle découvre une large part des formes féminines.

– C'est absolument faux, s'exclama sa femme avec indignation. Lorsqu'on sait que nos grands-mères considéraient qu'un simple morceau de mousseline suffisait pour faire une robe du soir, je ne comprends pas pourquoi vous trouvez inconvenante la mode actuelle.

– Oh ! Je reconnais que la mode s'est améliorée depuis l'époque Regency, mais cela me surprend qu'une femme, qui se croit obligée de se cacher à partir de la taille dans une cage de baleines et de jupes, puisse sans rougir faire un tel étalage de bras, d'épaules et de seins. En tant qu'Européen, je ne m'en plains pas, mais je me demande ce qu'en pensent nos amis orientaux.

Mrs Abuthnot ravala la réplique qu'elle allait faire lorsqu'elle vit Delia Gardener Smith passant à ce moment-là au bras d'un officier en tunique écarlate, car cette dernière était l'illustration vivante de la remarque de son mari. Les cerceaux de la crinoline de la jeune fille portaient une vingtaine de mètres de taffetas vert brodé de blonde dont dépassaient à peine la pointe de souliers de satin, mais le corsage très ajusté laissait largement voir une poitrine dodue et des épaules grassouillettes.

La toilette de Winter était de tout autre nature. Elle portait une des robes du soir choisies par lady Adelaïde : une superbe moire antique drapée de volants de Bruxelles festonnés de perles dont le corsage était décolleté aussi bas que celui de Delia. Mais le port de ses minces épaules et l'inclinaison de sa petite tête surmontée de cheveux noirs lisses dans leur filet possédaient une inconsciente dignité qui interdisait toute comparaison avec le plantureux étalage de chair de Miss Gardener Smith.

En un murmure gêné, Mrs Abuthnot confia à la mère de Delia que, curieusement, les toilettes qui paraissaient si quelconques en Angleterre semblaient osées en Orient :

– Je pense que cela est dû à la présence de tous ces Indiens ce soir.

Mrs Gardener Smith se rebiffa légèrement et répondit que, pour sa part, elle considérait la mode actuelle comme tout à fait *charmante* et que plusieurs personnes l'avaient félicitée de l'allure de Delia. Lady Canning avait été plus qu'aimable. Une femme *si* agréable. Bien que, évidemment, porter du rouge fût une erreur puisque cela la rendait tristement pâle. Elle devait trouver le climat éprouvant, car c'était son premier séjour en Asie. Quant au gouverneur général, Mrs Gardener Smith ne lui avait pas encore parlé, mais il ne paraissait vraiment pas en bonne santé.

À vrai dire, la santé de lord Canning était excellente, mais il passait par un mauvais moment. En succédant à lord Dalhousie, il avait espéré une période de calme dans sa charge, car on disait que les réformes de son dynamique prédécesseur avaient lancé l'Inde dans une ère de lumières et de progrès, mais l'Inde se révélait être plutôt un lit d'épines qu'un lit de roses.

Dalhousie avait agrandi l'Empire de manière inimaginable, mais les effectifs nécessaires au contrôle et à l'administration n'avaient pas augmenté en proportion. L'armée du Bengale avait été dépouillée de ses officiers, détachés en service spécial pour administrer les nouveaux districts, rendre la justice, construire routes et ponts, pacifier les populations, et les régiments en avaient souffert. Le nouveau gouverneur général était conscient de la situation, mais se trouvait incapable d'y remédier.

L'annexion de Oudh avait constitué l'un des derniers actes du règne de lord Dalhousie, mais l'organisation de la province était retombée sur lord Canning et son choix de subordonnés ne se révélait pas heureux. L'infortunée province, qui constituait la principale source de recrutement pour l'armée cipaye de la Compagnie, fut laissée dans le chaos tandis que ses administrateurs britanniques passaient la majeure partie de leur temps et de leur énergie en récriminations mutuelles auprès des autorités de Calcutta.

Pour ajouter aux inquiétudes de lord Canning, les nuages s'amoncelaient au-dessus de la Perse et il savait qu'en cas de guerre on lui demanderait d'envoyer des troupes dont il pouvait difficilement se permettre de se séparer. Wajid Ali, le roi déposé de Oudh, constituait un autre problème. Installé à Calcutta avec de nombreux parents et serviteurs, il passait son temps à intriguer et à se plaindre des autorités britanniques de Lucknow qui, prétendait-il, se conduisaient d'une manière indigne envers les nobles de l'État en les dépouillant de leurs biens, en condamnant leurs femmes à la rue et en installant chiens et chevaux dans les palais.

Le colonel Abuthnot, qui n'aimait pas danser, laissa sa femme à potiner avec les autres dames d'âge et rejoignit un groupe d'hommes en train de fumer leur cigare un peu à l'écart de la salle de bal. Un civil l'accueillit :

– Ah ! Abuthnot, c'est justement vous que je désirais voir ! Notre ami Fallon vient de nous parler d'un certain mécontentement au sein des régiments de la région de Delhi. C'est bien la vôtre ? Je lui ai dit qu'il est trop crédule, l'armée se porte très bien.

– Eh bien ! il y a eu des rumeurs, naturellement, admit le colonel avec circonspection, mais je n'ai eu aucun ennui avec mes propres hommes. Bonsoir, messieurs, bonsoir, Fallon.

– Des *rumeurs,* grogna le civil d'un ton méprisant. Il y a toujours des rumeurs. Ce ne serait pas l'Inde sans cela. Mais seuls les alarmistes les prennent au sérieux.

Le visage du colonel Fallon passa au pourpre.

– Je n'apprécie pas cette calomnie, monsieur ! Je ne suis pas plus alarmiste qu'une autruche qui se met la tête sous l'aile. Je peux vous affirmer que d'étranges idées agitent les cipayes. Idées que nous avons encouragées... ou rien fait pour empêcher. Doléances auxquelles nous n'avons pas prêté assez d'attention.

– Quelles doléances par exemple ? demanda le premier interlocuteur en se rebiffant. Le cipaye est mieux nourri, mieux traité et mieux payé qu'il ne l'a jamais été auparavant.

– C'est là justement l'erreur, interrompit un homme d'un certain âge portant l'uniforme d'un célèbre régiment d'Infanterie du Bengale. Dans ma jeunesse, ils étaient aussi solides que de l'hickory, mais maintenant nous les gâtons.

– Tout est pourri, pourri du haut en bas, dit

le colonel Fallon d'un ton cassant. La moitié des jeunes officiers ne connaît même pas ses hommes et l'autre est relevée de ses fonctions militaires pour être affectée à des postes civils. Et puis, il y a cette sacrée histoire de brahmanisme. Nous aurions dû faire quelque chose pour la limiter.

Un grand bel homme, très élégant, aux yeux froids, ajouta sa voix languissante à la discussion :

– Brahmanisme ? Veuillez éclairer un globe-trotter ignorant, colonel Fallon. Je ne connais pas l'existence de partis politiques dans ce pays.

– Ce n'est pas un parti politique, lord Carlyon, mais un aspect de l'hindouisme. Les brahmanes, les nés deux fois, constituent la caste sacerdotale chez les hindous et, en tant que tels, sont profondément respectés par les autres castes. Il y a eu, à une certaine époque, un essai pour limiter l'enrôlement des brahmanes dans l'armée, mais ils se sont présentés comme Rajpoots et Chutreeahs, tout en gardant leurs droits sacrés et leurs privilèges, au grand détriment de la discipline.

– Comment, monsieur, vous voulez dire que la Compagnie enrôle des prêtres comme combattants ?

– Ce ne sont pas des prêtres au sens habituel du terme, expliqua Mr Halliwell, le civil. Ce sont des membres héréditaires de la plus élevée de toutes les castes. On naît brahmane, on ne peut pas le devenir. Aucun hindou d'une caste inférieure n'osera offenser un brahmane en raison de la punition qu'il encourrait non seulement dans ce monde, mais dans l'autre.

– Ce qui amène des difficultés sans fin dans le rang, parce qu'ils se tiennent entre eux comme les membres d'une société secrète. Il est très fréquent de voir un officier indien de caste inférieure se prosterner devant un simple cipaye parce que c'est un brahmane. Cet état de choses tue la discipline et nous aurions dû y mettre fin depuis longtemps. Les brahmanes sont à l'origine de tous nos ennuis actuels.

– Quels ennuis, monsieur ? demanda lord Carlyon d'une voix blasée. J'avais compris que Mr Halliwell considérait ces rumeurs comme dénuées de fondement.

– C'est exact. Aucun fondement. Des balivernes de poules mouillées.

– Henry Lawrence ne correspond pas exactement à ma définition d'une poule mouillée, murmura un homme mince qui portait l'uniforme bleu et argent de la Cavalerie du Pendjab.

Mr Halliwell se retourna brusquement.

– J'ai le plus grand respect pour les capacités d'administration de sir Henry, mais il aime trop ces Nègres ! Il était tellement opposé à l'annexion de Oudh que Dalhousie a dû le remettre proprement à sa place.

– Je pense que vous devez avoir oublié, monsieur, que la déception due à l'affaire des soldes et indemnités pourrait conduire à des mutineries, déclara Fallon d'un ton cassant.

– Il s'agit là d'une décision revenant au gouvernement civil.

– Qui ne connaît rien à la mentalité du cipaye, dit Fallon en colère. Ne tirerons-nous jamais une leçon de nos erreurs ?

– Quelles erreurs ? interrogea alors Mr Leger Green qui venait d'arriver à Calcutta après avoir perdu son siège aux Communes.

– Les cipayes recevaient des indemnités spéciales pour servir hors des territoires détenus par les Britanniques. Nous les avons utilisés pour conquérir de vastes provinces qui, une fois annexées, ont été déclarées anglaises. Non sans une parcimonie à courte vue, les indemnités pour service à l'étranger ont été alors supprimées au grand mécontentement des cipayes. Au Sind et au Pendjab, des mutineries ont éclaté qui ont entraîné des concessions, et le cipaye en a tiré un sentiment de puissance.

– Je suis très intéressé par Oudh, dit Mr Leger Green. Pourquoi peut-on considérer l'annexion comme une erreur ?

– Du point de vue militaire, répondit le colonel Fallon. La majeure partie de nos cipayes est recrutée à Oudh où on leur accordait des privilèges en tant qu'employés de la Compagnie, entre autres le droit d'appel auprès du Résident anglais. Ce privilège était tellement apprécié que presque toutes les familles avaient au moins un membre servant dans l'armée du Bengale. Maintenant que tous les citoyens de Oudh tombent sous le coup de la loi de la Compagnie, il n'y a plus aucun intérêt à être à son service.

Le colonel Abuthnot, qui n'avait pas encore pris part à la discussion, toussa alors légèrement :

– Je suis d'accord pour trouver que la récente annexion a causé un grand malaise, mais à mon avis la loi sur les engagements et le service à l'étranger a fait encore plus de mal dans certains régiments...

– Qu'est cette loi ? demanda Mr Leger Green.

– Elle concerne le service outre-mer, monsieur. Le cipaye du Bengale s'est engagé en croyant qu'on ne l'obligerait pas à traverser la mer.

– Une autre question de caste, expliqua le colonel Fallon. Les hommes croient que le fait de traverser la mer les privera de leur caste et qu'ils devront payer une forte somme aux prêtres pour la retrouver à leur retour. Avec l'approbation du Conseil d'administration, le gouverneur général a pris récemment la décision suivante :

aucune recrue ne sera enrôlée si elle n'accepte pas d'aller là où le service l'appelle. Ce qui signifie la Birmanie, la Perse ou la Chine. N'importe quel agitateur murmurant que les Britanniques ont décidé de détruire les castes pour satisfaire leur besoin de conquête sera facilement cru.

– Vous exagérez, colonel, explosa Halliwell.

– Je ne pense pas. Je peux certainement me vanter d'avoir parlé avec plus d'habitants de ce pays que les Messieurs de Calcutta. Les musulmans et les hindous éprouvent la même répugnance vis-à-vis des chemins de fer et du télégraphe. Et lorsque nous avons permis à nos sociétés missionnaires de publier un manifeste expliquant que nos moyens de locomotion, en facilitant l'union matérielle des races, seraient les instruments d'une union sous la bannière de la foi – la nôtre ! – il n'est pas étonnant que les rumeurs les plus invraisemblables aient été crédibles. Je ne peux oublier que les troupes indigènes s'élèvent à 233 000 hommes, alors que les européennes totalisent à peine plus de 45 000 hommes de toutes armes.

– Oui, mais il est bien connu qu'un Anglais vaut au moins 50 Asiatiques, déclara Halliwell.

Le groupe se retourna tout à coup pour regarder le maître de maison qui s'approchait.

– Avez-vous l'intention de vous rendre à Lucknow, Mr Leger Green ? demanda lord Canning.

– Seulement si j'en ai le temps, Excellence. J'ai une lettre de recommandation d'un ami commun auprès de Mr Coverley Jackson.

– Ah bien, dit lord Canning. Un type compétent, ce Jackson, dommage qu'il soit aussi irascible.

– Vous avez l'air épuisé, Charles, remarqua

lord Carlyon, l'Inde ne paraît guère vous convenir. Trop de mondanités et trop de chaleur.

– Et trop de travail, répondit le gouverneur général en souriant. Vous devriez essayer d'en faire autant, Arthur, cela aurait au moins le charme de la nouveauté.

– Ça, ce n'est pas gentil de votre part, Charles, protesta Sa Seigneurie d'un ton nonchalant. Je travaille come un sacré Nègre.

– Vous me surprenez. Puis-je demander à quoi vous travaillez ?

– À tenir l'ennui en échec. Et je m'acharne à courir le monde à cet effet.

– Restez ici un moment et essayez un peu de véritable travail à la place. Nous pourrions employer quelqu'un d'aussi décoratif et d'aussi inutile que vous.

– Vous devez être terriblement à court de monde alors.

– Nous le sommes; ou plutôt nous le serons si cette affaire de Perse éclate. L'annexion de Oudh a épuisé nos ressources. Pendant que ces messieurs vont danser, j'aimerais m'entretenir quelques instants avec vous, Arthur.

Le gouverneur général entraîna alors lord Carlyon à l'écart.

– Qu'a Votre Excellence dans la tête ? demanda Carlyon dont les yeux aux paupières lourdes se révélaient observateurs d'une manière inattendue. Étiez-vous par hasard sérieux ?

– Lorsque j'ai suggéré que j'utiliserais volontiers vos services ? Certainement. J'aimerais que vous prolongiez votre séjour si c'est possible.

– Pourquoi ?

– Il me serait très utile que vous visitiez ce pays, en touriste, disons, et me donniez vos impressions. Il s'agit de Oudh. L'ancien roi et sa suite sont ici, à Calcutta, et m'accablent de récriminations contre nos gens de Lucknow. J'ai envoyé de sérieuses remontrances au Résident, Coverley Jackson, mais ses réponses ont été évasives.

– Renvoyez-le, dit Carlyon qui s'ennuyait.

– Je peux difficilement le faire sans le blesser. Vous n'iriez pas directement d'ici à Oudh, bien sûr, mais si vous commenciez par Delhi et reveniez par Lucknow, cela donnerait l'impression d'un voyage touristique et...

Lord Canning se rendit compte que Carlyon s'accrochait des deux mains à la balustrade et regardait quelqu'un dans la salle de bal avec un vif intérêt.

– Diantre ! murmura Carlyon comme pour lui-même, mais *c'est* le vilain petit canard ! (Il se tourna vers son hôte avec une certaine lueur d'animation dans son regard blasé :) Excusez-moi, Charles, je vois quelqu'un que je connais là, en bas. Nous pourrions peut-être continuer cette conversation à un autre moment.

Il descendit l'escalier et disparut.

Lord Canning se pencha pour regarder les couleurs changeantes de la salle de bal avec ses uniformes rutilants et ses crinolines tourbillonnantes. Il aperçut la haute silhouette de Carlyon qui jouait des épaules pour se frayer un chemin à travers les douairières et le vit accoster une jeune fille brune, très mince dans sa robe du soir blanche, que beaucoup d'officiers entouraient.

Le gouverneur général se retira dans son bureau pour y étudier les dépêches arrivées. Il ne rejoignit ses invités qu'au moment où l'aube pointait. Les lampes et les bougies étaient près de s'éteindre et les voitures emmenaient des hommes bâillant, des douairières ensommeillées et des jeunes filles excitées et rieuses. Carlyon escortait une solide matrone avec une affabilité qui ne lui était pas coutumière et revint dans le hall pour y retrouver son hôte avec un certain étonnement :

– Ah ! Charles ! J'étais persuadé que vous aviez eu la sagesse d'aller vous mettre au lit.

– Qui était cette dame ?

– Aucun intérêt. Une Mrs Abuthnot. (Carlyon baissa les yeux sur la fleur languissante à sa boutonnière, l'enleva et la laissa tomber sur le sol en marbre poli.) Au fait, Charles, vous serez intéressé d'apprendre que j'ai décidé de suivre vos conseils et de prolonger mon séjour en Inde. Je visiterai Delhi et, éventuellement, je reviendrai par Oudh.

15

– Pouvons-nous emprunter notre propre route à partir d'ici ? demanda Niaz Mohammed.

Alex se détourna de la fenêtre de la chambre, parcimonieusement meublée, du *dâk-bungalow* et laissa tomber le rideau en bambou refendu.

– Est-ce nécessaire ?

– Absolument nécessaire, répondit Niaz qui s'affairait avec les courroies d'une valise poussiéreuse. Ce n'était pas prudent de parler lorsqu'on pouvait nous entendre, mais maintenant…

– Ici, les murs aussi ont des oreilles, dit Alex en désignant d'un geste de la tête la véranda où l'ombre d'un serviteur, en train de flâner, s'allongeait sur une pierre chauffée par le soleil.

Alex et son ordonnance avaient quitté Calcutta par le train. Le nouveau chemin de fer, l'une des étapes les plus admirées dans la voie de l'occidentalisation de l'Asie entreprise par lord Dalhousie, atteignait Raniganj à un peu plus de deux cents kilomètres au nord de Calcutta. À partir de cet endroit, le voyage devait se faire par la route. Poussiéreux et couverts de fumerolles, Alex et Niaz avaient quitté le train pour passer la nuit à Raniganj avec le colonel Moulson, des troupes et des voyageurs allant dans le Nord; depuis plusieurs jours, ils voyageaient en *dâk-ghari,* véhicules à quatre roues traînés par deux chevaux, pour aller à Bénarès.

En raison de la mousson récente, les routes étaient épouvantablement mauvaises et les montures, insuffisamment nourries, n'avançaient pas. Le quatrième jour, le *ghari* tout entier versa sur le côté. Les passagers et le conducteur s'en tirèrent sans blessures et purent gagner le plus proche dâk-bungalow. Le commandant qui partageait le dâk-ghari d'Alex réussit à trouver une place dans un autre et Alex et Niaz restèrent seuls dans le dâk-bungalow.

Ils devraient attendre avant de trouver un autre moyen de transport et le soleil étant déjà bas sur l'horizon, il allait leur falloir passer la nuit sur place.

Originaire de Karnal dans le Pendjab et musulman, Niaz était né la même année qu'Alex. Issu d'une famille de riches propriétaires terriens dont les filles s'étaient mariées loin de chez elles, il avait des parents dans la moitié des provinces de l'Inde. Affecté au même régiment qu'Alex, les deux hommes s'étaient mutuellement sauvé la vie. Une fois détaché pour un service spécial, Alex avait usé de ses influences pour obtenir d'avoir Niaz avec lui. Au cours de l'année qui venait de s'écouler, une prolongation de permission avait permis à Niaz de mettre à exécution les instructions très spécifiques, et non officielles, laissées par Alex avant son départ.

– Apporte-moi mon fusil, dit Alex, il doit y avoir des cailles et des perdrix dans le terrain découvert là-bas, et je suis tout ankylosé par le trajet dans ce dâk-ghari cahotant.

Niaz alla prévenir le *khansamah* que le sahib voulait chasser et Alex commença à descendre les marches basses de la véranda pour se diriger vers un manguier à la gauche du bungalow. Une bande de singes bavardaient et se disputaient entre les épaisses feuilles. Face au bungalow, la jungle à travers laquelle passait la route s'étendait presque jusqu'au mur d'enceinte, mais derrière lui se trouvait un espace relativement dégagé où quelques champs de maïs et de canne à sucre étaient en culture.

Le sol sous le manguier était dur, sec et constellé de crottes de pigeons verts; un chaud rayon de soleil perçant l'ombre illuminait une dalle de pierre appuyée au tronc d'un arbre où était crûment sculpté le *lingam,* emblème de la fertilité. Le phallus était peint en rouge et des offrandes s'empilaient sur le sol devant la pierre. Humbles offrandes : une poignée de graines sèches, un bouquet d'œillets d'Inde, un rang de perles rouges de la jungle et les restes d'un *chuppatti,* des galettes de pain sans levain, principale nourriture de l'Inde.

Alex s'arrêta et regarda le grossier emblème avec quelque intérêt. Il n'y avait rien là d'inhabituel car l'Inde en était couverte, mais les offrandes le surprenaient. Les fleurs n'étaient pas fanées et la nourriture venait d'être mise récemment, car l'écureuil et les oiseaux qui l'attaquaient maintenant la dévoraient très vite. Et pourtant, ce n'était pas l'heure des offrandes villageoises, le travail les limitait à la soirée et aux premières heures du matin.

Un pas derrière lui fit se retourner Alex. Niaz apportait un fusil et des cartouches. Il regarda l'emblème peint en rouge et dit joyeusement :

– Misérables incroyants ! (Il cracha sur le sol et par-dessus son épaule désigna de son pouce le bungalow.) Ce sont les conducteurs des deux dâk-gharis et celui de la *ekka* qui ont apporté les offrandes. Je pense qu'il devait y avoir un message aussi, mais il n'y est plus. Regarde là, dans la poussière...

Le sol dur et sec du manguier ne conservait pas bien les traces de pas, mais c'était une journée sans vent et la poussière, les brindilles et les feuilles tombées révélaient un sentier très emprunté du bungalow jusqu'à la pierre, alors qu'au-delà, l'empreinte de pieds nus montrait qu'un homme seul était venu des pâtures et de la plaine et y était retourné.

Niaz sortit lentement de l'ombre du manguier, ses yeux scrutant le sol.

– Là, l'homme a tourné pour regagner le village. C'est une vieille ruse d'enfoncer un message dans un chuppatti avant de le cuire, il est ainsi très bien caché. Mais le conducteur de cette ekka était un musulman et non pas un hindou.

Alex s'assit sur une touffe d'herbes sèches en tirant un paquet de papier à cigarettes de sa poche, ainsi qu'une blague à tabac, il roula deux cigarettes, une habitude acquise en Crimée, et en lança une à Niaz accroupi près de lui.

– Il n'y a pas d'oreilles ici, remarqua-t-il d'un ton approbateur.

Avec beaucoup d'autres choses, Alex avait appris la patience en Orient et il demeura assis, silencieux et détendu, regardant l'ombre s'étendre et la fumée de sa cigarette monter droit dans l'air calme. Il savait que Niaz parlerait lorsque cela lui plairait et pas avant.

Enfin, Niaz dit d'un air réfléchi :

– J'ai fait ce que tu m'as demandé. Je suis allé, à cheval comme il convient à quelqu'un de la *rissala* (cavalerie), visiter ceux de ma famille habitant Oudh, Rohilkhand et Jhansi, et j'ai beaucoup appris. Ensuite, je me suis déplacé à pied, non plus en tant que Niaz Mohammed Khan de la rissala de la Compagnie, mais sous le nom de Rahim, un homme sans importance. De Ludhiana chez les sikhs au nord de mon propre *ilaqa* à Bénarès, pays des Incroyants, et même plus au sud à Burdwan. Au crépuscule, j'ai écouté et entendu bien des choses, dans les *bazaars* et sur le chemin...

Il resta silencieux pendant quelques minutes, puis reprit :

– Tu avais raison, mon frère. De mauvaises choses se préparent, et cette fois-ci, ce ne sera pas une crise qui éclatera à un endroit et que l'on pourra circonscrire. Le fléau actuel s'étend du nord au sud, l'épidémie est propagée par beaucoup. Même par des gens tels que les conducteurs des dâk-gharis ! On parle souvent aussi de signes et de prodiges, et la prophétie des « Cent Ans » de durée de la Compagnie des Indes court dans tous les villages de l'Inde.

– Il y a toujours des racontars, dit Alex laconiquement.

– Cette fois, il s'agit de plus que de racontars. Tu ne te rappelles pas, car c'était avant ton arrivée, l'année où le Gouvernement a envoyé l'armée à Kaboul. Les hindous de cette armée sont devenus dissidents lorsqu'ils ont traversé l'Indus. Ils avaient appris qu'au moment de traverser ce fleuve pour aller faire la guerre aux Afghans, Raja Maun Singh avait dit à tous les hommes que la religion hindoue ne dépassait pas l'Indus. Il avait construit un temple sur la rive et ordonné à tous les brahmanes d'y laisser les emblèmes de leur caste. Aussi lorsqu'ils ont atteint l'Afghanistan, il faisait un tel froid, un froid qu'ils ne connaissaient pas, qu'ils ne pouvaient plus se baigner avant les repas selon leur coutume. Ils durent porter des *poshteens,* des manteaux de peaux de mouton en raison de la neige. Puisque seules les basses castes acceptent de toucher la peau d'un animal mort, lorsque les troupes revinrent à Ferozepore, les hindous découvrirent que leur propre peuple ne voulait plus les fréquenter parce qu'ils avaient perdu leur caste et été souillés. Les musulmans étaient également en colère parce que John Company les avait obligés à se battre contre leur coreligionnaires, ce que défend le Coran.

» Il y a aussi le vieux grief de la solde pour les cipayes, et le bruit qui court de plus en plus que la Compagnie veut détruire les castes.

Après un long silence, Niaz reprit :

– Il existe une vieille coutume en Inde : si un homme n'a pas d'héritier mâle, les prêtres et le législateur lui permettent d'en adopter un afin d'assurer sa résurrection selon sa croyance. Mais, maintenant, la Compagnie a décrété que les terres et le titre d'un prince ne pourront plus passer à un fils adoptif mais reviendront à la Compagnie. Ainsi, beaucoup d'États ont-ils été annexés, et leurs anciens noms sont tombés en poussière.

» Et maintenant, il y a aussi Oudh. Autrefois, les rois de Oudh ont rendu des services à la Compagnie et, en remerciement, un traité garantissait que l'État ne serait jamais pris par la Compagnie. Cependant, il vient d'être annexé. Qui est en sécurité désormais ? Tous ceux qui possèdent quelques terres ont peur. Et des hommes qui ont peur sont dangereux. Par conséquent les hindous et les musulmans complotent ensemble dans la crainte et la haine. Et un bruit court à travers tout le pays.

– Quel bruit ?

– Que les *feringhis* (les étrangers) sont peu nombreux, et souvent divisés, et que les hommes du Nord, les Russes, ont tellement décimé l'armée anglaise qu'il n'y a plus personne pour venir en aide à ceux qui sont en Inde. Et ce bruit va de *pulton* (régiment) en pulton, de rissala en rissala, porté par les pèlerins, les marchands, les maulvis, les sadhus; par les musulmans, les brahmanes, les sikhs et les jains; et même par la femme qui tire de l'eau du puits et par l'homme qui conduit sa charrue. Ils répandent la poudre et il suffira d'une étincelle pour l'allumer.

En roulant une autre cigarette, Alex demanda :

– A-t-on trouvé l'étincelle ?

– Pas encore. Ceux qui complotent la cherchent. Ce doit être quelque chose qui touche aussi bien les musulmans que les hindous, car si les uns se soulèvent sans les autres, la Compagnie, si faible et si peu nombreuse qu'elle soit devenue, peut encore triompher. Ils cherchent donc activement et attendent.

– Oui, dit Alex pensivement, mais ce qui fera que les musulmans, les hindous et les sikhs enterreront leurs différends pour s'unir contre nous n'est pas très facile à trouver.

– Nul doute que la Compagnie, dans sa grande charité, le fournira, répondit Niaz avec ironie. Ton peuple est-il aveugle, ou fou, ou les deux, pour ne pas voir ce qui se prépare ?

– Ni l'un ni l'autre. C'est de l'orgueil national. Nous ne pouvons nous voir que sous les traits de bienfaiteurs que des gens tels que toi – il fit une grimace malicieuse à Niaz – doivent considérer uniquement avec admiration et reconnaissance.

– N'apprennent-ils jamais ?

Le mépris perçait sous la voix de Niaz.

– Non. Nous, *angrezis* (anglais), sommes comme Dieu nous a faits.

– Oui, mais je te préviens, cette fois-ci, à la différence des soulèvements isolés qui ont eu lieu il y a quelques années, le feu éclatera aussi bien au nord qu'au sud, à l'est qu'à l'ouest. Et beaucoup brûleront dans cet incendie, c'est *moi* qui te le dis. Moi qui toute l'année dernière ai prêté l'oreille dans les bazaars, les villes, les *serais* et les haltes sur les routes.

– Ce ne sont là que paroles. As-tu une preuve ?

– *Preuve !* (Niaz émit un petit rire.) Tu parles comme un sahib. *Sahib !* (Il donna au titre la même emphase méprisante qu'un jour Kishan Prasad.) T'ai-je une fois menti pour que tu me demandes une preuve comme si j'étais un *vakil* (homme de loi) du tribunal ?

– *Gulam* (esclave), dit doucement Alex, si tu n'étais pas mon frère, en tout sauf par le sang, je te jetterais dans le *jheel* pour ce mot.

Niaz leva la main en simulacre moqueur d'imploration :

– *Marf karo* (prends pitié), sahib !

Alex attrapa par le poignet la main levée et la plia vers l'arrière. Pendant un moment, les deux hommes luttèrent silencieusement, une main contre l'autre.

– Cela doit-il être le jheel alors ? demanda Alex.

– Non, ça suffit. Marf karo, *bai* (frère).

– C'est mieux.

Alex le relâcha. Niaz frotta son poignet en grimaçant.

– Au moins, ton séjour en *Belait* (Angleterre)

ne t'a pas amolli. Mais quelle est cette babiole que tu portes ? Un gage d'amour ?

– Ceci... ? (Alex regarda l'anneau d'argent avec ses trois petites pierres rouges.) Non, cet anneau m'a été donné par un homme pour la mort duquel j'aurais payé très cher.

Et il se mit à raconter son aventure à Niaz.

– Kishan Prasad ! Si tout ce que j'ai entendu dire à son sujet est vrai, tu aurais mieux fait de te couper la main droite que de lui sauver la vie. Néanmoins, je pense que cette babiole pourra te servir en son temps. Peut-être même te fournir la preuve que tu as demandée. Quoiqu'elle ne t'apporterait pas grand bien.

– Ah ! (Les yeux d'Alex se mirent à briller.) Je pensais bien qu'il y avait autre chose.

Niaz baissa sa voix à la rendre presque inaudible :

– Il va y avoir une réunion dans un endroit proche de Khanwai, au nord de Bithaur, en deçà des frontières de Oudh. Savoir ceci est dangereux, et très peu sont au courant. Peut-être une centaine dans toute l'Inde : pas plus.

– Et comment l'as-tu appris, *toi ?*

Niaz mit ses mains, paumes en l'air, en un geste bref et indescriptible :

– Une femme. Qui cela pourrait-il être d'autre ? Son mari est vieux et boit du vin, ce qui délie les langues. Lorsqu'une femme a découvert une chose qui doit être tenue secrète, elle la révèle par oisiveté, malice ou... (Niaz fit une grimace...) par amour.

– Es-tu sûr que ce soit vrai ?

– Oui, j'en jurerais sur ma vie. Je ne sais pas de quoi ceux qui vont se rencontrer parleront, ni ce qu'ils feront, mais ce que je sais c'est que cela ne présage rien de bon. Aussi ai-je pensé que ce serait bien que nous sachions tous deux de quoi il retourne. Cette réunion aura lieu dans dix jours, au moment de la foire de Khanwai. J'ai été repérer les lieux. Il s'agit d'une ruine : quelques pierres et un mur écroulé que la jungle a enfouis. Un drôle d'endroit pour se réunir, mais ces hommes sont fous. Un seul sentier y mène, car la jungle y est épaisse, et ce sentier traverse un profond *nullah* où se trouvait une porte, maintenant tombée. Un seul homme à la fois peut emprunter le chemin et chacun doit donner le mot de passe. Ce mot de passe, je le connais. Irons-nous à Khanwai ?

– Bien sûr ! répondit Alex qui se mit à rire.

Il s'agissait d'un rire que les hommes entendent quelquefois dans le feu d'une bataille, ou lorsque l'ordre de charger est donné à la cavalerie. Aucune femme ne reconnaîtrait ce rire. Niaz ne s'y trompa pas et son propre rire lui fit écho.

Ils partirent le lendemain matin à la fraîche et s'engloutirent dans le pays vaste et secret parmi les millions de polyglottes que contenait l'Inde, tels deux grains de poussière dans les plaines sans limites.

16

Dix jours plus tard, Jatu, un marchand de jouets itinérant, chargé de bagatelles de plâtre grossièrement peintes, clopinait sur la route poussiéreuse allant de Cawnpore à Oudh. Bien que voyageant seul, il aimait la compagnie; très gai, il était toujours prêt à faire la conversation avec les autres voyageurs sur la route ou aux haltes. À l'une de celles-ci, il s'était joint à un groupe de jongleurs se rendant à la foire de Khanwai, petit village à la frontière de Oudh, non loin de Bithaur.

Venant de la direction opposée, un Pathan sec et nerveux, assis à califourchon sur une jument osseuse et traînant deux misérables canassons, se rendait aussi à la foire de Khanwai. Ses vêtements et son parler, ainsi que ses yeux clairs et durs dans un visage brun, le désignaient comme un originaire de la tribu frontalière de Usafzai. D'heureuse disposition lui aussi, Sheredil chantait des chansons de son pays, surtout les plus équivoques d'entre elles, tout en cheminant. Il portait un long couteau pathan à la ceinture et un vieux *jezail* en état de marche sur son épaule, ainsi qu'une cartouchière bien garnie. Il empruntait de préférence le milieu de la route. Alex avait toujours cru au vieux dicton prétendant qu'il fait plus sombre sous la lampe.

À Khanwai, le soir venu, une troupe d'artificiers se mit à faire éclater des fusées et des feux de Bengale qui teintaient en rouge, vert et jaune les visages des spectateurs terrifiés. Personne ne s'aperçut que des hommes, isolés ou par deux, quittaient discrètement le champ de foire pour se diriger vers les terres en friche et la sombre barrière de la jungle.

En suivant le même sentier qu'eux, Sheredil accrocha son vêtement à une branche d'épine et émit un juron en pushtu. Une ombre qui le suivait de près allongea sa foulée et murmura :

– Hai ! Tu viens du nord.

Alex mit immédiatement la main au couteau de sa ceinture.

– Que fais-tu ici ? Tu es un Pathan et non pas un Indien.

– Je suis venu pour porter la parole à ceux qui attendent de l'autre côté de la frontière. Et toi ?

– Moi aussi, mais c'est au Bengale que je me rendrai. De quel pulton es-tu ?

– D'aucun. Quel est ton régiment ?

– Le 19e d'Infanterie du Bengale.

C'était un cipaye en permission.

La lumière des feux d'artifice éclairait le sentier par intermittence, permettant ainsi à Alex de voir les hommes devant et derrière lui. Ils se hâtaient le long de l'étroite piste qui serpentait entre des buissons d'épines, de bambous, de *dhâk* et d'herbes à éléphant, gardant une certaine distance entre eux. Niaz avait repéré le terrain avec un coup d'œil de général et la carte qu'il avait dessinée dans la poussière de la route, bien que grossière, était parfaitement exacte et permettait à Alex de se reconnaître en pleine nuit sur un terrain inconnu.

Le sentier descendait une pente sablonneuse jusqu'à un nullah sec qui, à gauche, paraissait bloqué par des rochers. Le cipaye ne pouvait guère être loin, mais il avait disparu. Alex se rappela les indications de Niaz et trouva le passage étroit menant à un tunnel d'environ huit pas, d'après son ordonnance. Il s'aperçut que quelque chose, ou quelqu'un en bloquait l'extrémité... Il vit surgir un objet gris qui toucha sa poitrine, un *lathi* cerclé de fer comme en portent les veilleurs de nuit, et une voix murmura à son oreille :

– Le mot de passe ?

– *Une chèvre blanche pour Kali.*

– Passe, mon frère.

Le lathi tomba et Alex sortit à l'air libre. Le sentier le mena à une clairière devant les ruines d'un fort ou d'un palais oublié.

La clairière était emplie de silhouettes sombres et bruissait de murmures de voix. Au bout, de part et d'autre de marches brisées qui menaient sous terre, se tenaient deux hommes portant des torches. En s'approchant, Alex s'aperçut que ces deux hommes scrutaient tous les visages de ceux qui allaient descendre les marches. Une main le toucha dans la foule et il se retourna pour voir Jatu, le marchand de jouets, qui lui dit :

– Ils ne me laisseront jamais passer. Essaie ton anneau !

Une fois ces mots susurrés à l'oreille d'Alex, Niaz disparut dans l'obscurité.

Les trois petites pierres de l'anneau de Kishan Prasad brillèrent, rougeâtres dans la lueur des torches. Les porteurs de torches le reconnurent malgré son apparence insignifiante. L'un d'entre eux, se penchant en avant pour le regarder, murmura quelques mots qu'Alex ne saisit pas et l'autre le salua très bas. Alex passa entre eux et descendit un escalier étroit, tout à fait conscient de ses mains moites et des gouttes de sueur froide qui perlaient à son front.

L'entrée du puits avait été cachée par une énorme pierre, ôtée à l'aide de cordes. Les murs en étaient lisses et secs, et les marches usées si pentues et si étroites que seulement une personne à la fois pouvait les descendre. Elles s'enfonçaient plus loin dans le sol qu'Alex ne l'aurait cru, et il eut à nouveau la sensation d'entrer dans un piège. Une chauve-souris frôla sa joue de ses ailes, preuve qu'il devait y avoir une autre entrée, puis il atteignit le bas des marches. Il se trouva dans une pièce voûtée dont le plafond était soutenu par de grossiers piliers de pierre.

Il était impossible d'évaluer la taille de la pièce souterraine, car les murs au-delà des piliers se perdaient dans l'obscurité, et l'unique source de lumière provenait d'un brasero posé sur un trépied de fer, à une extrémité de la salle.

Il paraissait y avoir trente ou quarante hommes

accroupis sur le sol pavé. Alex se fraya un chemin et s'assit par terre à l'indienne, le dos appuyé à un pilier. Ses yeux s'habituant à l'obscurité, il aperçut de nombreux sadhus, nus, ou revêtus de peaux d'animaux mal tannées.

Alex frissonna et se sentit pris de chair de poule. Ce n'était pas la présence d'ascètes hindous qui lui faisait peur, mais le fait incroyable et impossible que des hommes aussi dissemblables soient réunis dans ce caveau mal éclairé : non seulement des sikhs, mais aussi des musulmans, des disciples du Prophète pour lesquels tous les hindous étaient des chiens d'infidèles, mis sur le même rang que les adorateurs de Siva le destructeur, de Vishnu, de Brahma, et de Ganesh à la tête d'éléphant, de la Mère Kali, la buveuse de sang aux multiples bras, et de centaines d'autres dieux. C'était donc vrai. Les musulmans et les hindous étaient prêts à s'unir contre les hommes de « John Company », contre les conquérants étrangers aux visages pâles dont la domination durait depuis cent ans. Rien d'autre qu'une cause et une haine communes n'aurait pu réunir une aussi étrange assemblée.

Au bout de la salle, un homme debout dominait les silhouettes accroupies entre les piliers. Il tournait le dos au brasero et Alex ne pouvait voir son visage, mais la voix et le costume lui en disaient long.

L'homme était un musulman, probablement de Oudh. D'une voix de prêtre et de conteur, il racontait l'histoire d'un peuple conquis, opprimé, trompé, volé et exploité par les hommes venus de l'ouest, du pays d'au-delà l'Eau noire. Il termina par un appel à l'unité : « Laissons de côté nos différends et frappons comme un seul homme ! »

Un hindou prit ensuite la parole, mais son

discours n'avait pas le côté hypnotisant du premier. Alex commença à remuer : ses muscles n'étaient plus habitués au traitement qu'ils enduraient dans cette position inconfortable. Il lui serait facile de partir, personne ne l'en empêcherait. Pourtant, il resta.

Un sadhu parlait maintenant. Son message était moins général, plus spécifique. Un prêtre rasé se leva et jeta sur le brasero quelque chose qui éclaira intensément tous les visages avides. Puis un autre prêtre entonna un chant que tous reprirent. Un homme, accroupi près du brasero, se mit à battre un petit tambour qui devint rapidement un accompagnement rythmé du chant qu'Alex reconnut comme étant un hymne à Kali.

Les spectateurs commencèrent à tressauter et à se balancer et l'un des deux prêtres rechargea le feu. Une épaisse fumée monta en tourbillonnant et emplit l'obscurité d'une odeur suffocante, proche de l'encens, une odeur qui tout à la fois droguait et excitait. L'autre prêtre, disparu dans l'ombre, revint en tirant quelque chose qui se débattait faiblement en poussant de petits cris. Un sacrifice, bien sûr, pensa Alex, « *une chèvre blanche pour Kali* ». Ils allaient égorger la petite créature dans les formes rituelles.

Il vit la lueur de la longue lame du couteau et les hommes les plus proches des prêtres et du brasero reculèrent, retenant leur souffle en un râle clairement audible par-dessus les battements réguliers du tambour. Un tel frisson passa sur la foule que même ceux qui ne pouvaient voir sentirent l'explosion d'une émotion sauvage. Alex fut saisi d'une soudaine horreur qui fit dresser ses cheveux et dessécha sa bouche tout en inondant son front de sueur froide.

Il aurait bougé s'il l'avait pu, mais ses muscles ne lui obéissaient pas car il était pris d'une peur jamais ressentie auparavant. Une peur primitive, des premiers âges du monde; peur non de la mort mais du Mal... Il entendait le halètement des hommes qui l'entouraient, le halètement d'une meute de loups avides, langues pendantes, faisant cercle autour de leur proie.

La fumée se dissipa et la flamme monta, claire. Un homme bondit en poussant un cri rauque. C'était le premier orateur. Il cria quelque chose qu'Alex ne comprit pas, car le tambour battait de plus en plus fort et la mélopée des spectateurs tournait à la frénésie. Quelqu'un tira l'homme en arrière et le couteau brilla, puis tomba. Un cri d'agonie, aigu, perçant s'éleva, presque immédiatement couvert par les hurlements de la foule. Mais cela n'avait pas été un cri d'animal. Alex, debout, comprimé contre le pilier, vit qui avait émis ce cri.

Ce n'était pas le corps d'une chèvre blanche qui était étendu sur la pierre fumante, mais le corps d'un enfant. Un enfant blanc. Alex entrevit des cheveux blonds et une petite bouche ouverte sur le dernier cri de terreur au-dessus de l'ouverture béante de la gorge. Un garçon de trois ou quatre ans au corps d'une blancheur saisissante, contrastant avec la pierre sombre et le sang brillant.

Une rage aveugle et meurtrière s'empara d'Alex, bloquant raison et prudence. Sa main plongea dans sa chemise et se referma sur son pistolet. À cette distance, il ne pouvait manquer le prêtre au-dessus du corps de l'enfant. Il allait le tuer, ainsi que le second prêtre et les trois autres hommes. Après cela, il lui resterait son couteau...

Il tira son pistolet. Au moment où il visait, l'homme juste devant lui se leva et chercha son chemin en tâtonnant dans l'obscurité. Cet instant suffit. Alex retrouva son bon sens. Il y avait un enjeu plus important que venger un enfant assassiné. La vie et la sécurité d'autres enfants, et celles d'innombrables hommes et femmes pouvaient dépendre de lui, Alex, s'il parvenait à sortir vivant de cette caverne. L'affaire était trop grave. Elle s'ébruiterait et se répandrait, et s'il mourait, cela supprimerait une personne susceptible d'avertir. Niaz non plus ne pourrait prévenir, car il tiendrait à se battre.

Un rite se poursuivait : le sang de l'enfant était mélangé sur un plat avec de la farine. On faisait un chuppatti, le pain quotidien de l'Inde. Un des prêtres, dont la figure était contorsionnée par la haine et l'avidité, portait des rubis aux oreilles. « Je le reconnaîtrai », pensa Alex. On lui apporta un carré de soie sur lequel il reçut les morceaux rompus du chuppatti :

– Que ce gage soit répandu ! hurla le plus grand des prêtres. Qu'il aille du nord au sud, de l'est à l'ouest ! Et que partout où il passera, les cœurs des hommes soient emplis de haine envers l'oppresseur. Car ceci est le mal, ceci est le sang de l'Anglais ! Écoute-moi, ô Kali, buveuse de sang ! Du nord au sud, de l'est à l'ouest !

Le tambour s'arrêta et la mélopée se termina sur une longue note de gémissement, et la caverne fut plongée dans l'obscurité et le silence.

Une voix s'éleva alors doucement :

– Ce dont nous avons été témoins nous lie tous. Si cette histoire était connue, aucun de nous n'échapperait à la corde des feringhis. Aux yeux du gouvernement de la Compagnie, nous serions tous tenus pour responsables du sang répandu. Que celui qui serait tenté de parler s'en souvienne !

La voix se tut et chacun des hommes se leva l'un après l'autre et chercha son chemin en tâtonnant pour retrouver la nuit claire.

17

Trois minutes plus tard, Alex grimpait le sentier de chèvre, à l'extrémité du nullah, pour déboucher dans les hautes herbes de la plaine.

Tandis qu'il passait sous l'ombre d'un arbre épineux, une main toucha son bras et une voix murmura :

– C'est moi, mon frère.

– Recule ! dit Alex doucement.

Il prit Niaz par le poignet et le tira rapidement dans l'herbe, puis se coucha près de lui. Un instant plus tard, un sadhu grimpait la pente venant du nullah. Alex et Niaz restèrent cachés tandis que, les uns après les autres et gardant leurs distances, tous les assistants de la cérémonie émergeaient du sentier.

Prenant Alex par la manche, Niaz lui demanda :

– Pourquoi attendons-nous ? Il n'est pas bon de s'attarder ici, allons-nous-en.

– Chut ! Il y a une dette à payer. Quand tous ceux-ci seront passés, nous retournerons là-bas. Les prêtres partiront plus tard, car ils ont un travail à exécuter. Ils ne peuvent laisser le mort sans l'enterrer.

– Alors, il y a eu meurtre ?

– Oui. Tais-toi, voilà un autre homme.

Enfin, la procession d'ombres cessa, et plus de dix minutes s'écoulèrent sans que personne emprunte l'étroit sentier. Niaz dit doucement :

– C'est folie de retourner dans l'antre du tigre une fois qu'on lui a échappé. Oublie ta vengeance et allons-nous-en. Il y a plus qu'une vie en jeu dans cette histoire.

– C'était un enfant. Un Angrezi.

– Ah ! Dans ce cas, retournons.

Une faible lumière et un murmure de voix venaient du puits. Alex quitta la protection de l'arbre des conseils (1) sous lequel les deux amis s'étaient maintenant réfugiés et rampa jusqu'au-dessus du puits. Une voix vaguement familière parlait sur un ton de colère froide :

– ... ainsi tous sont en danger !

– Non, tous sont maintenant liés les uns aux autres, dit une voix aiguë. Ils se tairont pour se protéger. De tels sacrifices sont nécessaires.

– Une chèvre ! (Le ton de la première voix était cassant.) Si j'avais su qu'autre chose était préparé...

– Oui, une chèvre. *Une chèvre blanche pour Kali.* C'est toi-même qui avais choisi le mot de passe. Par ce sacrifice, nous avons donné un signe et une promesse de ce qui va venir. Un enfant des Abominables, un mâle. Puisse-t-il être le premier de nombreux hommes et femmes !

– Je suis d'accord avec toi, mais assassiner de cette manière un enfant sans défense est une abomination devant Dieu et devant les hommes.

Une tête apparut au-dessus du trou dans le dallage. Les muscles d'Alex se tendirent involontairement, mais les doigts de Niaz s'accrochèrent à son bras pour le contrôler. Quatre hommes émergèrent l'un après l'autre du puits, la lumière du caveau faisant briller les rubis que l'un d'eux portait à ses oreilles.

(1) Arbre des conseils ou *peepul*. Arbre toujours planté à côté d'un temple. La légende prétend que Bouddha a reçu l'illumination un jour où il était assis sous un arbre des conseils, d'où le nom de l'arbre. (*N.d.T.*)

L'un des hommes se tourna et dit au-dessus du puits :

– Nous partons maintenant. Abaissez la pierre pour fermer quand tout sera terminé.

L'espace d'un instant, la faible lumière augmenta, comme si l'on avait remis du combustible sur le brasero, et le visage de celui qui venait de parler se détacha de l'obscurité.

C'était Kishan Prasad.

Quelques minutes plus tard, le groupe près de l'escalier du puits s'en alla et disparut aussi tranquillement qu'il était venu, et la nuit redevint silencieuse.

Les deux hommes à l'abri de l'arbre des conseils restèrent immobiles au moins cinq minutes après que le dernier bruit se fut évanoui, puis Niaz relâcha son étreinte sur le bras d'Alex :

– Allons-nous-en d'ici maintenant, vite.

– Pas tout de suite, murmura Alex. Ils ne sont que deux en dessous.

Il se leva et s'écarta de l'arbre; après un moment, Niaz suivit. Ils se tapirent des deux côtés de la pierre et attendirent. Un chacal hurla depuis la plaine au-delà de la jungle, et une petite brise se leva, murmurant à travers les feuilles de l'arbre des conseils, emplissant la nuit silencieuse de centaines de légers bruits furtifs.

Enfin, la lumière s'éteignit en dessous, des pieds tâtonnèrent et une tête apparut. Alex attendit que les épaules aient émergé du puits, puis tendit les mains et saisit l'homme à la gorge.

Une seconde tête apparut et les doigts maigres de Niaz se fermèrent sur un cou gras. Il secoua l'homme d'avant en arrière, et envoya sa tête se cogner contre la pierre avec un bruit d'œuf qui craque. Ce fut suffisant.

– Celui-ci au moins ne coupera plus de gorges, dit Niaz. As-tu expédié le tien ?

– Oui, répondit Alex en laissant tomber celui qu'il tenait, maintenant flasque.

Les mains d'Alex étaient humides et poisseuses du sang coulant de la bouche de sa victime. Il s'essuya sur les robes des deux prêtres.

– Que fait-on, maintenant ? demanda Niaz.

– On les jette dans le puits. Si quelqu'un les cherche, il les trouvera.

Le bruit de la pierre remise en place éclata dans la nuit comme un coup de canon dont l'écho se répercuta.

– Filons, dit Niaz. Si quelqu'un nous a entendus, il peut revenir.

Ils se mirent à courir et plongèrent dans l'obscurité du nullah. Dix minutes plus tard, ils atteignirent le groupe d'arbres où Alex avait attaché les chevaux.

– Où allons-nous ? murmura Niaz. Nous ne pouvons chevaucher ensemble.

– Lunjore. J'y vais par Pari.

– Il serait préférable de prendre une route au sud de Gunga. On rencontre peu de Pathans dans ce coin-là, et c'est dangereux pour toi d'emprunter les routes de Oudh.

– Aucune route n'est sûre désormais.

– C'est exact. Partons vite, dans une heure ce sera l'aube. Comme j'aimerais mieux monter ma jument que ce sac d'os !

Lorsque le jour se leva, ils étaient à peine à vingt kilomètres de Khanwai. Les brumes du matin passèrent du gris argent au rose, puis au safran, et les longs voiles de fumée provenant des feux de bouse de vache s'étendirent sur la plaine. Niaz resta en arrière et Alex chevaucha seul dans la campagne où les paons poussaient leurs cris; les perles de rosée brillaient aux premiers rayons du soleil levant.

Guère plus de cent cinquante kilomètres séparaient Khanwai de Lunjore, et moins encore à vol d'oiseau. Il devrait pouvoir y arriver au cours de la nuit, mais le cheval aurait besoin de repos. La pensée d'une halte contrariait beaucoup Alex car son instinct le poussait à s'éloigner très rapidement. Il ne pouvait se débarrasser de l'idée que, très vite, on allait chercher Sheredil des Usafzai qui s'était montré en pleine lumière et qui portait l'anneau de Kishan Prasad.

Il regarda l'anneau puis, lâchant les rênes, il l'arracha d'un mouvement violent; pris d'un spasme de haine soudaine, il le jeta dans l'herbe qui bordait la route.

C'était la voix de Kishan Prasad qu'il avait entendue protester contre le meurtre et, sans aucun doute, les prêtres et l'inconnu aux boucles d'oreilles en rubis étaient les responsables de cette folie. Mais qu'il l'ait excusée ou non, Kishan Prasad avait convoqué cette assemblée impie et, en tant qu'instigateur, il pouvait être tenu pour responsable de tout ce qui y était arrivé, et être pendu pour sa part dans l'affaire de la nuit.

Tout en chevauchant, Alex réfléchissait. Il ne devait pas y avoir de soulèvement. Il fallait l'empêcher à tout prix, car la soif de sang dont il avait été témoin la nuit précédente ne serait plus contrôlée. Les Britanniques, qui ne voulaient rien faire actuellement de ce que conseillait la raison, réagiraient beaucoup plus fort sous l'action d'une rage aveugle. La répression qui suivrait un soulèvement de l'armée serait à la fois rude et horrible, englobant innocents et coupables de la même manière. Sa propre conduite en était bien une preuve puisque lui-même, pourtant incapable de laisser Kishan Prasad mourir, avait tué un homme par rage et vengeance, parce qu'il l'avait vu assassiner un enfant. Si la haine et la peur attisées par des hommes tels que Kishan

Prasad éclataient en rébellion, des milliers d'enfants mourraient.

– Cela ne doit pas arriver, pensa Alex avec désespoir. L'héritage de haine et de soupçons s'étendrait sur l'avenir jusqu'au jour...

La jument fit alors un écart parce qu'une antilope noire traversait le sentier, ce qui ramena Alex au sens des réalités.

Peu après midi, après avoir abreuvé sa monture et l'avoir attachée à quelque cent mètres de lui, Alex s'allongea et s'endormit.

18

Le soleil brillait assez bas entre les herbes et les bambous lorsque Alex s'éveilla. Un coq de jungle appelait depuis une cannaie, au-dessus du ruisseau. Alex fouilla son vêtement et y trouva les restes d'un chuppatti qu'il mangea avec avidité. Le ruisseau lui fournirait de quoi étancher sa soif et il n'aurait ainsi plus besoin de s'arrêter avant Lunjore.

Une fois désaltéré, il sortit à cheval de la jungle pour pénétrer dans la chaude lumière du soir. Il couvrit beaucoup plus rapidement la trentaine de kilomètres suivants et la route était blanche dans le clair de lune lorsqu'il atteignit les abords de la petite ville de Pari, assez proche de la frontière entre Oudh et Lunjore. Une fois la rivière traversée, il rejoindrait en une heure la ville de Lunjore. Laiteuse dans la clarté lunaire, la plaine s'ornait des ombres déformées des touffes d'herbes et des rochers épars se profilant sur le ciel nocturne. Quelque chose bougea à l'abri de l'un de ceux-ci et Alex serra brusquement la bride de sa monture au moment où Niaz se montra à découvert.

Niaz ne parla pas, mais attrapant la jument par la bride, il l'écarta de la route.

– Tu ne peux pas aller plus loin : à Pari, des hommes recherchent un vendeur de chevaux pathan, un certain Sheredil des Usafzai...

Il s'arrêta brusquement et tourna la tête pour écouter.

– Des chevaux ! murmura Niaz.

Il glissa à terre et en un instant Alex l'imita. Traînant les montures récalcitrantes, ils coururent jusqu'à l'endroit où la route traversait une ravine et s'y cachèrent.

– Fais tenir les chevaux tranquilles, dit Niaz; je vais voir qui vient.

Le bruit des sabots des chevaux s'approcha, claquant sur les pierres sèches de la ravine. Puis s'estompa, et fit place au silence. Une ombre s'avança : Niaz.

– Nous sommes arrivés trop tard, nous ne pouvons retourner.

Sans rien dire, Alex sortit le petit pistolet attaché à son cou, en vérifia le chargement, puis le fourra dans sa ceinture de cuir.

– Je pense qu'il n'y aura personne sur la route, ils vont t'attendre à l'entrée de la ville. Nous allons parcourir un demi-*koss,* puis quitter la route pour faire un tour à travers champs. C'est à l'extrémité que nous aurons des difficultés, car on ne peut traverser la rivière qu'en un seul endroit, le pont des bateaux de Lunjore, et il sera surveillé.

– Nous nous occuperons de ceci lorsque nous aurons la ville derrière nous, dit Alex. Cette bête peut-elle te porter ?

– Elle y aurait intérêt, dit Niaz en riant.

Un quart d'heure plus tard, ils quittaient la

route et suivaient au pas la limite des terres cultivées au sud de Pari. Un chien aboya contre eux tandis qu'ils traversaient un fossé d'irrigation peu profond où le cheval de Niaz trébucha sans réussir à le désarçonner. Un second chien, puis un autre, puis encore un autre prirent le relais jusqu'à ce que la nuit retentisse d'un chœur de jappements. Niaz enfonça brutalement ses talons dans les flancs du cheval et le força à trotter sur un sentier poussiéreux que bordait une haie de cactus; Alex l'entendit jurer à voix basse.

Un veilleur perché sur un *machan* délabré, installé dans un mûrier comme épouvantail contre les cerfs et les cochons sauvages, cria d'une voix enrouée et déchargea un vieux fusil de chasse. Les petits plombs crépitèrent à travers les feuilles et une brûlure de couteau porté au rouge traversa le bras d'Alex; il sentit son sang chaud couler et humidifier les doigts de sa main gauche. Le clair de lune fit alors miroiter de l'eau, et les deux hommes se retrouvèrent sur une piste étroite bordant le côté marécageux d'un jheel.

Les aboiements frénétiques moururent dans le lointain. Niaz tira sur les rênes et glissa à terre.

– Il y a un sentier plus loin, murmura-t-il. Tu ne peux pas le voir parce qu'il… (Il s'arrêta soudain.) As-tu été touché ?

– Ce n'est qu'une blessure superficielle, répondit Alex en mettant gauchement pied à terre.

Niaz roula la manche détrempée par le sang qui coulait sans contrainte; il déchira deux morceaux de tissu du turban d'Alex et en banda adroitement la blessure.

– Attends ici, je vais voir si le sentier est surveillé. (Il revint aussi silencieusement qu'il était parti.) Le sentier est obstrué par une carriole mise en travers et deux hommes montent la garde. Peut-être trois.

– Et le jheel ?

– Cela nous ferait attendre jusqu'au matin pour le traverser, si nous ne nous noyons pas dans les herbes. De plus, nous ne pouvons faire nager les chevaux.

– Ce ne serait guère une perte. On recherche un homme monté et les chevaux peuvent être reconnus. Garde-les tandis que je vais me rendre compte de ce qu'il est possible de faire.

Alex rampa jusqu'à environ quatre mètres de la carriole. Il remarqua une balle de foin pendue entre les roues, et une couverture servant d'écran à un petit feu de galettes de bouse de vache devant lequel se chauffaient deux hommes accroupis jouant aux cartes. Appuyé à une roue, un troisième homme semblait endormi. Il y avait juste assez de place pour permettre à un homme, mais non à un cheval, de passer entre la carriole et la rive.

Revenu auprès de Niaz, Alex lui expliqua en quelques phrases brèves son plan pour franchir cet obstacle. Niaz acquiesça :

– Nous allons essayer. Au pire, ils ne sont que trois contre nous deux, et sur les trois, il y en a bien un qui s'enfuira.

– Nous ne pouvons nous permettre d'en laisser échapper un : il donnerait l'alarme. Accorde-moi cinq minutes.

En rampant, Alex retourna d'où il venait.

19

Arrivé à une dizaine de mètres de la carriole, Alex s'aplatit à nouveau sur le sol et commença à avancer centimètre par centimètre, l'extrémité de son turban entourant son nez et sa bouche pour les protéger de la poussière. Caché par la balle de foin et la couverture, il atteignit enfin le dessous de la voiture, et la tête, toute proche, de l'homme appuyé à la roue. À un mètre de lui, les deux joueurs de cartes murmuraient, juraient, toussaient et tiraient à tour de rôle sur le *hookah*.

La poussière et l'âcre fumée de bouse de vache chatouillaient les narines d'Alex d'une manière insupportable, et sa blessure lui élançait péniblement. Une procession de fourmis grimpait sur ses jambes, tandis que les insectes de nuit papillonnaient devant son visage. Les minutes lui semblaient des siècles, et il commençait à se demander s'il était arrivé malheur à Niaz lorsqu'il entendit enfin le bruit qu'il attendait. Une voix rauque et peu harmonieuse chantait une ballade obscène détaillant les charmes d'une certaine courtisane de Delhi.

Interrompu par des hoquets, le chant s'approcha et les joueurs de cartes se détournèrent pour écouter, tandis que la sentinelle assoupie s'éveilla et détacha son mousqueton pour le tenir prêt.

– Ce n'est qu'un ivrogne de la ville, grogna l'un des joueurs. *Ohé !* Qui vient là ? On ne passe pas, la route est fermée, va-t'en !

– M'en aller ? Et où donc ? Et depuis quand ce sentier est-il interdit aux honnêtes gens ?

– C'est un ordre du nouveau gouvernement.

– Quel *zulum* (oppression) ! Tout d'abord, c'est un de ces porcs de Pathan dont le cheval m'a jeté dans le jheel, si bien que je suis couvert de boue, et maintenant la route m'est fermée et...

L'homme au mousqueton agrippa Niaz et le traîna jusqu'à la lueur du feu :

– Que dis-tu ? Quel Pathan ?

– Il est sur la route, là-bas. Il désirait savoir où il pourrait obtenir une monture fraîche.

– C'est bien lui ! Tais-toi, idiot. Vient-il par ici ?

– Qui ?

– Le Pathan.

– Comment le saurais-je ? Il est assis par terre tandis que son cheval broute. Dois-je vraiment y retourner ? Et s'il me bat ? Les Pathans ont souvent mauvais caractère et celui-ci est en colère.

– Allons-y, dit l'un des joueurs. Sa tête est mise à prix. Reste près de la carriole, Dunnoo, et ne laisse passer personne. Et toi aussi, fils d'une mère sans nez, reste jusqu'à notre retour.

Niaz se mit à bâiller et à hoqueter tandis que les deux hommes disparaissaient. La sentinelle se tourna pour s'accroupir près du feu. Il y eut un coup sourd, un grognement, puis un son mat et Alex émergea de dessous la voiture.

L'homme appelé Dunnoo était étendu face contre terre près du feu, inconscient. Niaz le bâillonna et le ligota, puis l'emmena hors de vue. Les deux autres guetteurs revinrent avec les chevaux de Niaz et d'Alex qui mirent rapidement les hommes hors de combat et récupérèrent leurs chevaux auxquels ils firent passer l'obstacle constitué par la carriole.

Les chevaux, maintenant un peu reposés, leur permirent d'avancer plus rapidement sur la route menant à la rivière. Ils s'aperçurent alors que le pont à péage était gardé. Comme l'étaient aussi, de loin en loin, les rives. Il était d'autant moins question de traverser à la nage que le bras d'Alex l'élançait de plus en plus et qu'un crocodile des marais, ce mangeur d'hommes des rivières de l'Inde, pointait son nez. En outre, Niaz fit remarquer que lui-même ne savait pas nager.

Alex s'aperçut soudain que le bruit sourd qu'il entendait n'était pas l'écho du sang qui affluait à ses tempes. Des carrioles s'approchaient par la route menant au pont. Une longue suite de chars à bœufs grinçants, comme on peut en rencontrer sur une route indienne à n'importe quelle heure de la nuit, et dont les conducteurs dorment tandis que les bêtes patientes cheminent d'un pas pesant.

Alex toucha la bras de Niaz et indiqua de la tête la direction d'où provenait le bruit.

– Lâche les chevaux, nous n'en aurons plus besoin. Ces carrioles vont nous faire passer le pont.

Neuf chars bringuebalaient sur la route éclairée par la lune, les uns chargés de canne à sucre et les autres de *bhoosa.* Alex et Niaz se glissèrent entre les carrioles; Niaz retira plusieurs ballots de paille de l'une d'entre elles et les jeta sur le côté, tandis qu'Alex surveillait le conducteur immédiatement derrière eux pour voir s'il ne s'éveillait pas.

– Vas-y ! murmura Niaz, et Alex se hissa dans le char et se contorsionna pour pénétrer dans le trou fait par Niaz.

Les bœufs ne ralentirent pas leur allure malgré l'augmentation de poids. Niaz jeta deux sacs sur Alex, puis avec la célérité d'un serpent alla se frayer un chemin jusqu'au cœur d'une pile de canne à sucre.

Cahotant, grinçant, se balançant, bringuebalant, les chars réussirent à passer le pont, accompagnés des cris stridents des conducteurs maintenant éveillés, puis se retrouvèrent enfin sur la route.

Alex n'entendit pas l'ordre crié aux conducteurs, car le brouhaha l'avait assourdi, mais les roues écrasèrent le sol granuleux pour s'arrêter; des hommes entourèrent les carrioles et des voix irritées s'élevèrent :

– Que se passe-t-il ? Encore un autre péage ? Un Pathan ? Mais non, nous n'avons pas vu de Pathans..., regardez et voyez par vous-même... Des chevaux ? Mais ces voitures ne sont pas des gharis ! Ce sont des chars à bœufs. Nous apportons du fourrage et du foin à Lunjore. Seriez-vous des étrangers pour ne pas savoir cela ?

Il y eut de nouveaux éclats de voix et un homme dit :

– N'importe quel idiot aurait pensé qu'avant tout le pont serait gardé, et l'homme que nous cherchons est loin d'être stupide. Il se sera replié vers le Gange. En outre, il paraît que les chevaux étaient épuisés. Ohé ! Toi là-haut, n'as-tu pas vu des chevaux sur la route ?

– N'ai-je pas déjà dit que je n'ai pas vu de chevaux? Pas plus que de Pathans, d'ailleurs! Il se peut que j'aie sommeillé en chemin, mais si tu penses que nous transportons des chevaux et des Pathans dans nos chars, ne te gêne pas pour chercher. Si tu as de la chance, peut-être y trouveras-tu des éléphants ou des hommes du Turkestan ! Alors, cherche! Nous n'allons pas attendre ici toute la nuit.

Visiblement, c'était une trop grosse tâche de décharger et de recharger toutes les voitures.

– Enfonce ta lance, grommela la voix.

– Et qui me remboursera mes sacs ? hurla le conducteur en colère.

On grimpa sur les sacs cachant Alex qui suffoqua sous le poids; quelque chose s'enfonça dans les sacs et le bhoosa. L'objet pointu manqua Alex d'un millimètre et arracha l'extrémité du pansement fait par Niaz. Le sang s'était coagulé, mais la brusque secousse sur le tissu ouvrit à nouveau la blessure, et Alex sentit que son sang se remettait à couler. Mais l'homme ne s'en aperçut pas, sauta à terre et passa à la voiture suivante.

Alex appuya son bras blessé à un des sacs et s'efforça de le couvrir de sa main droite, car si le sang gouttait sur la poussière blanche de la route, cela se verrait lorsque les voitures se mettraient en route. Après un temps qui lui parut une éternité, les voitures repartirent. L'obstacle était passé, ils en avaient terminé. L'obscurité poussiéreuse et sans air se referma sur eux et, à l'aube jaunâtre, Alex dormait encore lorsque Niaz le tira de l'abri des sacs tachés de sang.

Trois heures plus tard, baigné, rasé et restauré, vêtu de ses propres vêtements, sa blessure convenablement soignée et le bras en écharpe, Alex se présentait à la Résidence.

Le Résident recevait quelqu'un et fit demander à Alex d'attendre. Il n'en aurait pas pour plus d'une demi-heure.

Assis sur un siège de la véranda, Alex entendait un murmure de voix provenant d'au-delà du bureau de Mr Barton. Au bout d'un certain temps, l'élégant *chupprassi,* accroupi au bout de la véranda, bondit sur ses pieds et souleva le rideau de bambou refendu qui pendait devant la porte. De l'autre côté, le Résident proférait d'aimables paroles d'adieu. Un Indien passa devant le chupprassi qui le salua bas et s'avança. C'était Kishan Prasad.

Alex ne bougea pas et aucun muscle de son visage ne trembla; rien dans sa position de repos ne trahit le choc et la surprise incrédule produits par la vue de Kishan Prasad. Marchant doucement, ce dernier s'arrêta devant Alex et s'inclina. Alex ne lui rendit pas son salut. Il regarda Kishan Prasad avec des yeux aussi froids, aussi durs et dénués de passion que du granit gris, et sourit.

Involontairement, Kishan Prasad recula; pendant quelques instants, son assurance parut l'abandonner et ses traits se durcirent. Puis, il reprit son sang-froid et dit d'une voix affable :

– Ah ! capitaine Randall, quelle surprise inattendue ! Le Résident vient de me dire qu'il ne vous espérait pas avant la semaine prochaine. Je suis navré de voir que vous avez été blessé au bras. Rien de grave, j'espère ?

– Non. C'est aimable à vous d'être venu jusqu'ici, cela m'évitera de vous envoyer une escorte pour vous accompagner.

– Pour m'accompagner où ? demanda Kishan Prasad en affectant une surprise polie.

– En prison... puis à la potence.

– Mon cher capitaine Randall ! Je dois reconnaître que je ne vous comprends pas. Est-ce là un trait d'humour anglais ?

– Vous me comprenez parfaitement, dit Alex d'une voix douce. Le meurtre a toujours été un crime capital.

– Le meurtre ?

– Qu'était-ce d'autre ? *Ce dont nous avons été témoins nous lie tous car si cette histoire était connue, aucun de nous n'échapperait à la corde*, cita Alex en hindi. (Il vit les pupilles de Kishan Prasad s'élargir et ajouta :) Oui, vous avez raison. Je suis l'homme que vos égorgeurs sont en train de pourchasser par tout Oudh. Vous devriez faire plus attention à ceux que vous acceptez dans vos réunions.

– Je ne comprends toujours pas, répéta Kishan Prasad d'un ton inexpressif.

– Moi si. J'avais entendu beaucoup d'histoires, mais jusqu'à la nuit précédente, je n'avais pas de preuves. Maintenant, j'en ai une. Et votre vie, ainsi que celle de tout homme présent, est deux fois perdue; pour sédition et pour meurtre.

Kishan Prasad relâcha son souffle en un soupir audible, et au bout d'un moment, il dit d'une voix très douce :

– Je n'ai pas voulu ce crime. Je ne fais pas la guerre aux enfants et si j'avais su ce qui se préparait, je l'aurais empêché. Quant au reste, je vous ai déjà dit que mon but est de renverser votre Compagnie des Indes, et pour cela j'utiliserai tout ce qui sera à ma portée. Mais vous ne pouvez pas me pendre parce que votre preuve n'en est pas une. C'est votre parole seule, et on ne la croira pas. Je ne sais pas comment vous étiez au courant de cette réunion, ni comment vous avez appris le mot de passe, mais je sais que, si dans un moment de folie je ne vous avais pas donné un certain gage, vous n'auriez pas vu... ce que vous avez vu. Mais avoir utilisé ce gage pour être admis mérite une punition. On m'a dit qu'un certain Pathan était entré parce qu'il avait montré ce gage. Je ne pouvais y croire, et pourtant c'était vrai. La présence de ce Pathan a transpiré; mais au cas où on ne réussirait pas à l'arrêter, certaines autres choses ont été faites. Si vous envoyez maintenant vos hommes à Khanwai, ils n'y trouveront aucune preuve de votre récit. Quant à moi, une centaine de témoins peuvent affirmer que je n'étais pas à Khanwai il y a deux nuits, mais ailleurs.

Alex dit d'un ton sévère :

– Je pense que vous vous apercevrez, sahib Rao, que ma parole sera retenue contre celle de cent mille de vos témoins.

– Même si l'un de ces témoins est le Résident de Lunjore ? demanda doucement Kishan Prasad.

Le visage d'Alex se durcit et deux taches blanches apparurent aux coins de ses lèvres. Il se mit debout à une allure telle que Kishan Prasad recula, comme s'il s'attendait à recevoir un coup, et murmura d'un ton dur :

– Cela, je ne le crois pas !

– Mais vous vous apercevrez qu'il en est ainsi. Il ne sait pas qu'il ment. Une... petite réunion s'est tenue chez un ami commun où le Résident s'est peut-être trop adonné au cognac parfumé. Il ne se souvient plus beaucoup de ce qui s'est passé et est convaincu que j'étais présent. Il a même eu l'amabilité d'admirer une babiole que j'avais rapportée de France, un jouet ingénieux qu'il a accepté avec plaisir. Il en a même parlé au colonel Moulson qui est avec lui pour l'instant. Alors, vous voyez...

D'une mince main brune, Kishan Prasad dessina un geste défiant tout reproche et Alex vit et comprit. Et en éprouva de l'amertume. Kishan Prasad s'était servi de l'ivresse de Mr Barton comme de sa vanité. Cela avait dû être facile, si fatalement facile. Une réception arrangée à l'avance chez un des nobles les plus tarés : boisson et danseuses, champagne avec du cognac, et probablement de l'opium. Un homme, n'importe quel homme ressemblant vaguement à Kishan Prasad, et son nom répété jusqu'à faire impression sur un cerveau embrumé. Un cadeau accepté...

Alex ne connaissait que trop bien son supérieur. Si le Résident avait admis la présence de Kishan Prasad dans une telle réunion, il ne reviendrait jamais sur sa déclaration parce que ce serait reconnaître qu'il était suffisamment ivre pour être trompé, et ce dans la maison d'un Indien important.

– On vous dira que vous avez dû faire erreur, dit d'une voix douce Kishan Prasad. Quant à la réunion dont vous leur parlerez, ils la considéreront comme une simple réunion de mécontents. Des mots, seulement des mots. Savez-vous pourquoi ils ne vous croiront pas ? Parce qu'ils ne le souhaitent pas ! Les colonels qui commandent les régiments de cipayes montrent leur insolence de bien des manières. Mais par respect humain, les colonels anglais n'admettront jamais cet état de choses et chacun proclame plus fort que l'autre que tout va bien. Vous voyez, je vous parle franchement. Quel besoin aurions-nous de faire semblant, vous et moi qui savons ce que nous savons ?

Il regarda le visage figé d'Alex et baissa le ton de sa voix jusqu'à ce qu'elle ne soit plus qu'un murmure :

– Vous savez que vous ne pouvez gagner ce combat. La Compagnie ne possède qu'une poignée d'hommes et son pouvoir n'est qu'une illusion. J'ai vu la tuerie de Sébastopol et je sais que votre reine n'a plus de régiments à envoyer. Ne nous combattez plus. Joignez-vous à nous. Ce ne serait pas la première fois que des Occidentaux auraient atteint à une certaine grandeur dans les armées de l'Inde. Souvenez-vous d'Avitable, George Thomas, Ventura, Potter, Garnider...

Alex se mit à rire et une certaine rougeur apparut sur les joues olivâtres de Kishan Prasad. Il laissa tomber sa main et recula.

– Je regrette, dit-il gravement, c'était là une chose stupide à dire.

– Très stupide, acquiesça Alex.

Kishan Prasad sourit.

– Je regrette que l'appartenance à nos deux races fassent de nous des ennemis. Peut-être serez-vous hindou dans votre prochaine vie.

– Peut-être. Lorsque je vous aurai fait pendre dans celle-ci.

– Cela peut arriver aussi, mais le moment n'est pas encore venu.

Kishan Prasad salua Alex avec une grave courtoisie, puis descendit les marches basses jusqu'au jardin baigné de soleil et partit dans une voiture ouverte entourée de ses serviteurs qui couraient.

Mais les heures qui suivirent et les jours qui suivirent ces heures confirmèrent tout ce que Kishan Prasad avait dit. Barton écouta l'histoire d'Alex avec une incrédulité totale. Ce dernier s'était trompé. N'était-ce pas naturel, tous les nègres se ressemblant comme des gouttes d'eau. La simple suggestion que lui-même avait pu se tromper le conduisit à une indignation apoplectique et pleine de bravache. Une telle affirmation tenait de l'absurdité et de l'insulte ! Quoi ! sahib Rao lui avait réellement montré une sorte de jouet acheté à Paris – une boîte à musique sur laquelle une danseuse nue tordait ses membres de cire au rythme d'une ritournelle. Elle était là sur la table comme preuve de ses dires. Kishan Prasad l'avait supplié d'accepter cette babiole et n'était venu ce matin que pour apporter un double de la clé; une excellente idée, ces petites choses se perdent si facilement.

Sans aucun remords, Alex avait remis le sujet sur le tapis et Barton s'était montré horrifié et incrédule. Visiblement, Alex était tombé sur quelque rite étrange. Selon sa propre maxime, mieux valait ne pas se mêler de ces histoires et laisser les gens croupir. À de telles cérémonies, les Noirs se laissaient dépasser et prononçaient des paroles insensées et incendiaires. Cela ne signifiait rien. Quant à l'affirmation d'Alex qu'un enfant anglais avait été tué de sang-froid, il pouvait seulement supposer qu'Alex s'était laissé entraîner par... heu... les circonstances inhabituelles : l'atmosphère, les fumées du brasero ou les effets de la fatigue. Il n'oserait suggérer qu'Alex avait bu, bien que certaines boissons locales fussent loin d'être inoffensives. Bien évidemment, c'était une jeune chèvre qu'il avait vu tuer ! Un sacrifice très classique. Et si Alex voulait bien le croire, il s'abstiendrait à l'avenir de se déguiser en habitant du pays et ne se mêlerait plus à de telles affaires. Cela ne convenait pas à la dignité d'un officier de la Compagnie et pouvait conduire à de graves ennuis. Que son bras blessé lui serve de leçon !

Et maintenant que cette affaire était réglée, Mr Barton aimerait avoir des nouvelles de la condesa. Il espérait qu'elle allait bien. Pas une beauté, bien sûr, mais quoi, la beauté n'était pas tout. Une bonne enfant, quoique quelconque. C'était lamentable qu'il n'ait pu se rendre à Calcutta, mais il n'avait pas été bien. Un accès de fièvre. Inopportun ce trajet jusqu'à Delhi, mais il avait trouvé préférable que la jeune fille reste confiée à Mrs Abuthnot puisque lui-même irait rapidement à Delhi pour une affaire officielle. D'une pierre deux coups.

L'année qui venait de s'écouler n'avait nullement amélioré la santé de Barton, ni son apparence. À vrai dire, il avait eu l'intention de s'occuper des deux en prenant quotidiennement de l'exercice et en s'abstenant de trop sacrifier à l'alcool et aux femmes. Mais, en y réfléchissant, il en était venu à la conclusion qu'un tel effort s'avérait totalement inutile. Il vivait sa dernière année de liberté et il voulait en tirer le meilleur parti. Après cela, il aurait tous les jours dans la maison une laideronne piaillarde, vomissante et décharnée qui, sans aucun doute, ferait des embarras au sujet de tous ses amusements à lui, et pourrait même, s'il dépassait la mesure, faire agir son influente famille pour son compte à elle. Non que cela pût changer grand-chose une fois qu'il aurait l'argent de la fille à sa portée. Cependant, la vie ne serait plus la même et il voulait profiter de cette dernière année. Au bout de ce raisonnement, Barton avait abandonné toute idée d'abstinence et d'exercice avec un soupir de soulagement. Le résultat en était ce corps obèse, cette tête chauve à la lèvre pendante, cette main tremblante serrée sur un verre, ainsi que ce menton et cette moustache barbouillés de cognac.

En une phrase, Alex avait terminé le sujet de la condesa pour retourner à celui de Kishan Prasad et de la réunion des séditieux de Khanwai. Il discuta, expliqua, plaida, mais Mr Barton demeura inflexible. Il ne pouvait rien faire. L'affaire était regrettable et il valait mieux l'oublier. Aucun intérêt à se fourrer dans un guêpier.

La même opinion fut exprimée par les colonels Moulson et Packer, commandant deux des trois régiments d'Infanterie indigène stationnés à Lunjore et par le commandant Beckwith chargé du troisième en l'absence du colonel Gardener Smith.

Le colonel Moulson, qui n'avait ni pardonné ni oublié la conduite du capitaine Randall à Alexandrie, s'était efforcé d'être particulièrement blessant. Il avait usé de toute son influence pour empêcher le Résident d'entreprendre une action et fait son possible pour jeter le discrédit sur l'aventure. Le colonel Packer, un bigot, se contenta de remettre l'affaire entre les mains du Tout-Puissant, assisté par la prière, tandis que le commandant Beckwith s'était abrité sous le fait qu'en l'absence du colonel Gardener Smith, il ne pouvait rien faire. Alex faisait partie de ces officiers que l'on avait retirés des régiments pour les nommer à des postes civils. Leurs camarades, restés en fonction dans l'armée, les jalousaient parce qu'ils étaient mieux payés et disposaient de plus de pouvoirs qu'eux. Le commandant Beckwith n'était pas une exception à cet égard.

Alex demanda une semaine de prolongation de permission en raison de son bras et se rendit à Agra pour y voir Mr John Colvin, lieutenant gouverneur de la province du Nord-Ouest. Mais sans résultat.

Vingt ans auparavant Mr Colvin, alors secrétaire particulier de lord Auckland, avait été l'un des premiers instigateurs de la désastreuse folie de la guerre afghane. Il ne croyait pas qu'il existait un mouvement de mécontentement dans le pays et encore moins dans l'armée. Il y avait bien eu des rumeurs, naturellement, mais les rumeurs ne couraient-elles pas toujours ? Il ne pouvait pas prendre sur lui d'arrêter des hommes tels que Kishan Prasad, des hommes ayant de l'influence et dont on n'avait aucune raison de mettre en doute la loyauté. Spécialement dans le cas présent où le Résident de Lunjore était prêt à jurer que l'homme n'assistait pas à cette réunion de Khanwai, comme l'avait même reconnu le capitaine Randall. Colvin pensait aussi que le capitaine Randall s'était trompé et exagérait le danger, et il ressortit tous les arguments de Barton. Naturellement, le lieutenant général informerait les autorités compétentes; mais en attendant...

Alex avait serré les dents et écouté avec un sentiment croissant de frustration et d'amertume.

La seule chose qu'il put obtenir fut d'emmener six *sowars* et trois officiers anglais avec lui pour voir si une preuve concrète pouvait être trouvée au sujet du meurtre dont il affirmait avoir été témoin. On avait bien signalé la semaine précédente la disparition d'un enfant, admit de mauvaise grâce Mr Colvin. Le fils de trois ans d'un simple soldat d'un régiment britannique cantonné à Cawnpore; c'était toujours possible, évidemment, bien que si peu crédible.

Alex était retourné à Khanwai avec six soldats et trois officiers, sceptiques mais enthousiastes. Ils n'avaient absolument rien trouvé. L'escalier du puits conduisant à la pièce souterraine était à ciel ouvert et encombré de débris de démolition qui semblaient être là depuis longtemps. Le caveau était dans un état de délabrement trop dangereux pour encourager une recherche approfondie.

À dix pas dans la jungle, derrière le fort en ruine, ils découvrirent une tombe, mais elle contenait seulement la carcasse pourrissante d'une chèvre blanche.

LIVRE TROISIÈME

CONWAY

20

Cela faisait plus de six semaines que les Abuthnot avaient quitté Calcutta pour Delhi, au nord. Voyage au cours duquel, à leur étonnement, les accompagnaient lord Carlyon et les Gardener Smith.

Pris d'une subite envie de visiter l'ancienne capitale des Mogols, lord Carlyon avait demandé la permission de profiter de la compagnie des Abuthnot pour effectuer un trajet qui, sans eux, aurait été terriblement morne. Il était impossible de refuser une requête si aimablement formulée. Quant aux Gardener Smith, leur changement de projet à la dernière minute n'avait pas été sans ennuyer quelque peu Mrs Abuthnot.

La mère de Delia avait déclaré que la chaleur et l'humidité de Calcutta n'étaient franchement pas supportables. Sans vouloir manquer à la charité, Mrs Abuthnot ne réussissait pas à vaincre ses soupçons : l'aversion de Mrs Gardener Smith pour le climat de Calcutta s'était seulement manifestée lorsqu'elle avait appris que lord Carlyon voyagerait avec le groupe des Abuthnot.

Elle ne pouvait pas croire non plus que seul le plaisir d'être avec les Abuthnot avait poussé lord Carlyon. Il savait, naturellement, que Lottie et Winter étaient fiancées et sur le point de se marier; serait-il attiré par sa Sophie ? Sophie encore une enfant, Sophie si charmante ! Cela *pouvait*-il être Sophie ?

Mrs Abuthnot se laissait aller à quelques rêves maternels, aussi la présence des Gardener Smith ne l'enthousiasmait-elle nullement : Delia était d'une beauté *si* frappante !

Comme le colonel Abuthnot, le colonel Gardener Smith considérait ce voyage comme un mal nécessaire, tandis que sa femme et sa fille le trouvaient inconfortable, fatigant et fort ennuyeux, à l'exception de la présence de lord Carlyon. Quant à ce dernier, ce qu'il voyait de l'Inde ne l'impressionnait pas. Seule Winter s'y intéressait et éprouvait un enchantement permanent : elle aimait toutes les aurores qui se levaient sur la plaine ou la jungle en un ruissellement de jaune safran et tous les soirs où le soleil disparaissait dans une poussière d'or, de rose et d'ambre, laissant la lune telle une noix muscade argentée dans le ciel...

La terre défilait devant elle comme un cortège de beautés. La jungle inextricable, les basses collines et les immenses plaines. Les larges méandres des fleuves indiens avec leurs bancs de sable argentés et les volées d'aigrettes blanches picorant les bas-fonds. Les jheels scintillants d'où les canards sauvages s'envolaient, sombres sur le ciel vert du soir. Les palmiers et les fleurs du *kikar* épineux, semblables à celles du mimosa. Le silence des routes poussiéreuses recuites par le soleil et le joyeux tumulte des *paraos*. Les petits villages avec leurs bazaars, les roues grinçantes des puits, les réservoirs et les temples. Le cri des paons dans le crépuscule et celui des oies sauvages et des grues à l'aube...

Seul un des aspects du voyage ne plaisait pas à Winter : la présence de lord Carlyon.

Elle n'avait pas été favorablement impressionnée par Carlyon lors du bal de Sybella à Ware, et malgré la correction de son attitude depuis leur rencontre à Calcutta, il lui procurait une impression désagréable.

Le regard languissant de Carlyon avait une manière insolente de se poser sur elle, et ses paroles, en apparence superficielles, possédaient le même côté suggestif. Il cherchait toutes les occasions de la toucher et ses mains frôleuses provoquaient chez Winter un frisson de dégoût et d'appréhension.

Conscient de ce frisson, Carlyon se méprit à son sujet. Mais Winter de Ballesteros ne ressemblait en rien aux débutantes rougissantes.

La situation était maintenant tout à fait différente de ce qu'elle était à Ware où poursuivre une célibataire de bonne famille ne pouvait conduire qu'au scandale ou à l'autel. Winter n'avait pas en Inde des parents ayant des influences en haut lieu et les Abuthnot ne pouvaient pas davantage constituer un obstacle que cette espèce de godiche de Résident, que Carlyon considérait comme quantité négligeable.

Carlyon avait beau manœuvrer avec précaution, il n'arrivait jamais à parler en tête à tête avec la petite Ballesteros qui restait toujours avec Lottie ou Sophie. Lui, qui avait entrepris ce voyage avec confiance et un plaisir anticipé, commençait à perdre son sang-froid.

Avec son sang-froid, il perdit de sa prudence et Mrs Abuthnot commença à éprouver de l'inquiétude pour la jeune fille qui lui était confiée. Bien sûr, la conduite de Carlyon pouvait n'avoir aucune signification, peut-être montrait-il seulement à cette chère Winter la politesse due à une jeune fille de son rang, mais tout de même... Mrs Abuthnot se mit à monter une garde très serrée auprès de Winter et le résultat fut que lord Carlyon, en colère, frustré et touché au vif, finit par tomber dans le piège qu'il avait toujours considéré comme une folie : il devint amoureux.

Carlyon avait joué pendant si longtemps avec ce sentiment qu'il ne le reconnut pas au premier abord. Pour lui, l'amour avait été seulement un amusement et la satisfaction d'un appétit sexuel fortement développé. La découverte que lui, Arthur Veryan Saint-Maur, dixième baron Carlyon, était vraiment amoureux d'une bambine de dix-sept ans l'étonnait et le fâchait. Cela ne *pouvait* être vrai. Ce devait être la conséquence de cet horrible climat, ou le fait qu'il n'avait pas eu de femmes pendant une incroyable période de huit mois.

Cependant, amoureux il l'était bien et ne put s'empêcher de se conduire comme un goujat, ce dont il était conscient. Mrs Abuthnot eut peur, et Mrs Gardener Smith se vexa; les autres hommes, plus compréhensifs, l'observaient avec une sympathie inquiète, tandis que Delia boudait et que Winter demeurait prudemment renfermée sur elle-même.

Tandis que le désir éprouvé par Carlyon changeait de nature, l'aversion de Winter se muait en un sentiment qui frisait la terreur, et elle aspirait à la fin du voyage. Une fois qu'elle serait mariée avec Conway, elle n'aurait plus jamais l'occasion d'avoir peur de quelqu'un ou de quelque chose. Oh ! Être mariée avec Conway ! Être en sécurité et protégée de la froide méchanceté des Julia, des coups de patte des Sybella, et des regards appuyés d'hommes tels que Moulson et Carlyon ! Les journées merveilleuses s'étaient muées en un tourment empli d'embarras et de contrainte, et Carlyon fut le seul du groupe à ne pas être visiblement soulagé à la vue des murs rouges de Delhi.

Le bungalow des Abuthnot était situé dans l'enceinte des casernes, sur une arête rocheuse à moins de dix kilomètres de la ville entourée de murs, et Carlyon n'avait eu aucun mal à obtenir une invitation à s'installer chez eux. Cependant, avant la fin du voyage, Mrs Abuthnot aurait donné cher pour se sortir de ce mauvais pas.

Que le cœur de lord Carlyon soit fortement pris était visible, et Mrs Abuthnot aurait aimé posséder le courage de lui dire que, dans le cas présent, elle ne trouvait pas souhaitable qu'il fît plus qu'un bref séjour chez elle. Peut-être George pourrait-il agir dans ce sens ? Elle ne comprenait pas pourquoi elle se tourmentait; et pourtant quelque chose dans la manière d'être de Carlyon ne lui plaisait pas.

Quel soulagement ce serait de voir Mr Barton ! Il habiterait jusqu'au mariage le château de Ludlow, chez Mr Simon Fraser, le Résident de Delhi. Il allait sûrement se présenter dès le premier matin chez les Abuthnot. Pourvu qu'il laisse suffisamment de temps à cette chère Winter pour se faire belle à l'occasion d'une telle rencontre. Six ans !... La sentimentale Mrs Abuthnot soupira.

Une imposante rangée de domestiques se tenait sur la véranda des Abuthnot, et Kunthi, l'*ayah* que la maladie avait empêchée de rejoindre sa maîtresse à Calcuta, pleura de joie en voyant les deux jeunes filles, parties à l'état de bébés.

Ni lettre ni message n'attendaient la condesa de los Aguilares. Mais point n'en était besoin puisque Conway en personne se trouvait au château de Ludlow, tout près des casernes. Dans une heure, peut-être moins, elle le verrait. Il lui fallait se hâter de revêtir sa plus jolie robe. La poussière avait terni ses cheveux et envahi aussi ses longs cils, les coins de son nez et sa bouche. Vite, vite, elle devait se nettoyer et se changer !

Teena, une jeune parente de Kunthi, affectée aux jeunes filles comme femme de chambre, fut dépêchée pour chercher de l'eau, tandis que Winter ôtait sa tenue de voyage. Sophie et Kunthi déballèrent la malle de vêtements pour en sortir une robe de barège vert pomme, et une des servantes alla rapidement quérir le *dhobi* et son fer à repasser.

Une heure plus tard, Winter devant son miroir jeta un coup d'œil anxieux à sa personne, souhaitant posséder les yeux bleus et les boucles blondes de Lottie, puis elle se rendit dans le salon attendre Conway. De là, elle pouvait surveiller la grille et le voir arriver. Les domestiques commençaient à mettre le couvert du dîner et il devait être près de cinq heures... Il n'allait sûrement pas tarder.

Elle entendit quelqu'un entrer et fermer la porte.

– Qui attendez-vous ? demanda Carlyon. L'amoureux tardif ?

Winter demeura complètement immobile. Ses yeux noirs s'agrandirent et un pouls se mit à battre à la naissance de sa gorge, car un seul regard suffisait pour voir que Carlyon avait bu.

Elle dit d'une voix glaciale et ferme :

– J'attends Mr Barton. Je vais aller m'installer dans le jardin où il fait plus frais maintenant que le soleil est si bas.

Elle ramassa contre elle sa large crinoline et se dirigea tranquillement vers la porte.

Avec une rapidité inattendue, Carlyon lui barra le chemin.

– Je n'ai pas encore eu une occasion comme celle-ci. Vous m'avez très habilement évité. Pourquoi ne me laissez-vous pas vous parler ? Jamais je n'ai été seul avec vous.

Un peu essoufflée, Winter dit :

– Je vous en prie, lord Carlyon, laissez-moi passer…

– Je m'appelle Arthur, ne le savez-vous pas ? Dois-je vous dire que vous êtes la créature la plus belle et la plus désirable que j'aie jamais rencontrée ? Et que…

– Je vous en prie, lord Carlyon.

– Arthur ! Et je vous aime. N'est-ce pas absurde ?

– Lord Carlyon, vous ne devez pas me parler ainsi, dit Winter d'une voix désespérée. Vous savez que je vais me marier bientôt et…

– À un godiche de Résident ? Quelle stupidité, quelle grotesque stupidité ! Vous le savez bien, mon beau cygne, ma princesse de neige. Ferai-je fondre cette neige et vous apprendrai-je à ressembler à l'été plutôt que d'être froide comme votre prénom ?

Derrière cette voix pâteuse, Winter entendit des sabots de chevaux dans l'allée. *Conway !* Elle essaya encore de passer, mais Carlyon s'empara de son poignet. Le contact de ces doigts chauds lui procura une révulsion de tout son être, mais elle comprenait qu'elle ne devait pas lutter. Il ne fallait pas que Conway la trouve en train de se débattre entre les bras d'un autre homme : c'était trop dégradant. Il pourrait croire qu'elle avait encouragé lord Carlyon. Elle devait garder son calme.

Avant qu'elle devine ses intentions et ait le temps de crier, il l'avait saisie pour l'enlacer et l'embrasser avec une violence telle qu'elle en perdit le souffle. Elle se débattit sauvagement et sans bruit, la colère et le dégoût envahissant sa pensée, tandis que la bouche goulue descendait vers sa gorge blanche et fraîche avec une intensité sauvage, puis encore plus bas dans le creux tiède de son cou et de ses épaules.

Elle tenta de crier, mais le seul son qu'elle put émettre fut un hoquet étouffé pour trouver de l'air. La porte donnant sur le hall s'ouvrit alors, et les bras qui l'enserraient tombèrent. Elle sauta en arrière, une main posée sur sa gorge meurtrie et l'autre désespérément accrochée au dossier d'une chaise. Mais ce n'était pas Conway qui se tenait là. Assez bizarrement, c'était le capitaine Randall.

– Alex !

Elle n'était nullement consciente de l'avoir appelé par son prénom, et le mot ne fut guère plus qu'une inspiration étouffée.

Carlyon se retourna. Il avait repris entièrement son contrôle et il paraissait impensable que ce même homme l'eût tenue quelques instants plus tôt, étroitement serrée contre lui en un paroxysme de désir physique.

– Ah ! dit-il d'une voix neutre, Mr Barton, je suppose ?

Les yeux gris et durs d'Alex inspectèrent lord Carlyon de la tête aux pieds d'un regard froid, puis Alex leva ses sourcils.

– Non, monsieur. Dois-je comprendre que vous l'attendiez ? (Par-delà Carlyon, il s'adressa à Winter et s'inclina légèrement.) Mes respects, condesa.

Une subite rougeur apparut sur les joues de Carlyon et ses lèvres se serrèrent. Il se redressa complètement et dit de son ton traînant le plus froid :

– Vous vous trompez de pièce, monsieur. Je

pense que vous trouverez le colonel Abuthnot dans son bureau.

– C'est probable, dit Alex en s'avançant davantage dans la pièce. Mais je ne suis pas venu voir le colonel Abuthnot. J'ai un message pour la condesa de los Aguilares.

– Alors, transmettez-le et partez. Vous voyez bien que vous nous dérangez.

– Je m'en suis aperçu, répondit Alex dont le regard s'attarda sur les plaques rouges qui défiguraient le cou et les épaules blanches de Winter. Cependant, ce message est assez personnel et lorsque vous saurez qu'il provient du futur mari de cette dame, je suis sûr que vous me permettrez de le lui remettre en privé. Je ne vous retiens pas.

L'invitation à se retirer était parfaitement claire et l'air à la fois hautain et languissant de Carlyon l'abandonna. Il dit avec violence :

– Quoi, vous... !

Dans un frou-frou de soie, Winter rejoignit Alex et posa sa main sur la manche de l'homme. Sans regarder Carlyon, elle dit d'une petite voix essoufflée :

– Voulez-vous m'emmener dans le jardin, s'il vous plaît, capitaine Randall ? Vous pourrez m'y remettre votre message et... et il fait plus frais dehors.

– Mais c'est tellement moins tranquille qu'ici.

Alex alla jusqu'à la porte qu'il ouvrit à lord Carlyon en souriant. Les amis d'Alex auraient reconnu ce sourire, mais pas Carlyon. Le mépris remplaça la fureur sur son visage. Il regarda Winter.

– À plus tard, ma chère, dit-il.

Et il passa dans le hall.

Alex ferma la porte et Winter se laissa tomber sur le canapé, ses genoux pliant sous elle, et elle fut prise d'une absurde envie de pleurer.

– Qui était-ce ?

– Lord Carlyon. Il nous accompagne depuis Calcutta et habite ici. Mais vous ne devez pas croire que…

Très rouge, elle leva les yeux sur Alex.

– Je sais que cet incident peut vous paraître très curieux mais… (Elle s'aperçut alors qu'il portait un bras en écharpe et, oubliant ce qu'elle allait dire, s'écria :) Vous êtes blessé ! Qu'est-il arrivé ?

– Un accident de chasse.

– Un accident ?

Le subit souvenir de récits de soulèvements et de meurtres d'hommes dans les régions éloignées la rendit toute pâle, et elle se leva brusquement :

– Conway… Y a-t-il des troubles à Lunjore ? Est-ce ceci que vous êtes venu me dire ? Lui est-il arrivé quelque chose ? Est-il malade ?

– Non, pour autant que je sache.

Le ton d'Alex était absolument neutre.

– Alors, pourquoi êtes-vous ici ?

– En fin de compte, le Résident a été empêché de venir à Delhi. Il m'a demandé de vous le dire et d'organiser si possible votre voyage jusqu'à Lunjore avec les Gardener Smith qui y vont sous peu.

– Mais… (Winter s'appuya à un dossier de chaise pour se soutenir.) Mais ils ne partent pas avant trois semaines.

– Je le sais. J'en suis désolé. Mais il semble que personne d'autre ne se rende à Lunjore pour l'instant et vous ne pouvez voyager seule.

– Pourquoi n'irais-je pas avec vous ?

– Le Résident ne trouve pas cela convenable. En outre, je ne peux aller à Lunjore avant deux semaines au moins : Mr Barton m'a demandé de régler une affaire ici.

Winter s'assit lentement, les volants de la robe

vert pomme, destinée à plaire à Conway, très mousseux autour d'elle. Elle paraissait toute petite et abandonnée et, comme sur le pont du *Clamorgan Castle* à Calcutta, Alex pensa que d'être étranglé serait encore une punition trop douce pour Barton. Et pourtant, cette jeune personne était-elle aussi innocente qu'elle le paraissait ? Il serait intéressant de savoir la vérité sur la scène qu'il venait d'interrompre. Les jeunes filles, spécialement celles qui sont fiancées, ne s'adonnent normalement pas à des *tête-à-tête* avec des admirateurs importuns, et si elle n'avait pas souhaité être seule avec Carlyon, il lui suffisait d'appeler. La maison fourmillait de domestiques, sans compter les quatre Abuthnot.

Alex aurait préféré ne pas se sentir aussi responsable de la jeune fille. Ce sentiment absurde l'irritait car il n'était pas justifié. Il pesait sur lui depuis ce soir où, un an auparavant, le Résident lui avait confié des lettres pour Ware et la mission de ramener sa fiancée en Inde. Il baissa les yeux sur la tête penchée et les petites mains serrées si fort sur les absurdes frous-frous verts, et fronça les sourcils, conscient d'un serrement de cœur troublant. L'Inde n'était vraiment pas un pays pour de telles femmes et s'il devait y avoir une insurrection de quelque importance, leur présence deviendrait terriblement embarrassante.

Levant les yeux juste à ce point des réflexions d'Alex, Winter aperçut ce froncement de sourcils et son courage lui revint avec une soudaine étincelle de colère. Elle se leva, se tint très droite et dit d'une voix forte et calme :

– C'est très aimable à vous de vous être dérangé pour moi. J'espère que vous ne me trouvez pas ingrate. Mr Barton ne vous a-t-il remis aucune lettre ?

– Il n'en avait pas le temps. Le changement de plan est arrivé au dernier moment et j'ai dû partir en moins d'une heure, répondit brièvement Alex.

Il ne trouvait pas nécessaire d'expliquer que le Résident n'était pas en état de se tenir debout, et encore moins d'écrire une ligne lisible la dernière fois qu'il l'avait vu.

La vérité était que, confronté au voyage de Delhi, Barton avait été repris par ses vieilles peurs, celles qui l'avaient empêché de s'embarquer pour l'Angleterre afin d'y retrouver sa fiancée.

Il s'était abstenu du long et chaud trajet pour Calcutta parce que l'inconfort ne l'attirait pas, aussi avait-il décidé que ce serait tout aussi bien de se marier à Delhi. Mais comme la date de son départ pour la capitale mogole approchait, il se souvint que la Société de Delhi serait en pleines festivités à l'occasion de la saison froide et qu'il ne ferait guère bonne figure à côté des militaires. Et puis, il y avait les Abuthnot qui devaient être maintenant de vieux amis de sa fiancée. Et si – une simple supposition bien sûr – son aspect ne plaisait pas à Winter ? Ne risquait-il pas que, soutenue par eux, Winter en vienne à rompre ses fiançailles ? Il valait mieux la faire venir à Lunjore où elle serait au milieu d'étrangers (le colonel Moulson et les Gardener Smith ne comptaient pas) car, une fois arrivée, elle n'aurait plus l'occasion de changer d'idée. Il y veillerait !

Barton avait fêté sa décision de rester à Lunjore en s'enivrant à tel point qu'au matin prévu pour son départ, il avait juste été capable de marmonner quelques directives au capitaine Randall, directives dont l'essentiel était qu'Alex devait s'occuper de l'affaire à régler à Delhi et l'excuser auprès de Winter. Il faudrait qu'elle vienne à Lunjore en compagnie des Gardener Smith. La montagne allant à Mahomet. Alex devait arranger cela. Lui, Barton, écrirait lorsqu'il s'y sentirait disposé. Mais d'où cet idiot de fournisseur avait-il bien pu faire venir le dernier envoi de cognac ?...

Alex estimait qu'une description de cette scène ne pouvait conduire qu'à d'autres malentendus, et si la fiancée du Résident s'était vraiment attachée à lord Carlyon, la question se résoudrait d'elle-même, sans qu'il s'en mêle. Il ne pouvait que le souhaiter, car si la jeune fille n'épousait ni Barton ni Carlyon, la tâche de trouver un chaperon approprié pour ramener Winter à Ware retomberait sur lui.

Il dit à voix haute :

– Le Résident m'a annoncé son intention de vous écrire. Je suis persuadé que vous pouvez espérer une lettre demain ou après-demain, bien que l'on ne doive guère se fier à la poste dans ce pays.

Mrs Abuthnot entra à ce moment-là et accueillit Alex avec plaisir, le priant à dîner pour le soir même.

– Mais où est donc Mr Barton ?

– À Lunjore, il n'a pas pu venir.

Mrs Abuthnot se tourna tellement vite du côté de Winter que sa crinoline tourbillonna.

– Oh ! ma chérie, comme c'est décevant pour vous ! Comme c'est cruel ! Quand arrivera-t-il ? J'espère qu'au moins il n'est pas *malade*, Alex ?

Désolée d'apprendre que cette chère Winter ne se marierait pas à Delhi, Mrs Abuthnot se consola un peu en pensant que la jeune fille assisterait au mariage de Lottie, puisque les Gardener Smith ne partiraient qu'au lendemain de l'événement.

Alex resta pour dîner, et Carlyon en fut d'autant moins enchanté qu'il ne comprenait pas du tout les embarras que faisaient les Abuthnot à propos du capitaine Randall. Le seul intérêt d'une soirée fastidieuse fut, pour Carlyon, d'apprendre que le futur mari de la jeune condesa ne venait finalement pas la chercher à Delhi. Elle devrait donc rester trois semaines de plus chez les Abuthnot. La partie n'était peut-être pas perdue pour lui, mais il devrait se montrer circonspect et éviter de commettre une *bêtise* qui obligerait le colonel Abuthnot à le prier de quitter les lieux.

21

Lottie devait se marier le 26 à St. James's Church à Delhi, et les préparatifs de la cérémonie tenaient en ébullition les dames de la maison, affairées sur des soieries, des mousselines et les mystères des sous-vêtements féminins.

Quantité de promenades, de pique-niques, de réunions et de bals s'organisaient auxquels Carlyon était invité. Mais Winter demeurait toujours aussi insaisissable et l'exaspération de Carlyon augmentait chaque jour un peu plus.

Son caractère n'était pas amélioré par la fréquente présence de Randall au sein du groupe, car l'aversion immédiatement éprouvée à l'égard d'Alex ne faisait que croître. Le mépris professé par Carlyon le premier jour s'était évanoui et il avait beau faire, il ne le retrouvait pas. Quant à Randall, il ignorait Carlyon. Il ne semblait pas non plus spécialement intéressé par les distractions de la saison de Delhi et Carlyon se demandait pourquoi il acceptait des invitations à des réunions qu'il trouvait visiblement ennuyeuses.

Alex ne comprenait pas sa propre attitude. L'affaire qui l'avait amené à Delhi l'occupait peu et les Abuthnot l'inondaient d'invitations, c'était certain, mais il savait fort bien les refuser en général et ne s'expliquait pas pourquoi il n'en faisait pas autant avec celles des Abuthnot.

Était-ce seulement en raison de cet irritant sentiment de responsabilité dont il ne réussissait pas à se débarrasser ? Ou bien cela venait-il de son impression que Winter était effrayée et malheureuse ? Elle ne donnait aucun signe extérieur de l'un ou de l'autre sentiment, mais un certain changement opéré chez elle n'avait pas échappé à Alex. Elle avait perdu son air de radieuse attente pour n'être plus, à nouveau, que l'enfant renfermée et méfiante du début du printemps, un peu à l'instar d'une créature sauvage qui se fige à l'approche du danger.

Randall ne pouvait rien faire pour l'aider à retrouver la joyeuse espérance du voyage, mais il sentait que sa présence la rassurait, et en ceci il ne se trompait pas. Winter avait compris et pardonné l'absence de Conway à Calcutta, car le capitaine Randall ne se trouvait pas alors à Lunjore et peut-être n'y avait-il personne à la Résidence pour traiter les affaires. Mais si Alex était capable de remplacer le Résident à Delhi, il aurait été sûrement possible de le laisser à Lunjore pour une dizaine de jours, permettant ainsi à Conway de venir à Delhi ?

Elle savait une telle pensée déloyale. Conway avait sûrement raison. Si une question de santé l'avait retenu, elle aurait mieux compris, mais Randall l'avait rassurée sur ce point. Dans la lettre de Conway reçue quelques jours après l'arrivée de Winter à Delhi, son fiancé n'avait fait allusion qu'à l'urgence de son travail. Il était désireux d'expédier les affaires les plus pressées pour se libérer en vue de leur voyage de noces. Plus affectueuse qu'à l'accoutumée, la lettre avait calmé une bonne part du chagrin de Winter.

Ne serait-ce que pour la protéger des attentions importunes de lord Carlyon, Winter était très reconnaissante à Alex de sa présence continuelle à Delhi. Lorsque Alex était là, elle pouvait oublier la contrainte de demeurer toujours sur ses gardes.

Carlyon avait enfin compris que Winter l'évitait par dégoût et non par coquetterie. Mais il ne pouvait ni s'excuser ni arranger les choses en présence de tiers. L'occasion lui fut enfin offerte au cours d'un bal où Winter n'avait pu éviter de lui accorder une valse. Après avoir expliqué sa conduite par un abus de cognac et de laudanum destinés à combattre un accès de fièvre, Carlyon s'était avoué très amoureux et avait fait une proposition de mariage à Winter, la première qu'il eût jamais faite. Il ne reçut en retour qu'un refus, sans aucun encouragement à persister dans son attitude.

Carlyon passa d'une incrédulité étonnée à une rage non contenue. Sa colère était telle qu'il en perdait tout contrôle. Il voulait cette fille. Il la désirait plus qu'il ne croyait possible de désirer et il l'aurait ! Ce n'était pas un rien du tout de fonctionnaire de la Compagnie des Indes qui allait l'arrêter.

Son plan était des plus simples. Faire la paix avec Winter et, après les quelques préparatifs nécessaires, l'enlever et la compromettre de telle manière qu'elle soit heureuse de l'épouser. Ce godiche de fiancé ferait peut-être quelques ennuis au début, mais Carlyon pourrait user de ses influences pour lui procurer de l'avancement et, de toute manière, puisqu'il n'avait pas vu sa future femme depuis six ans, il ne pouvait être question d'amour d'aucun côté. Visiblement, l'homme n'était intéressé que par la fortune de Winter, et Carlyon était suffisamment riche pour pouvoir appliquer un pansement en or sur la blessure qu'il infligerait.

Un pique-nique au clair de lune sur les remparts de Delhi avait été organisé par les plus gais des jeunes officiers, mais ni Mrs Abuthnot ni Mrs Gardener Smith n'étaient certaines d'approuver ce genre de festivités. Évidemment, aucune des jeunes filles n'irait sans chaperon, et les deux dames seraient là pour surveiller leurs filles d'un œil maternel. Mais, tout de même, un tel divertissement ne ressortissait-il pas du *relâchement* (1) ?

– Heureusement, dit Mrs Abuthnot avec une note d'espoir, au moment de la pleine lune, il fait presque aussi clair que dans la journée et on dit qu'il y aura beaucoup de monde. Nous devons partir une heure avant le coucher du soleil afin de voir la lune se lever. Cela promet d'être très beau.

– Lord Carlyon viendra-t-il ?

– Oui, bien sûr. Nous y allons tous à l'exception du colonel Abuthnot qui n'aime pas ce genre de distraction. Mais entre lord Carlyon et le cher Alex, nous ne manquerons pas d'escorte masculine et tout se passera très bien.

Les nuages, qui s'étaient accumulés au cours de cet après-midi-là, n'amenèrent pas de pluie mais un magnifique coucher de soleil. Au cours de sa promenade à cheval sur le Ridge avec le colonel Abuthnot, Winter, en regardant la ville, les méandres luisants de la Djemna et l'immense

(1) En français dans le texte.

plaine au-delà, les vit se dorer dans la gloire du soleil couchant.

Les minarets, les mosquées et les forts de Delhi retenaient la lumière et brillaient comme s'ils étaient du métal en fusion et, dans le lointain, au-dessus des innombrables sépultures et des ruines des Sept Villes, à l'est, s'élevait la haute tour du minaret de Kutab, éperon scintillant se détachant sur les nuages pourpres.

Winter retint sa monture pour admirer cette brève vision de fantastique splendeur. L'or se mit alors à virer au rose, et le rose s'estompa en lavande jusqu'à ce que, enfin, les murs crénelés, les dômes semblables à des bulles de savon, les minarets et les palais se détachent en mauve froid sur le ciel brillant, tandis que le fleuve coulait rouge sang à travers la plaine qui déjà s'obscurcissait. Tout soudain, des larmes piquèrent les paupières de Winter parce que le soir n'était plus empli de beauté, mais de tristesse. La tristesse de la gloire passée et des empires perdus. Des changements et de la décadence. Il lui semblait voir un symbole dans ce bref éclat de beauté qui avait illuminé la ville des Mogols et le rapide crépuscule qui l'engloutissait...

– Oui, je suppose que ce serait possible. Mais l'armée remettrait très vite les choses au point.

Non sans surprise, Winter se tourna du côté du colonel Abuthnot :

– Mettre quelles choses au point, monsieur ?

En un sursaut, le colonel s'éveilla de sa rêverie :

– Excusez-moi, ma chère, je crains d'avoir parlé tout haut. Une manie stupide. Je pensais à un article de sir Henry Lawrence, vieux d'une dizaine d'années. À propos de Delhi. Il signalait qu'il serait très simple, pour un parti hostile, de s'emparer de la ville et que, dans ce cas, en moins de vingt-quatre heures les rebelles seraient rejoints par des milliers de sympathisants, et tout outil agricole de Delhi serait alors transformé en épée. Peut-être est-ce vrai. J'ai souvent pensé moi-même qu'il serait sans doute plus avisé d'avoir au moins un régiment cantonné dans la ville. Nous assurons la garde, bien sûr, mais ce serait de piètre utilité si la ville devait tomber dans des mains ennemies.

– Pensez-vous cette éventualité possible ?

– Non, non. Bien sûr que non. Le pays n'a jamais été plus calme. La racaille pourrait se tourner contre nous, mais elle n'aurait aucune chance contre l'armée. Je me chargerais de reprendre la ville avec mes seuls cipayes. Pas de meilleures troupes dans le monde entier ! C'est un honneur de les commander.

Ils reprirent alors leur chevauchée vers le bungalow blanc dont les lumières commençaient à apparaître à travers les arbres.

22

Des nuages apparurent au nord-est de Delhi le soir du pique-nique au clair de lune : une menaçante barre grise à l'horizon, alors qu'ailleurs le ciel était gris. Mrs Abuthnot les regardait avec une certaine inquiétude et l'on eut toutes les peines du monde à l'empêcher de prendre un assortiment de parapluies et de capes. Mais Alex l'assura que leur présence indiquait seulement de la pluie dans les contreforts des montagnes; il ajouta que s'il avait plu au nord, il pourrait être gêné au cours de son retour à Lunjore.

Carlyon, Winter et Alex se rendirent à cheval au pique-nique. Après être passés sous la massive porte du Cachemire, ils mirent pied à terre. Un cavalier les héla qui venait de la direction de St. James's Church.

– Alex ! (L'homme éperonna son cheval pour aller plus vite et, se penchant depuis sa selle, donna de grandes claques sur les omoplates du capitaine Randall.) Quand êtes-vous revenu ? Vous ne m'avez pas écrit depuis six mois, ingrat que vous êtes !

Se retournant brusquement, Alex s'empara de la main tendue.

– William ! Que diantre faites-vous ici ? On m'avait dit que vous étiez à Dagshai.

– J'y suis... officiellement.

– Descendez de cheval et venez avec nous. Condesa, puis-je vous présenter le lieutenant Hodson.

Ce dernier tendit la main à Winter :

– Me pardonnerez-vous si je reste en selle ? J'ai une cheville foulée et je ne marche que clopin-clopant.

Après avoir serré la main de Winter, Hodson lança à Carlyon un regard direct qui l'analysa d'un coup, puis l'abandonna pour revenir à Alex. Winter et Carlyon continuèrent leur chemin afin de rejoindre le groupe sur les remparts.

– Remontez en selle et venez avec moi, Alex. Nous ne pouvons pas parler ici.

Ils gagnèrent la campagne du côté de Kudsia Bagh.

– Qui est cette beauté espagnole ? demanda Hodson, et que faisiez-vous en une telle compagnie ?

– Je joue le rôle de duègne. La beauté espagnole est venue pour épouser mon chef respecté, et j'ai eu la tâche de veiller à sa sécurité au cours du voyage, car je l'escorte depuis l'Angleterre.

– *Quoi !* (Hodson jeta sa tête en arrière et rit aux éclats.) On aura tout vu !

– Cela a son côté humoristique, admit Alex. Mais je ne pensais pas, lorsque je me suis engagé dans l'armée du Bengale, que j'aurais à remplir tous les rôles d'un civil, depuis celui d'un magistrat jusqu'à celui d'une sage-femme. Amener la fiancée d'un personnage officiel ne devrait pas être une surprise.

– Le lord a un regard dangereux, commenta Hodson. J'ai eu un cheval qui lui ressemblait. Un pur-sang avec l'aspect d'un archange et aussi empli de vice que Belzébuth. Je l'ai tué. Qu'est-il arrivé à votre bras ? Accident de cheval ou vous a-t-on tiré dessus ?

– La seconde hypothèse. C'est une longue histoire que je me propose de vous infliger. Descendez et clopinez jusqu'aux arbres, vous y serez mieux que sur cet animal.

Après avoir attaché leurs chevaux, les deux hommes allèrent s'asseoir au bord de la Djemna, toute rose perle et brillante dans la lumière vespérale.

Par-dessus son épaule, Alex regarda le fourré derrière eux. Comprenant son coup d'œil, Hodson lui dit :

– J'ai vu bouger des paons dans cette cannaie. Si quelqu'un vient, ils nous en préviendront.

– Vous êtes un grand homme, William.

– Pas encore, mais j'en deviendrai un si Dieu le veut.

Le ton était sérieux et Alex lui demanda soudain :

– Vous ne m'avez pas encore dit ce que vous faites à Delhi. Avez-vous brûlé la politesse à quelqu'un ?

– Plus ou moins. Je suis venu parce que j'ai appris qu'un de vos amis était attendu à Delhi. J'ai quelques relations personnelles en ville et j'ai pensé que cela valait la peine de faire ma petite enquête.

– Un de mes amis ?

Alex fronça le sourcil.

– Sparkov.

– *Gregori !*

– Lui-même.

– Alors, il s'est déplacé diablement vite. Je l'ai vu à Malte au cours de mon voyage de retour d'Angleterre.

– Comment ? Qu'y faisait-il ?

– En train de comploter meurtres et voies de fait ! (Alex fit alors son récit que Hodson écouta jusqu'au bout sans l'interrompre.) Très intéressant. J'imagine que ceci signifie qu'il n'est pas encore à Delhi. Farid Khan m'a fait prévenir qu'on l'attendait sans me dire à quelle date, ni comment il l'avait appris. Je suis venu ici car j'espérais tirer davantage de lui. Mais quelque chose, ou quelqu'un, a dû lui faire peur et il ne veut rien dire de plus. Cependant, il est intéressant de savoir que Kishan Prasad est l'un des correspondants de Gregori. Je l'ai déjà rencontré ce sahib Rao : un diable à la fois astucieux et agréable.

– Et diantrement dangereux, dit brièvement Alex.

– Oh oui ! À la manière d'un cobra royal, ou d'une hamadryade. Un ami de cœur de votre bien-aimé résident Barton, à ce qu'on dit.

– C'est vrai.

La voix d'Alex était empreinte d'amertume. Étendant la main, Hodson prit le bras valide d'Alex et le lui serra amicalement.

– Je sais ce qu'il en est ! Oui, je le sais ! Si seulement nous pouvions nous débarrasser de ces fous obèses, quel empire ce serait !

D'un geste de la main, il embrassa la vaste plaine et la calme rivière, la vieille ville de Delhi et l'Inde tout entière, et une lueur soudaine apparut dans ses yeux. Puis il laissa tomber sa main et dit d'un ton amer :

– On pourrait suivre aveuglément certains hommes, jusqu'en enfer si besoin était : Lawrence, Nicholson, Edwards, oh ! une douzaine de types de premier ordre. Mais il en faudrait plus de cent pour réparer le mal qu'un seul Barton peut faire. Un système qui donne la priorité à l'âge, comme c'est le cas à la Compagnie des Indes, est très bien pour les pauvres et un cadeau des dieux pour les fous auxquels il permet d'être sur le même pied que des hommes les valant vingt fois. Mais pour la discipline en temps de paix et l'action effective en temps de guerre, rien n'est pire; et un jour, nous le paierons.

– Probablement plus tôt que nous ne le pensons.

– Que savez-vous ?

Alex le lui dit. Et lorsqu'il eut fini, leurs ombres que le soleil couchant avait projetées longues et bleues sur les sables blancs de la Djemna s'étendaient noires derrière eux, éclairées en plein par la lune qui se levait.

Un chacal détala à travers les sables de la rivière pour dévorer les restes pourrissants d'un cadavre à moitié brûlé échoué sur un bas-fond, et un paon appela d'un cri rauque depuis les cannaies de Kudsia Bagh. Les chevaux attachés se mirent à piétiner et la jument d'Alex hennit doucement.

– Ce doit être Niaz, dit Alex en regardant par-dessus son épaule. (Il se leva et, de sa main droite, aida Hodson à se mettre debout.) Il va falloir que je m'en retourne pour accomplir mes obligations mondaines. Venez avec nous, Will.

– Aucun espoir : je dois être à Dagshai demain.

– *Demain ?* Êtes-vous fou ? William, vous ne pouvez faire cela avec une cheville blessée. Pourquoi vous faut-il toujours aller à bride abattue ?

– C'est ce que je préfère. Et cela peut être utile un jour. En outre, vous savez que je suis capable de dormir en selle.

Il boitilla jusqu'à son cheval et cria :

– *Ohé !* Niaz Mohammed Khan, est-ce toi ?

Niaz s'avança dans le clair de lune et, glissant à terre, il salua les deux hommes avec la déférence due à leur rang.

– *Salaam Aleikum.* Vas-tu bien, Hodson Bahadur ?

– Non, mal. Mon étoile s'enfonce.

– Je l'avais entendu dire. Mais peu importe, elle remontera.

Niaz tint les étriers de Hodson pour qu'il puisse monter. Alex lui demanda :

– T'ont-ils envoyé à ma recherche ?

– Non, je te suivais parce qu'un sadhu venait par ici. Très tranquillement et à l'abri des arbres et je voulais savoir ce qu'il allait faire. Lorsqu'il a entendu mon cheval sur l'herbe sèche, il est parti en direction du nord. J'ai attendu pour voir s'il ne revenait pas.

– Encore un de vos amis, Alex ? demanda Hodson.

Alex haussa les épaules : l'Inde est pleine de sadhus.

– Partez-vous vraiment pour Dagshai cette nuit, William ?

– Je le crains.

– Alors je ne vous verrai pas de longtemps. Je vais à Lunjore lundi. Quelle est votre étoile, William ?

– Devenir un chef. Je voudrais être tel que

des hommes me suivent aveuglément comme je suivrais John Nicholson. Jusqu'à la damnation si besoin était.

– Ils le feront, dit Alex avec un sourire. Niaz ne me tient pas mes étriers, à moi, pas plus qu'il ne me traite de Bahadur.

– Dieu vous bénisse, Alex.

Les deux hommes se serrèrent brièvement la main, puis Hodson se dirigea vers la porte du Cachemire tandis que Niaz, tout raide, le saluait.

– Que fait ici Bahadur Hodson ? demanda Niaz à mi-voix à Alex, une fois William parti.

– Il est venu voir un ami en ville.

– C'est donc cela ! dit Niaz d'un ton pensif. Te souviens-tu de l'astrologue d'Amritsar l'année qui a suivi la prise du Pendjab ? Ce dernier avait prédit à Hodson que, sept ans plus tard, son étoile se lèverait et brillerait au milieu de beaucoup de sang. Ces années sont à peu près écoulées et il se peut qu'il sente ce sang.

Niaz s'empara des brides des chevaux pour les emmener, tandis qu'Alex gravissait la pente montant aux remparts d'où venaient des voix, des rires et le cliquetis des verres et de l'argenterie.

Les convives du pique-nique étaient groupés autour d'une longue nappe blanche étendue sur un tapis posé à même la pierre chaude. Les femmes les moins jeunes étaient installées sur des chaises de rotin et les autres sur des coussins, leurs amples jupes étalées autour d'elles comme des roses épanouies. Les hommes étaient assis auprès d'elles, les jambes croisées, ou s'appuyaient aux créneaux, tandis que des domestiques vêtus de blanc servaient des plats froids en abondance et des boissons. Les bougies, allumées au début, attiraient tant d'insectes qu'on les avaient éteintes et seule la lune éclairait la scène.

Cette lune de l'Inde dont la lumière est aussi claire et aussi brillante qu'une soirée de printemps en Occident.

– Mon cher Alex, nous ne croyions plus vous voir ! Où étiez-vous ?

Mrs Abuthnot ramassa sa large crinoline et, s'approchant, Alex se laissa tomber à ses pieds sur le tapis.

– Je vous prie de m'excuser : j'ai rencontré un ami que je n'avais pas vu depuis plus de deux ans et qui quitte Delhi ce soir.

Il accepta une assiette de viande froide qu'il mangea sans y faire attention, son esprit encore à sa conversation avec William. Tout à coup, il se rendit compte que quelqu'un l'appelait par son nom et, revenant sur terre, il découvrit Winter assise à sa gauche.

La réunion était très gaie, mais malgré ses efforts, Winter n'arrivait pas à se mettre à l'unisson de la bonne humeur générale. Elle faisait de son mieux pour paraître intéressée et amusée mais le chagrin, qui l'avait frappée de plein fouet en apprenant que Conway ne viendrait pas à Delhi, était revenu et primait sur la joie ambiante.

Avec l'arrivée d'Alex, un peu de sa peur, de ses doutes et de sa tension d'esprit la quitta. Alex possédait quelque chose d'instantanément rassurant, et Winter dut combattre une envie soudaine et enfantine de saisir sa manche et de la tenir bien serrée. S'en serait-il aperçu ? Il semblait si *distrait* ! Une fois épuisé le timide essai de conversation tenté par son autre voisin, elle put enfin se tourner vers Alex et lui demander :

– Qui était cet officier que vous m'avez présenté, capitaine Randall ? Est-il cantonné à Delhi ?

Alex se tourna vers elle les sourcils froncés, puis son visage s'éclaircit :

– Oh ! C'est vous. Excusez-moi, mon esprit était ailleurs. Que disiez-vous ?

Winter répéta sa question et Alex lui répondit :

– William Hodson. Il n'était à Delhi que pour la journée. Son régiment est dans les collines de Simla et je crois que William lui a brûlé la politesse.

– Vous voulez dire qu'il est parti sans avoir une permission ? Les officiers ont-ils le droit d'agir ainsi ?

– Non, mais William a sa loi à lui, ce qui lui a déjà causé beaucoup d'ennuis et lui en causera encore plus à l'avenir. Mais si une autre guerre devait éclater dans ce pays, je préférerais avoir William derrière moi plutôt qu'un corps d'armée entier. Non que William puisse être derrière quelqu'un, il serait plutôt vingt pas en avant !

– Vous l'aimez beaucoup, il me semble.

– Oui, répondit brièvement Alex.

– Parlez-moi de lui.

À sa propre surprise, Alex s'aperçut qu'il cédait à la demande de Winter et se mit à lui décrire William, cette personnalité dynamique et inattendue, dont l'endurance allait de pair avec l'enthousiasme et l'impatience. Emporté par son sujet, Alex en oubliait qu'il se trouvait avec la future épouse du résident Barton, cette jeune fille cause de tant d'ennuis et d'irritation. Comme il l'avait fait auparavant au clair de lune de Malte, il parlait à quelqu'un avec qui il se sentait parfaitement à son aise. Il se rendit compte soudain que l'on avait servi trois plats depuis le début de leur conversation et que lord Carlyon le regardait, visiblement conscient de ce qu'Alex avait monopolisé la petite Ballesteros pendant au moins vingt minutes. Il dit à Winter :

– J'ai l'impression d'avoir été beaucoup trop bavard. Quel sujet pour un pique-nique au clair de lune ! William devrait en être flatté ! Vous ai-je ennuyée ?

– Non.

– Pourquoi vous intéressait-il ?

La réponse le prit absolument de court car Winter dit simplement :

– Parce que c'est un de vos amis. Voyez-vous, ajouta-t-elle lentement, comme si elle se parlait à elle-même, je ne sais pas grand-chose à votre sujet, mais on apprend un peu plus sur quelqu'un si on connaît ses amis.

– Et me connaissez-vous mieux maintenant ? demanda Alex avec une note bizarre dans la voix.

– Je le crois. Alex...

Une fois encore, elle utilisa inconsciemment son prénom.

– Oui ?

– Pourquoi Conway n'est-il pas venu à Delhi ? Y avait-il une... autre raison ?

Alex ne répondit pas. Winter insista :

– Je veux dire une autre raison que son travail ?

« *Sacrebleu !* pensa Alex pris au dépourvu et tout à fait désorienté. Comment répondre à une telle question en un tel moment ? Et quel intérêt à répondre ? Il l'avait fait une fois et avait reçu un coup de cravache sur le visage pour la peine. Peut-être parce qu'il était un étranger alors ? Maintenant qu'elle le connaissait mieux, le croirait-elle plus facilement ?... Je ne peux tout de même pas lui expliquer en plein milieu de ce pique-nique idiot. *Je ne peux pas*. Il faut que cela attende... »

– Y avait-il une autre raison ? insistait Winter.

– Non. C'est-à-dire... non. Je...

Il fut interrompu par Mrs Abuthnot, penchée

en avant, qui lui tapait l'épaule de son éventail :

– Mon cher Alex, vous êtes assis sur les volants de ma robe et je voudrais me lever. Winter, nous devons laisser les messieurs terminer leur porto, venez. Venez, Lottie.

Lorsqu'elles revinrent, les restes du repas avaient été ôtés et seuls demeuraient les tapis et les coussins. La plupart des convives ne s'étaient pas encore assis et s'éparpillaient le long des remparts pour bavarder, rire et admirer la vue au clair de lune. Winter fut soulagée en apercevant Carlyon avec Delia qu'il emmenait voir la rivière sous le sourire complaisant de Mrs Gardener Smith.

Elle ne vit Alex nulle part et se demanda s'il avait quitté la réunion, mais d'après Lottie il était parti longer le mur en direction du Water Bastion. « Il donnait l'impression d'être un peu contrarié et de ne pas désirer de compagnie. »

Pourquoi Alex semblait-il si décontenancé lorsqu'elle l'avait interrogé sur Conway ? Presque... coupable.

– Ma chère Winter, dit Mrs Abuthnot en se précipitant sur elle, voici quelqu'un que vous serez heureuse de rencontrer, j'en suis sûre. Mr Carroll se trouvait, il y a moins d'une semaine, à Lunjore où il a passé la nuit chez le colonel Moulson... Vous vous souvenez bien du colonel Moulson ? Ils ont dîné avec Mr Barton, et il peut donc vous en donner des nouvelles toutes fraîches.

Mr Carroll, un gros homme au visage rougeaud, dévisagea Winter en murmurant qu'il était très honoré de la connaître. Il avait vu en effet le Résident au cours du dernier week-end. Allant souvent à Lunjore, il connaissait Barton depuis plusieurs années. Ce dernier avait même été assez aimable pour le prier de rester afin de lui tenir compagnie parce qu'il était très peu occupé pour l'instant. Mais lui, Mr Carroll, ayant trop à faire, n'avait pu accepter.

Subitement conscient de l'étonnement et du choc qui apparaissaient sur les visages des Abuthnot et de la jeune condesa, Mr Carroll s'arrêta très ennuyé.

– Mais ceci est absurde, dit Mrs Abuthnot d'un ton sec. Peut-être ne saviez-vous pas que nous attendions Mr Barton à Delhi mais que son travail ne lui a pas permis de quitter Lunjore. Vous devez vous tromper.

– Oh ! Heu... oui, dit Mr Carroll d'un air malheureux. J'ai dû mal comprendre. Oui, bien sûr, je...

Winter interrompit son bafouillage :

– Je vous en prie, monsieur, dites-moi pourquoi mon... le Résident... n'a pas pu venir à Delhi ? Est-il... est-il malade ?

Embarrassé et affolé, Mr Carroll sauta sur cette excuse comme un noyé sur une planche qu'il verrait passer :

– Oui, oui, je crains que ce ne soit cela. Il... heu... ne voulait pas vous inquiéter et souhaitait vous épargner. C'est très embarrassant de tomber malade en un tel moment.

– Mais... mais pourquoi ne pas me l'avoir dit ?

Winter serrait très fort ses mains.

Mr Carroll avala sa salive et chercha une réponse convenable. L'inspiration lui vint :

– Il ne voulait pas vous le dire de crainte que vous ne considériez de votre devoir de le rejoindre immédiatement. Le chevet d'un malade n'est pas un endroit pour une dame. La fièvre, vous savez... (En un éclair, Mr Carroll revit le visage bouffi et boursouflé du Résident de Lunjore et improvisa sans hésiter :) Une fièvre produisant un œdème. Rien de sérieux, je vous le garantis. Simplement... heu... défigurant. Ce n'est pas contagieux. Mais aucun homme ne souhaiterait être vu ainsi par sa fiancée.

– Oh ! Le pauvre cher homme ! s'exclama Mrs Abuthnot émue. Comme je le comprends ! Comment pourrait-il accepter de se montrer dans un aussi triste état ? Et, *bien sûr*, il n'allait pas vous infliger l'inconfort d'une chambre de malade, Winter. Peut-être est-ce aussi la raison pour laquelle il n'est pas venu à Calcutta ? Je suppose qu'il espérait aller assez bien pour venir à Delhi à la place et a eu une rechute ?

Winter dit d'une voix ardente et essoufflée :

– Est-ce cela, monsieur ? Depuis combien de temps est-il malade ?

Mr Carroll regarda d'un air malheureux le visage pâle et tendu. Il avait fait plus d'une fois la noce avec Barton et le considérait comme très porté sur l'alcool et les femmes; mais il ne pouvait dire la vérité à cette jeune femme. Un mensonge était préférable et il enverrait un mot dès le lendemain à Conway pour le prévenir.

– Heu... environ six semaines, répondit Mr Carroll, ou peut-être un peu plus. C'est une histoire de longue haleine. Il espère être guéri très rapidement. Cela s'améliore déjà. Vous ne lui direz pas que je vous en ai parlé : il ne voulait pas que vous vous inquiétiez à son sujet.

– Non, je ne le lui dirai pas. Mais je suis *si* contente de savoir... de savoir qu'il va mieux. Merci, monsieur. Je vous suis *réellement* reconnaissante.

Elle tendit la main à Mr Carroll qui s'inclina et se hâta de s'éloigner.

– Le pauvre cher homme ! s'écria encore Mrs Abuthnot. Comme c'est noble de sa part de souhaiter vous épargner de l'anxiété. Et comme c'est *humain* de ne pas vouloir être vu par vous lorsqu'il n'est pas à son avantage. Mais où allez-vous, Winter ?

Winter ne lui répondit pas et il est probable qu'elle n'entendit même pas la question. Elle releva la courte traîne de son costume de cheval et, se détournant, se dirigea vers les remparts en direction du Water Bastion.

Peu de promeneurs flânaient encore sur les larges remparts, la plupart d'entre eux ayant rejoint le groupe où deux musiciens exerçaient leurs talents. Cependant, un solitaire demeurait assis sur les créneaux dominant la rivière, et le bout de son cigare mettait un point lumineux rouge dans le bleu, le noir et l'argent de la nuit.

Alex ne souhaitait la compagnie de personne. Il se sentait en colère, irritable et coupable sans raison aucune. Il avait espéré ne plus avoir à avertir la fiancée de Mr Barton car, lorsqu'elle aurait atteint Lunjore et vu l'homme, cette histoire serait terminée, à part l'organisation de son retour en Angleterre. Et, ce qui importait plus, la rupture des fiançailles n'aurait rien à voir avec lui, Alex Randall, et par conséquent n'amènerait pas le Résident à le faire muter de Lunjore pour un travail subalterne comme c'était le cas de William. Mais Winter lui avait posé une question directe à laquelle il devait répondre. Il s'en était tiré par un mensonge parce qu'elle l'avait pris au dépourvu et que la vérité n'était pas bonne à dire dans un tel environnement. Elle avait posé cette question parce qu'elle était effrayée et incertaine, il le savait. Mais ne l'avait-elle pas posée aussi parce que, le connaissant mieux et le considérant avec moins d'hostilité, elle s'était souvenue de ce qu'il lui avait dit dans l'avenue de Ware et commençait à se demander si, quand même, cela n'était pas vrai.

Il aurait à lui dire la vérité et cette fois-ci elle

retournerait à Calcutta et en Europe plutôt que de se rendre à Lunjore. Et cela signifiait que le Résident lui poserait des questions et...

« Au diable, les femmes ! » pensa Alex férocement. Que lui arrivait-il ? Ce n'était pas le moment de laisser un visage jeune, pâle et effrayé s'interposer entre lui et le travail qui devait être fait. Et pourtant...

Il entendit un bruit de pas légers et le frou-frou d'une robe. Une aigrette se leva en un battement d'ailes argentées et s'envola dans la nuit lorsque les pas s'arrêtèrent près d'Alex qui écrasa son cigare sur l'un des créneaux, se tourna et se mit debout.

Dans le clair de lune blanc, le visage de Winter apparut, vidé de toute couleur, et elle respirait irrégulièrement comme si elle avait couru. La tenue de cheval ajustée gris perle, qu'elle portait au lieu d'une crinoline, moulait les lignes harmonieuses de son corps et lui donnait une apparence de maturité et de haute taille. Mais elle n'arrivait pas plus à contrôler le tremblement enfantin de ses lèvres qu'à supprimer la colère et le chagrin de ses yeux. La regardant dans la pleine clarté lunaire, Alex sentit son cœur le pincer bizarrement, tandis que montaient en lui une colère et un chagrin valant ceux de Winter.

D'une voix rapide qu'elle essayait de garder ferme, elle dit :

– Vous saviez ce qu'avait Conway. Vous l'avez toujours su. Vous auriez pu me le dire même s'il ne voulait pas que je le sache. J'avais le droit de savoir. Et toutes ces semaines, je pensais... je pensais...

Sa voix se brisa et Alex dit rapidement :

– J'ai essayé de vous le dire une fois, mais vous n'avez pas voulu m'écouter.

– Vous ne me l'avez jamais dit. Le jour où

vous m'avez prévenue qu'il ne pouvait pas venir, je vous ai demandé s'il lui était arrivé quelque chose et votre réponse a été négative. Je vous ai à nouveau posé la question ce soir...

– Je regrette, répéta Alex, le soulagement et la pitié submergeant son inexplicable colère.

Cependant elle avait assez confiance en lui pour être sûre qu'il lui disait la vérité, et ceci, assez bizarrement, fit souffrir Alex.

– Vous connaissiez la raison pour laquelle il n'était pas venu me chercher à Calcutta. Vous aussi aviez une lettre de lui. Il devait vous l'expliquer dans cette lettre.

Alex fronça soudain les sourcils :

– M'expliquer quoi ?

– Oh ! D'après Mr Carroll, il ne voulait pas que je sois au courant, il pensait que cela me peinerait. Et puis, il voulait éviter de m'inquiéter. En outre, il ne pouvait souhaiter que je le voie ressemblant à... (Sa voix s'arrêta sur un hoquet d'horreur.) Quoi, il a même peut-être cru que je me détournerais de lui si sa maladie avait affecté son apparence. Il aurait dû savoir que tel n'était pas le cas ! Mais il est vrai qu'il ne m'a pas vue depuis si longtemps. Mais *vous*, vous le saviez bien que je ne suis pas ainsi. Si vous m'aviez dit...

Alex l'interrompit brusquement :

– Il doit y avoir un malentendu. Je n'ai pas la moindre idée de ce dont vous parlez. Que vous a dit Mr Carroll ?

– La vérité : Conway a été malade.

– *Malade ?*

Winter leva son menton d'un coup sec.

– J'espère que vous n'allez pas nier que vous êtes au courant ?

– Bien sûr que si, quoique je suppose qu'il soit possible de décrire ainsi sa condition. Mais, ce n'est pas de cette manière que je me serais exprimé, moi. Peut-être aurez-vous la bonté de me répéter exactement les paroles de Mr Carroll ?

Winter les lui répéta d'une voix empreinte d'indignation et de reproche :

– Je pense que vos intentions étaient bonnes, mais vous auriez dû comprendre que je préférais savoir la vérité...

– Vous avez raison, j'aurais dû vous la dire. La voulez-vous maintenant ?

– Je la connais désormais.

– Oh non, vous ne la connaissez pas. Non... (Il tendit la main et attrapa Winter par le poignet lorsqu'elle fit mine de s'en aller.) Cette fois-ci, vous ne partirez pas sans que je vous aie mise au courant.

Winter essaya furieusement de se dégager, mais voyant qu'elle n'y réussirait pas, elle laissa aller son bras :

– Très bien, j'écoute.

– Mr Barton n'est pas malade. Du moins pas dans le sens habituel du terme.

– Que voulez-vous dire ?

Ses mots n'étaient guère plus qu'un murmure.

– Je veux dire (la voix d'Alex possédait une intonation brutale) que Mr Barton s'adonne trop à l'alcool, à la drogue et aux femmes.

Winter retint sa respiration et essaya de s'éloigner rapidement, mais cette fois-ci encore Alex fut plus prompt qu'elle. Il la saisit par le bras et s'arrangea pour qu'elle soit face à lui.

– Je le regrette, mais vous allez m'écouter. Je vous ai déjà dit une fois que Barton n'était pas du tout un homme auquel vous devriez avoir affaire, et encore moins épouser. Un libertin et un ivrogne n'est pas le mari qu'il faut à une femme telle que vous. À aucune femme d'ailleurs. Il n'est pas venu en Angleterre pour vous épouser car il a craint que, s'il le faisait, un seul regard sur l'homme qu'il était devenu suffise à vous faire rompre votre engagement. Je ne sais pas pourquoi il n'a pas été vous retrouver à Calcutta. Probablement pour la même raison. Ce que je sais, en revanche, c'est que les suites d'une orgie, et rien d'autre, l'ont empêché de partir pour Delhi. Il était incapable de se tenir debout quand je l'ai quitté.

Alex lâcha alors Winter, mais elle ne bougea pas. Elle demeura immobile, les yeux énormes et effrayés, et une fois de plus Alex fut conscient de cette étonnante douleur dans son propre cœur. Il dit d'un ton rude :

– Bien, maintenant que vous savez la vérité, je suggère que vous retourniez à Calcutta pour vous y embarquer dès que vous trouverez une place disponible.

Elle ne lui répondit pas et l'instant parut s'éterniser. Une mangouste courut le long du parapet en se tenant dans l'ombre. Ni l'un ni l'autre ne parla ni ne remua et, dans le silence du clair de lune, une mélodie plaintive passa au-dessus des remparts pour se fondre dans le lointain, emplissant la nuit d'une magie étrange et nostalgique.

Winter vit la bouche d'Alex s'adoucir et se contracter et elle dit en un murmure :

– Non ! Oh ! non... je ne le crois pas. Alex...

Elle tendit une main tâtonnante dans un geste qui le suppliait de la rassurer et, lorsqu'elle atteignit Alex, quelque chose passa entre eux. L'instant suivant, le bras d'Alex entourait Winter et la tint serrée. L'espace d'une seconde, elle lui résista violemment, tout son corps raidi par le choc. Puis la bouche d'Alex se posa sur celle de Winter et d'un seul coup sa rigidité et sa résistance l'abandonnèrent, et le sol ne fut plus solide sous ses pieds...

La peau de Winter sentait légèrement la lavande et son corps était doux et parfumé entre les bras d'Alex, aussi doux et parfumé que ses lèvres, ses paupières closes et ses cheveux brillants. La bouche d'Alex n'était ni chaude ni gourmande comme celle de Carlyon. Ses lèvres étaient fraîches et fermes et ses baisers lents ressemblaient à une drogue qui la privait de pensées et de mouvements, amenuisant la nuit, le clair de lune, le vaste monde et le ciel encore plus vaste, les réduisant au cercle clos par le bras de cet homme.

Elle sentit qu'Alex libérait son bras gauche de l'écharpe, puis ses doigts vinrent se poser sur la naissance du cou de Winter, le remontèrent à travers les épaisses boucles, caressant la courbe de la tête et la tenant d'aussi près et avec autant de possession que le faisait le bras droit de son corps. La bouche d'Alex quitta enfin celle de Winter et sa joue lui parut fraîche et piquante contre la sienne, douce et chaude.

– *Chérie, ma chérie*...

Sa voix était une caresse murmurée, mais elle brisa le charme. Winter se libéra brusquement et se recula, secouée par la rage, la honte et le choc d'une révélation soudaine :

– Ah ! *C'est pour cela* que vous le haïssez !...

La voix de Winter était basse et empreinte de dédain :

– Vous êtes jaloux de Conway et vous avez inventé toute cette histoire. Vous n'avez même pas assez d'honneur et de décence pour vous empêcher de faire la cour à sa future femme. *Vous*... vous et Carlyon ! Mr Carroll m'a *bien* dit la vérité. Pourquoi me mentirait-il ? Conway est malade, et parce que vous le détestez, vous faites tout ce que vous pouvez pour le noircir à mes yeux. Cela vous permet de profiter de moi derrière son dos. J'espère... que je n'aurai jamais à vous revoir !

Sa voix se brisa sur un sanglot et elle s'enfuit. Il entendit le bruit de ses pas diminuer le long du mur et se perdre dans les chants lointains.

Alex n'essaya pas de la suivre. Il resta là où elle l'avait laissé, regardant sans voir. Il s'assit lentement et chercha machinalement du tabac et des allumettes dans ses poches. Il roula avec soin une cigarette et frotta son allumette contre une pierre usée. Elle prit feu avec un sifflement et un craquement de soufre et la petite flamme jaune atténua momentanément la clarté lunaire.

Les chants cessèrent et la nuit redevint silencieuse. Alex devait avoir oublié son allumette car elle brûlait entre ses doigts. Il la lâcha avec une rapide grimace de souffrance et, ôtant la cigarette de sa bouche, il la jeta au loin dans l'ombre.

– *Allez au diable !* dit Alex à voix haute, s'adressant au clair de lune, à la vieille ville de Delhi et à l'Inde tout entière.

23

Les projets de lord Carlyon commençaient enfin à prendre forme et, poursuivant sa politique d'apaiser les craintes de Winter, il l'avait soigneusement évitée pour se consacrer à distraire Delia Gardener Smith.

Au cours du dîner, rencontrant le regard pensif d'Alex il l'avait fixé pendant longtemps, la gorge serrée de rage. Plus tard dans la soirée, lorsque les chants avaient commencé, Carlyon n'avait pas manqué de remarquer que ni Winter ni

Randall n'étaient là et, à en juger par la direction des coups d'œil anxieux de Sophie, il ne doutait pas de l'endroit où ils se trouvaient.

Carlyon avait enduré ce supplice aussi longtemps qu'il l'avait pu, mais comme le temps passait et qu'Alex et Winter ne revenaient pas, sa jalousie avait augmenté jusqu'à n'être plus supportable. Il s'était levé pour se diriger vers le Water Bastion. À mi-chemin, il entendit courir et quelqu'un se jeta sur lui et serait tombé s'il ne l'avait retenu.

– Oh ! C'est vous...

La voix de Winter était essoufflée et pleine de sanglots. Elle avait oublié qu'elle n'aimait pas cet homme. Elle avait tout oublié sauf la trahison d'Alex, son mensonge et le fait qu'il l'avait humiliée.

– Amenez-moi à la maison, s'il vous plaît, je ne peux pas rester ici.

Carlyon écarta Winter de l'ombre pour la mettre en pleine lumière et vit que son visage décomposé était trempé de larmes. Furieux, il lui dit :

– Que vous a-t-il fait ? Je vais aller lui casser la figure !

– Non, non, je vous en prie. Je veux retourner au bungalow, je vous en supplie, reconduisez-moi.

– Bien sûr. (Il prit la main de Winter et la mit sous son bras, puis ils se dirigèrent vers le groupe proche de la porte du Cachemire. Ils n'avaient pas fait douze pas que Carlyon s'arrêta :) Il va falloir passer au milieu de tous ces gens, il n'existe pas d'autre chemin. Ce ne sera guère agréable pour vous d'être vue dans cet état. Puis-je ?...

Il tendit un mouchoir propre que Winter accepta avec reconnaissance.

– Vous êtes très gentil.

– Non, je ne le suis pas. (Une amertume

inattendue et de la sincérité perçaient dans la voix de Carlyon et Winter, étonnée, leva les yeux sur lui. Carlyon se reprit très vite :) Je vous ai dit que si je pouvais vous aider d'une manière quelconque j'en serais très heureux. Je le pensais, vous savez.

– Je... je le sais.

Le savait-elle ? S'était-elle trompée au sujet de lord Carlyon ? Elle s'était bien trompée sur Alex. Alors dans ce cas...

Tout d'un coup, Winter s'aperçut qu'elle racontait tout à Carlyon. La maladie de Conway. La perfidie du capitaine Randall, ses propres craintes et doutes lorsque Conway n'était pas venu à Delhi :

– Je n'arrivais pas à comprendre. Il me semblait qu'il aurait pu laisser pour quelques jours le travail à Alex. Juste pour venir me chercher. Mais maintenant que je suis au courant, je dois aller immédiatement près de lui, je ne vais pas attendre une semaine de plus à Delhi ! J'aiderai à le soigner, une chambre de malade ne me fait pas peur. Il pourrait avoir une autre rechute. Il a besoin de moi s'il est malade. Voulez-vous... voulez-vous m'aider à aller jusqu'à lui ?

Carlyon se rendit compte que Winter tremblait violemment. Il ne savait rien de l'homme que la jeune condesa devait épouser, mais ce qu'il connaissait du capitaine Randall le portait à supposer que ses révélations concernant son chef étaient probablement exactes. Randall ne donnait pas l'impression d'un homme se livrant à ce genre de mensonge. D'un autre côté, Randall paraissait avoir fait, ou essayé de faire, des avances à la future épouse de son officier supérieur et Carlyon était partagé entre une rage primitive que Randall ait osé agir ainsi, et la satisfaction qu'en le faisant il avait travaillé pour

Carlyon, lui fournissant une occasion qui n'était guère moins qu'un don des dieux.

– Je vais vous emmener à Lunjore moi-même, vous ne pouvez y aller sans escorte.

Winter se mit à respirer rapidement, tandis que ses mains se nouaient et se dénouaient sur son costume gris :

– Le feriez-vous vraiment ?

– Naturellement. C'est une chance énorme que j'aie acheté une voiture. Vous-même et votre femme de chambre pourrez voyager dedans et moi, je serai à cheval. Il y a une seule chose…

Il s'arrêta, les sourcils froncés, et Winter dit d'un ton anxieux :

– Qu'est-ce ?

– Je ne sais pas très bien, mais je pense que peut-être feriez-vous mieux de ne pas parler de cette affaire aux Abuthnot. Ils comprendraient très bien votre désir, mais seraient obligés de vous empêcher de partir sans Mrs Gardener Smith comme chaperon. Ils ne trouveraient pas du tout convenable que vous voyagiez soit seule, soit sous ma garde et je ne vois pas Mrs Gardener Smith avançant son départ.

– Non, dit Winter lentement, elle ne le ferait pas. Et vous avez raison pour les Abuthnot. Mais je n'attendrai pas, non je ne veux pas ! Je… je suis ma propre maîtresse et personne ne peut m'empêcher de partir.

– Ils essaieront, dit Carlyon sèchement.

– Oui, je le suppose. (Elle se redressa et leva le menton, calmant le tremblement de son corps en un visible effort de volonté.) Quand pouvons-nous partir ? Demain ?

– Oui, la chose est possible.

– Vous êtes très bon. Je vais dire ce soir à Mrs Abuthnot que je désire me rendre immédiatement à Lunjore. Il faut que je le fasse. Si elle veut bien m'aider, je n'aurai pas à vous déranger. Sinon... eh bien ! le mieux sera de partir le plus tôt possible.

Winter rejoignit le bungalow en voiture et Mrs Abuthnot, que la pâleur de la jeune fille inquiétait, lui conseilla de se coucher au plus vite et lui prescrivit du lait chaud et des gouttes de chlorodyne. Sa sollicitude fournit à Winter l'occasion de lui demander son approbation et sa permission de partir sans retard pour Lunjore. Bien que fort compréhensive, Mrs Abuthnot ne voulut pas en entendre parler. Un tel projet était hors de question. Winter eut beau discuter et plaider, Mrs Abuthnot versa bien quelques larmes de sympathie mais demeura inflexible.

– Vous verrez que le colonel Abuthnot et Alex seront d'accord avec moi.

Après avoir éteint la lampe, elle quitta la chambre et Winter, étendue dans le noir, prit sa décision. Elle n'attendrait pas huit jours de plus, ni même un jour. Il lui fallait s'en aller tout de suite. Alex quittait Delhi le lundi suivant et si, elle, elle partait dès aujourd'hui, elle serait à Lunjore bien avant lui, mariée avec Conway et donc protégée d'Alex. Elle ne savait pas pourquoi elle devait être protégée d'Alex et ne comprenait pas que ce qui la poussait au départ venait d'un désir panique de lui échapper.

Il faudrait que Conway se débarrasse d'Alex et lui trouve donc un autre poste; jusque-là, elle n'aurait pas besoin de le revoir. Quant à Carlyon, elle avait oublié qu'elle ne l'aimait pas et n'avait aucune confiance en lui : il n'était pour elle qu'un moyen d'en arriver à ses fins, une chose qui, comme la voiture et les chevaux, la conduirait à Conway.

Winter tâtonna pour trouver des allumettes et une bougie. Se glissant hors du lit, elle écrivit un mot bref à Carlyon que l'ayah irait porter le matin de bonne heure. Elle écrivit une lettre plus longue pour Mrs Abuthnot qu'elle cacheta à la cire. Ses bagages la suivraient après coup car les préparer donnerait l'éveil. Elle alluma une seconde bougie et fit un choix de vêtements et objets de toilette qu'elle répartit entre une petite valise et un spacieux sac en tapisserie. Il faudrait que Carlyon trouve un moyen de les faire porter à la dérobée dans la voiture.

Le lendemain Mrs Abuthnot, qui avait visiblement oublié l'idée de Winter de partir immédiatement pour Lunjore, commença à lui dresser une liste de festivités et de réunions mondaines pour la semaine à venir. Carlyon l'interrompit en demandant si Winter aimerait sortir avec lui pour essayer sa nouvelle voiture.

Mrs Abuthnot n'était pas du tout sûre que ce soit indiqué pour la chère Winter d'être vue se promenant *à deux* avec lord Carlyon, mais elle se consola en pensant qu'elle était fiancée et qu'une promenade à l'air lui ferait du bien. En partant, Winter l'embrassa avec une affection inhabituelle dont Mrs Abuthnot fut touchée.

À midi, la voiture n'était pas de retour et à une heure, Mrs Abuthnot commençait à se sentir sérieusement troublée. Elle était persuadée que ni Winter ni Carlyon ne se seraient laissés aller à être en retard à déjeuner. Il ne pouvait y avoir qu'une explication. Ou la voiture s'était brisée ou, horreur ! les chevaux s'étaient emballés.

– Lord Carlyon aurait fait prévenir par un des palefreniers s'il y avait eu un accident, dit Lottie.

Une recherche dans les communs prouva que les palefreniers et les chevaux de rechange, que Mrs Abuthnot avait vus partir sans y attacher d'importance, n'étaient pas revenus.

– Maman, dit pensivement Sophie, ne pensez-vous pas qu'ils ont pris la fuite ?

Mrs Abuthnot émit un petit cri :

– Sophie ! Comment pouvez-vous suggérer une chose pareille !

– Excusez-moi, Maman, mais vous devez reconnaître qu'il est un peu étrange que tous les serviteurs et tous les chevaux de lord Carlyon soient partis et qu'aucun ne soit revenu. Tout le monde peut voir qu'il admire Winter.

– Jamais cette chère Winter n'aurait...

Mrs Abuthnot s'arrêta. Elle venait de se rappeler le baiser donné par Winter le matin même. Ce baiser chaleureux, si inhabituel chez cette fille peu démonstrative. *Lunjore !* Mrs Abuthnot se laissa tomber sur sa chaise avec un grognement qui fit accourir Lottie et Sophie.

– Oh ! non, hoqueta Mrs Abuthnot en appuyant ses mains grassouillettes sur sa vaste poitrine. Oh non ! Elle n'a pas *pu* commettre une telle action. Elle aurait *au moins* laissé une lettre !

Lottie se précipita pour chercher la corne de cerf, tandis que Sophie, plus pratique, partit en direction de la chambre de Winter d'où elle revint quelques minutes plus tard avec deux lettres trouvées sur la cheminée.

Appelé d'urgence par son épouse, le colonel Abuthnot refusa de partir immédiatement à la poursuite des fugitifs :

– Je ne le ferai pas, ma chère Milly. Cette fille est allée rejoindre son futur mari, ce qui est très compréhensible. Il est ridicule de suggérer que je devrais m'engager à la poursuite de Carlyon et de Winter. Si quelqu'un devait le faire, ce serait plutôt la place du capitaine Randall. La jeune fille est fiancée à *son* supérieur et non pas au mien. En outre, il est nettement plus jeune que moi, il arriverait peut-être à les rattraper, ce dont je ne suis plus capable.

– *Alex ! Pourquoi* n'ai-je pas pensé à lui !

Mrs Abuthnot se précipita pour rédiger une brève missive demandant à Alex de venir immédiatement et la fit porter au château de Ludlow. Mais Alex étant sorti, le porteur de la lettre s'installa à l'ombre pour y dormir jusqu'au retour du capitaine.

Alex ne rentra que peu de temps avant le coucher du soleil, et de méchante humeur. Il prit le temps d'un bain pendant que Niaz faisait seller Shalini, sa jument, et arriva au bungalow des Abuthnot sans avoir aucune idée de la raison pour laquelle on le demandait d'urgence. Il n'était donc absolument pas préparé à la nouvelle que lui apprit Mrs Abuthnot.

Elle vit le visage d'Alex pâlir :

– À quelle heure sont-ils partis ?

– Très tôt, sanglota Mrs Abuthnot en se tamponnant les yeux de son mouchoir. Neuf heures, je dirais.

– Bonté divine, madame, explosa Alex, n'auriez-vous pas pu me prévenir plus tôt ?

– Mais nous n'avions pas compris avant que Sophie ne trouve cette lettre...

Elle la tendit à Alex qui la lut avec des yeux presque noirs de colère.

– Ensuite, vous n'étiez pas là, continua Mrs Abuthnot, et ce stupide domestique n'a pas pensé à demander où vous joindre.

– Que vous proposez-vous de faire ? demanda le colonel Abuthnot qui venait d'entrer par la porte de la véranda.

– La ramener, dit Alex avec concision.

– C'est trop tard maintenant. Elle aura passé toute la nuit avec cet homme avant que vous réussissiez à la rejoindre. Je ne vois d'ailleurs pas ce que cela changera. Quand il s'agit de revendiquer des droits sur une femme, deux hommes ne valent pas mieux qu'un, croyez-moi. C'est même pire. Je ne suis pas très sûr d'avoir confiance en Carlyon. Cette fille l'intéresse. N'importe quel idiot pouvait voir qu'il la voulait pour lui. Il l'a probablement séduite à l'heure qu'il est.

Abuthnot vit alors le regard d'Alex et recula involontairement :

– Non, non, je ne m'attends pas à ce qu'il ait commis une pareille action. Mais en ce qui concerne la réputation de Winter...

Alex l'interrompit :

– Lui permettrez-vous de rester ici lorsque je la ramènerai, madame ?

– Bien sûr que oui. Je sais très bien que la chère enfant est incapable de mal faire. Elle a seulement été bouleversée en apprenant la maladie de Mr Barton et a voulu se rendre à son chevet sans perdre de temps. C'est très normal. Le *meilleur* des motifs ! Mais elle peut ne pas souhaiter revenir.

– Ce qu'elle souhaite n'a rien à voir dans l'histoire, dit Alex entre ses dents. J'espère être de retour à une heure à peu près convenable demain matin, et si cette affaire n'a pas été ébruitée hors de la maison, je ne vois aucune raison pour qu'elle le soit.

– Vous n'avez pas à vous inquiéter à ce sujet, mon garçon, dit fermement le colonel Abuthnot. Ce n'est pas notre genre de bavarder à propos d'une telle aventure. S'il n'y avait pas ce Carlyon qui s'imagine être amoureux de la jeune fille, je vous conseillerais d'abandonner et de laisser Winter se précipiter à Lunjore. Je pense que Barton acceptera d'être indulgent une fois qu'elle sera en sécurité près de lui, et si vous n'essayez pas d'aller la chercher pour la ramener, ce sera lui qui la prendra en main.

Alex, qui avait déjà presque quitté la pièce, se retourna et dit avec brutalité :

– C'est précisément la raison pour laquelle j'ai l'intention de la ramener. Lord Carlyon peut aller au diable.

Il claqua la porte et le colonel Abuthnot dit après réflexion :

– Je veux bien être pendu si ce garçon n'est pas tombé lui-même amoureux de cette fille. Voyez maintenant ce que vous avez fait, Milly.

– Fait ? Qu'ai-je fait ? J'ai envoyé Alex chercher Winter, il fallait bien que quelqu'un y aille. Et, bien sûr, il n'est pas amoureux d'elle !

– Vous êtes une folle, Milly, dit le colonel Abuthnot avec affection. Pourquoi serait-il dans un tel état ? Ce n'est pas un homme à perdre son contrôle pour rien. Maintenant, cela va être le diable et son train.

– Que *pouvez*-vous bien vouloir dire, George ?

– Vouloir dire ? Mais que si je ne me trompe pas au sujet d'Alex et s'il rejoint ces deux-là avant Lunjore, il tuera Carlyon. Et s'il ne le fait pas, ce sera probablement Barton qu'il tuera !

Mrs Abuthnot, qui en avait supporté assez, se réfugia dans une crise de vapeurs.

L'humeur d'Alex était si proche d'être meurtrière que les prédictions du colonel Abuthnot auraient pu être désagréablement proches de la réalité s'il n'était entré en ligne de compte un facteur qu'Alex n'avait pas prévu. Le gué de Jathghat.

Il s'était arrêté au château de Ludlow le temps de prévenir son hôte qu'il s'absentait et pour récupérer Niaz, un troisième cheval et son revolver. Il n'avait fourni aucune explication et était parti à une telle allure que les deux hommes avaient déjà avancé dans leur trajet lorsque la lune fut haute. Alex savait que l'état des routes ne permettait pas à la voiture d'aller vite et il pensait qu'elle devrait s'arrêter pour la nuit dans un dâk-bungalow quelconque, aussi espérait-il, avec un peu de chance, la rejoindre avant minuit.

Alex ne savait pas exactement ce qu'il ferait lorsqu'il rejoindrait les deux voyageurs. Carlyon ne manquerait pas d'être difficile et il avait au moins une demi-douzaine de domestiques avec lui. Cependant, on pouvait faire confiance à Niaz pour ces derniers; quant à Carlyon, Alex serait ravi de s'occuper lui-même de Sa languissante Seigneurie. Il n'avait guère pensé à Carlyon, sauf pour le considérer comme un mari préférable au Résident de Lunjore pour Winter de Ballesteros, et la rage meurtrière qui s'était emparée de lui à l'annonce de la fuite concernait plutôt Barton.

Si Winter s'était rendue à Lunjore en compagnie des Gardener Smith, ils n'auraient pu lui refuser ni asile ni leur aide pour retourner à Delhi ou à Calcutta lorsqu'elle découvrirait l'impossibilité d'épouser le Résident, ce qui se passerait immédiatement. Mais si elle arrivait seule à Lunjore, sans personne vers qui se tourner, on ne pouvait savoir quelle serait la suite. Très probablement, Barton s'arrangerait pour que tout retour soit impossible, et cette idée rendait Alex malade.

L'allusion faite par le colonel Abuthnot au désir de Carlyon pour Winter n'avait guère ajouté à sa colère au moment même; mais maintenant qu'il s'en souvenait, une peur terrible remplaça sa fureur. Il se souvint de la scène interrompue le soir de l'arrivée de Winter à Delhi et du regard de Carlyon la veille au soir. « S'il l'a touchée... pensa-t-il férocement, s'il l'a touchée... » Il serra les dents et se pencha plus avant sur sa selle, comme s'il participait à une course, et son imprudence frappa Niaz.

Mais il avait oublié le gué de Jathghat et les nuages, anormaux pour la saison, remarqués la veille par Mrs Abuthnot.

Il avait plu sur les collines basses et les plaines au-delà de Moradabad et Rampur, et maintenant, au bout de vingt-quatre heures, la rivière montait. Bien qu'encore guéable, elle était dangereusement haute lorsque Winter et Carlyon l'avaient atteinte quelque quatre heures plus tôt. Mais ce qui était alors un gué ne dépassant pas cinquante mètres de long s'était transformé en un torrent brunâtre s'étendant sur quatre cents mètres d'une rive à l'autre, tournoyant dans le clair de lune avec des bruits annonciateurs de tourbillons et de courants cachés.

Alex galopait sans prêter attention à la route et il arrêta brusquement son cheval en entendant l'avertissement de Niaz. Il mit pied à terre et vit avec étonnement l'étendue d'eau. Il ne connaissait que trop bien la route et savait qu'il n'y avait rien d'autre à faire que d'attendre que le niveau baisse.

Un villageois endormi, éveillé par Niaz, leur révéla qu'une memsahib en voiture, accompagnée d'un sahib et de plusieurs domestiques à cheval, avait traversé le gué moins d'une demi-heure avant que le passage ne devienne impraticable.

Le visage dur et hagard sous le clair de lune, Alex se remit en route en direction du nord afin de faire le long détour de quatre-vingts kilomètres pour atteindre le pont le plus proche.

Une demi-heure plus tard, un python traversa en glissant la piste étroite et peu fréquentée, presque sous les sabots du cheval fatigué. Shalini se déroba brusquement et la branche basse d'un *kikar* heurta le bras blessé d'Alex. Il toucha le sol de la pointe de son épaule et, dans la fraction de seconde qui précéda le moment où sa tête heurta les rochers du bas-côté, Alex entendit sa clavicule se casser tandis qu'il sombrait dans le noir.

24

Adossée à un coin de la voiture, Winter fermait les yeux. Elle pensait qu'elle était en train de rejoindre Conway et que, dans quatre jours, elle serait enfin avec lui. Finis les attentes, les doutes, les craintes et la solitude. Mais le charme qui l'envoûtait commençait à perdre un peu de sa force.

Peut-être cela débuta-t-il à l'endroit du gué. Les chevaux regimbant devant l'eau brunâtre et tourbillonnante, le cocher, effrayé, avait déclaré qu'il serait préférable de faire demi-tour ou d'attendre que la rivière baisse. Pendant un instant inexplicable, Winter avait éprouvé un irrésistible sentiment de soulagement. Ils devaient s'en retourner. Puis la seconde suivante, la honte de sa lâcheté avait augmenté son désir de poursuivre, et elle avait fortement appuyé la décision de traverser prise par Carlyon.

La vue de la rivière en crue avait provoqué chez Carlyon un choc extrêmement déplaisant, car la perspective de retourner à Delhi n'avait rien d'emballant. Les visages apeurés du cocher et des domestiques le mirent en rage, mais à force de menaces et de corruption, ils avaient traversé.

Tout en se reposant quelques instants sur l'autre rive tandis que l'eau montait à vue d'œil, Winter pensait : « Maintenant, le retour est impossible. Quoi qu'il arrive, nous devons continuer. » Cette idée possédait quelque chose d'effrayant. Winter ne voulait pas retourner, bien sûr qu'elle ne le voulait pas ! Mais, désormais, même si elle l'avait voulu, la route était barrée et la rivière en crue s'étendrait entre Alex et elle. *Alex*..., elle avait l'impression de reculer violemment au souvenir d'Alex, comme si elle avait touché une chose que l'on ne devait pas regarder. Elle ne voulait même pas penser à Alex.

Ayant confié son cheval à un palefrenier, Carlyon monta aux côtés de Winter dans la voiture. Au cours des brèves haltes du voyage, Carlyon s'était montré courtois et plein de considération, mais maintenant que la rivière était traversée ses manières changeaient visiblement. Ou bien était-ce la fatigue de Winter qui lui faisait imaginer cela ?

Depuis la scène dans le bungalow des Abuthnot dont Alex Randall avait été le témoin, Carlyon semblait éviter de regarder Winter en face. Maintenant, elle s'apercevait que les yeux de Carlyon ne la quittaient pas, comme s'il ne lui était plus nécessaire de se contraindre.

Il parlait peu et Winter, trouvant le silence inquiétant, faisait de son mieux pour maintenir un semblant de conversation. Lorsque le soleil fut plus bas, Winter demanda que l'on abaisse la capote de la voiture pour faire entrer un peu de fraîcheur. Elle espérait aussi que la présence des domestiques à cheval autour d'eux atténuerait un peu la tension. Carlyon avait accédé à son désir, mais lui avait demandé en riant : « Auriez-vous peur de ce que je pourrais faire ? »

Il n'y avait pas de réponse à une telle question, et Winter s'était forcée à croiser calmement le regard de Carlyon avec une légère note de dédain qui emporta son admiration. Malgré sa jeunesse et son inexpérience, elle n'était pas du genre à avoir une crise de vapeurs ou à s'évanouir devant une démonstration de force masculine. Elle ferait une épouse qui en vaudrait la peine. Le regard de Carlyon se fixa sur elle avec une appréciation possessive, et il lui vint à l'esprit de veiller à ce qu'aucun cheval ne soit laissé à la portée de la jeune fille. Apparemment, à quelques kilomètres se trouvait un dâk-bungalow qu'ils atteindraient avant la tombée du jour, et ils s'y arrêteraient malgré le désir de Winter de voyager toute la nuit. Carlyon ne mentionna naturellement pas qu'il ne comptait pas voyager plus loin que ce dâk-bungalow.

L'inondation providentielle avait au moins résolu un problème pour Carlyon : elle empêcherait Randall de les rejoindre. Très probablement, ce dâk-bungalow ne vaudrait pas mieux que ceux où ils s'étaient arrêtés depuis Calcutta, mais il remplirait son but. Ils y passeraient une nuit de noces brève et prématurée qui n'anticiperait le mariage que de quelques jours.

Winter serait tout d'abord effrayée. Peut-être même comme folle car elle paraissait éprouver un attachement enfantin et romantique pour ce Barton, attachement qu'elle prenait à tort pour de l'amour. Mais elle céderait à l'inévitable. Carlyon était persuadé que la jeune condesa ne connaissait rien ou presque rien des aspects physiques du mariage. Ce n'en était que mieux puisque, grâce au choc de la découverte, il serait ainsi plus facile de lui faire accepter que le mariage avec un autre homme était désormais tout à fait impossible. Et il était persuadé qu'il réussirait à se faire aimer d'elle.

Carlyon fut surpris de découvrir qu'il désirait l'amour de Winter presque autant que son corps. Peut-être le premier serait-il un peu plus long à obtenir parce qu'il ne l'aurait pas par la force. Mais il y parviendrait en fin de compte. Trop de femmes l'avaient aimé pour lui-même pour qu'il puisse en douter.

Une partie du dâk-bungalow était occupée par une dame indienne et sa suite lorsqu'ils arrivèrent au lever de la lune. Mais il restait des chambres pour Carlyon et la Miss sahib.

Ce dâk-bungalow n'était guère différent de ceux que Carlyon connaissait. À l'écart de la route, il était situé dans une enceinte entourée d'un mur bas en pierre comprenant aussi un grand margousier. Une véranda l'entourait sur trois côtés et les pièces aux hauts murs blanchis à la chaux étaient à peine meublées. Les lits en corde étaient de fabrication indienne : larges, bas, sans tête, et susceptibles de procurer un bon sommeil s'ils n'étaient pas infestés de punaises.

Winter n'avait pu apporter aucune literie, mais Carlyon la rassura : il en avait pour deux. Il envoya son domestique préparer la chambre de la jeune fille en lui donnant des instructions bien précises. On leur servit un repas acceptable tandis que la lune se levait sur la plaine et que quelqu'un – le khansamah dit qu'il s'agissait de la dame musulmane de la chambre au bout de la véranda – jouait sur un instrument à cordes un air ressemblant à un tintement de cloches.

C'était un air lancinant et plaintif, curieusement familier, et Winter éprouva une impression de déjà entendu. Elle était fatiguée et désireuse de gagner sa propre chambre où elle serait à l'abri du regard troublant de Carlyon et de la nécessité de paraître calme, aussi le repas lui semblait-il interminable. Elle quitta la table dès que ce fut possible et, passant sur la véranda, aperçut un *ruth*, voiture fermée avec un double toit, à laquelle on attelait une paire de bœufs de trait.

– C'est la sahiba Begum, dit l'un des domestiques du bungalow. Elle s'est arrêtée seulement à cause d'une roue brisée, maintenant réparée. Elle est de Oudh et retourne chez elle.

Winter s'en alla en pensant : « Moi aussi, je suis de Oudh et je retourne chez moi. » Cette idée lui redonna du courage et elle tendit la main à Carlyon qui l'avait rejointe. Elle le remercia encore de son aide et lui souhaita bonne nuit.

Carlyon prit la main, mais ne la lâcha pas. Il la serra fortement de ses doigts fiévreux et tremblants et, la portant soudain à ses lèvres, il l'embrassa.

Il ne s'agissait pas d'un simple geste de galanterie, mais d'un baiser aussi gourmand et aussi passionné que ceux imposés déjà une fois auparavant. Elle tenta de retirer sa main, mais il la serrait très fort, continuant à la baiser tout en promenant sa bouche chaude et affamée d'un endroit à l'autre de cette main.

Il leva enfin la tête et fixa Winter pendant longtemps, le souffle inégal, les joues rouges et les yeux brillant d'une excitation fiévreuse, aussi inexplicable que terrifiante pour Winter. Il lui semblait que son corps se rétrécissait et se refroidissait, tout saisi d'une peur primitive et d'un vague sentiment que la passion éveillée chez cet homme dépassait leur contrôle à tous deux.

Elle avait été dégoûtée, choquée et fort en colère lorsqu'il l'avait embrassée dans le salon des Abuthnot, mais elle n'avait pas eu peur. Maintenant, elle était effrayée. Si effrayée que, pendant un instant terrifiant d'angoisse, elle crut qu'elle allait vomir. Puis Carlyon lâcha sa main; elle se détourna alors et franchit le seuil de sa chambre en trébuchant.

Elle ferma la porte derrière elle et s'y appuya de tout son poids, épouvantée à l'idée qu'il pourrait la suivre. Son cœur battait très fort et ses dents claquaient, et lorsque enfin elle chercha le verrou en tâtonnant, ses mains tremblaient tellement qu'elles ne réussirent pas à le trouver.

Elle traversa la chambre en courant, à la recherche de la lampe à huile qui lui permit d'examiner l'endroit où le verrou aurait dû se trouver. La lumière tremblotante lui révéla que les vis avaient été ôtées... et très récemment encore.

La découverte de cette preuve des intentions de Carlyon la calma. Elle n'avait qu'un moyen d'échapper à cet homme : la fuite immédiate. Les chevaux !... Gagner le cabinet de toilette, puis les étables. Seller un cheval et s'enfuir.

Winter releva ses larges jupes et détacha sa crinoline. Les cerceaux tombèrent sur le sol avec un cliquetis métallique; elle les enjamba et s'empara de son sac en tapisserie... il fallait laisser là sa valise. Elle n'avait pas le temps de se changer, mais sans crinoline elle pourrait au moins courir.

Hélas, la porte extérieure du cabinet de toilette était fermée et la clé en était ôtée. La panique la saisit une fois de plus, mais elle la combattit. Il lui fallait s'échapper par la porte de la véranda, la seule issue possible. Elle ne croyait pas que Carlyon l'attendrait là. Il l'attendrait dans sa propre chambre jusqu'à ce que la dame indienne et sa suite soient parties et que le personnel du bungalow soit allé se coucher. Il ne lui viendrait pas à l'idée qu'elle chercherait à s'enfuir, car où irait-elle ?

Cette pensée l'arrêta brusquement. Elle *n'avait aucun* endroit où se rendre. La route de retour pour Delhi était coupée par la crue et, si elle continuait le chemin emprunté, elle serait vite rejointe. Le sentiment de son incapacité la saisit à la gorge et, prise de faiblesse et de frissons, elle dut s'appuyer à la porte.

Des bruits de disputes et, de temps à autre, un rire venaient du dehors et elle entendit un tintement de cloches lorsqu'un bœuf dut secouer les cornes. Les autres voyageurs qui devaient partir cette nuit même, bien sûr ! Elle allait supplier la dame de Oudh de l'aider. Une autre femme ne pouvait refuser de l'aider.

Winter ouvrit la porte donnant sur la véranda avec d'infinies précautions, rassembla ses jupes d'une main, prit son sac de l'autre et courut avec légèreté jusqu'au bout de la véranda.

La porte n'était pas fermée et une femme parlait. Winter entra. Trois femmes se trouvaient dans la pièce : l'une, jeune et extrêmement belle, portait la tunique de soie et les pantalons longs des musulmanes de famille riche, et deux autres, visiblement des servantes. Winter porta un doigt à ses lèvres pour implorer le silence et se mit à expliquer la raison de sa présence dans la pièce. La jeune Indienne écoutait Winter, les yeux agrandis d'étonnement, et battit des mains lorsque l'Anglaise eut fini.

– Mais c'est merveilleux d'entendre une feringhi parler comme l'une de nous ! Qui es-tu ? Quel est ton nom ?

– Winter, Winter de Ballesteros. Si la sahiba Begum voulait bien...

– *Quoi !* Que dis-tu ?

La jeune Indienne prit la lampe à huile et la

tint de manière à éclairer le visage de Winter.

– Mais c'est elle. *Allah kerimast !* Petite sœur, ne me reconnais-tu pas ?

– Je... je ne pense pas.

– Ameera ! Ne te souviens-tu pas d'Ameera ? As-tu vraiment oublié le Gulab Mahal, ma mère Juanita Begum et les contes que *Nani* nous racontait sur le toit ?

La plus âgée des servantes leva les bras en poussant un petit cri :

– Aié ! Aié ! C'est la *Chota Moti* ! C'est la baba de Zobeida que j'ai soignée lorsqu'elle était petite !

– *Anne-Marie !* (Les larmes coulaient des yeux de Winter et sa voix ne fut plus qu'un murmure tremblant :) C'est Anne-Marie !

Elles tombèrent dans les bras l'une de l'autre, riant et pleurant tout à la fois. S'étreignant, puis se séparant pour se regarder.

La douce soierie, l'odeur du santal et de l'essence de roses, les voyelles un peu liquides de l'Asie. Le toucher, l'odeur et le bruit de chez elle...

Un soudain tumulte dans l'enceinte du dâk-bungalow ramena Winter au sens des réalités :

– Vite, Anne-Marie, vite. Emmène-moi avec toi. S'il s'aperçoit que je ne suis plus là...

– Chut, chut ! dit Ameera, la fille de Juanita. Nous partons maintenant. Ce sont mes serviteurs qui sont là, ils te protégeront.

– Non. Il ne faut pas qu'il y ait bataille : il a des armes. Partons plutôt avant qu'il ne découvre que j'ai quitté ma chambre.

– Comme tu veux. Tu me diras sur la route qui est ce feringhi qui t'effraie ainsi. Est-ce ton mari que tu fuis ?

– Non, c'est quelqu'un qui... Anne-Marie, je ne peux sortir d'ici, on me verra. Le ruth ne peut-il être amené plus près ?

– Personne ne te verra, Petite Perle. Te souviens-tu de ton surnom dans le zenana. Nous allons te mettre le *bourka* de Hamida, regarde.

Elle l'enveloppa dans le long manteau d'où Winter pouvait voir sans être vue.

La plus âgée des deux servantes dit alors :

– Je vais sortir par l'arrière de manière à ce qu'aucun nauker-log ne s'aperçoive que nous sommes quatre au lieu de trois.

Pour éviter que Carlyon ne lance la police à ses trousses, Winter lui écrivit un message pour le remercier de son assistance et lui dire qu'elle partait en compagnie d'une cousine. La jeune servante d'Ameera alla le porter dans la chambre de Winter d'où elle ramena la petite valise laissée là.

Carlyon attendit jusqu'à ce que le bruit des voix querelleuses et le grincement des roues de l'équipage eussent été engloutis par la nuit. Il fallait ensuite que le personnel du dâk-bungalow se taise et que le silence règne. Il n'était pas pressé et pouvait se permettre de prendre son temps.

Il mit sa longue robe de chambre en soie, se passa la main dans les cheveux et, souriant légèrement, sortit sur la véranda déserte. La lumière brûlait encore dans la chambre de Winter. Il poussa la porte et entra. Trouvant la pièce vide, il supposa que la jeune fille devait se préparer pour la nuit dans le cabinet de toilette. D'ailleurs, sa crinoline était par terre. Il ferma doucement la porte et s'assit sur le lit.

Ce fut seulement quelques minutes plus tard que ses yeux tombèrent sur un papier portant son nom, et seulement une minute après qu'il fut sur la véranda, hurlant pour obtenir chevaux, domestiques et lumières.

Il s'habilla avec une hâte désespérée et partit au galop à la recherche de Winter. Mais il ne connaissait pas le sentier par lequel le ruth et son escorte avaient tourné cinq minutes avant son passage.

Une heure plus tard, force lui fut de reconnaître que Winter lui avait échappé. Avec qui était-elle partie ? Une *cousine* ? Comment pouvait-elle avoir rencontré cette parente ? Il ne pensa pas un instant à l'Indienne du bout de la véranda, car il n'avait jamais entendu parler de Juanita de Ballesteros qui avait épousé Wali Dad de Oudh.

Il passa deux affreuses journées d'oisiveté forcée au bungalow et, le matin du troisième jour, ayant entendu dire que la rivière était en décrue, il retourna à Delhi.

Lorsque Winter s'éveilla, la lumière du soleil filtrait à travers des persiennes de bois sculpté. Elle était couchée sur un charpoy, lit de cordes bas aux pieds sculptés et peints, dans une petite chambre rose non meublée dont le contraste avec sa chambre surchargée de Ware la fit rire tout haut. Un frou-frou de soie et une odeur de santal et Ameera fut près d'elle, toute souriante :

– Nous n'osions pas t'éveiller, mais le soleil est haut et si nous ne voulons pas perdre une journée de voyage, nous devons partir.

Winter bondit de son lit sans se souvenir qu'elle était tout habillée, et elle se prit les pieds dans les jupes que la crinoline ne relevait plus. Elle en expliqua la raison à Ameera.

– Mais, n'as-tu jamais vu de crinoline ? demanda Winter. Il y a bien des Européennes à Oudh quand même ?

Le visage rieur d'Ameera s'assombrit :

– Oui, répondit-elle lentement, il y a des Européennes mais je ne les fréquente pas.

– Et ta mère ?

– Elle est morte, ne le savais-tu pas ?

– Non. Je suis désolée. Elle m'écrivait, et puis un jour, elle a cessé d'écrire et... c'est tout ce que j'ai su.

– Elle est morte l'année du choléra, lorsque plus de cinq cents personnes mouraient chaque jour à Lucknow. Il n'y aura pas grand monde à se souvenir de toi au Gulab Mahal. Mon mari s'occupe peu des feringhis et de leurs manières.

– Ton mari ! Alors, tu es mariée ?

– Mais bien sûr. (Ameera parut surprise.) Depuis cinq ans. N'as-tu pas encore de mari, *toi* ?

Winter se mit à rire :

– Tu me conduis à mon mariage pour l'instant.

– Vraiment ? Alors, raison de plus pour nous hâter. Tu me raconteras tout, mais d'abord tu vas manger et puis nous te trouverons des vêtements. Tu ne peux voyager dans des vêtements aussi inconfortables que ceux que tu portes.

Hamida, la servante, se mit à brosser les cheveux soyeux de Winter qui lui descendaient presque jusqu'aux genoux. Puis elle les lui natta en deux tresses épaisses qu'elle attacha avec des fils de couleur :

– Tu n'es plus de Belait à présent, mais d'Inde.

Maintenant qu'elles étaient vêtues pareillement de pantalons longs, de tuniques et de voiles de fin *shabnam* de Dacca, avec leurs tresses de cheveux bleu-noir, le lien de parenté entre les deux femmes paraissait évident. Leurs yeux, leurs chevelures, leurs petits nez étaient semblables. Mais la ressemblance s'arrêtait là.

Ce voyage que Winter de Ballesteros fit pour aller se marier constitua probablement le plus heureux moment de son existence depuis le temps lointain du Gulab Mahal. Enfin une amie et une compagne de son âge ! Une fois de plus les vieux souvenirs heureux reprenaient vie. Elle put raconter à Ameera tout ce qui lui était arrivé et apprit, en retour, toutes les nouvelles du Gulab Mahal.

Il ne demeurait plus grand monde au Palais rose qui puisse se souvenir de la Petite Perle, car le choléra avait pris un lourd tribut. Seul le frère d'Ameera, né la même année que Winter, était vivant. « Un garçon fougueux et indiscipliné, mais cela lui passera. »

Ameera avait épousé son cousin Walayat Shah : un petit noble qui avait occupé une des nombreuses sinécures héréditaires à la cour dissolue du roi de Oudh. L'annexion l'avait dépossédé de son emploi et de son traitement et il vivait au Gulab Mahal avec sa famille. La perte de son pouvoir, de ses privilèges et de ses revenus avait mis Walayat en rage contre les feringhis, aussi était-il préférable, expliqua Ameera avec tristesse, que Winter ne vienne pas au Gulab Mahal pour l'instant.

Ameera avait deux fils : l'un de quatre ans, l'autre de trois. Pour aller assister au mariage d'un parent proche, elle les avait quittés trois semaines auparavant et il lui tardait tant de les revoir qu'elle ne voulait pas assister au mariage de Winter.

Le chemin d'Ameera passait à Lunjore et par le pont de bateaux, mais lorsque, cinq jours plus tard, elles atteignirent les abords de la ville, elle ne voulut pas se rendre à la Résidence. Elle fit arrêter le ruth et envoya l'un de ses serviteurs chercher une voiture de louage.

– Je crois, dit Ameera avec tendresse, qu'il est préférable que tu n'arrives pas chez ton fiancé avec une cousine qui n'est pas de ta race. J'ai entendu dire que certains *sahib-log* n'aiment pas cela. Mais nous nous reverrons. Et maintenant, puisque tu n'as pas de femme de chambre, Hamida va aller avec toi. Ne proteste pas, nous avons arrangé ceci pendant que tu dormais. Ce n'est pas correct que tu arrives chez ton mari sans une femme pour t'accompagner. S'il en a engagé une pour toi, Hamida reviendra.

Les deux jeunes femmes s'embrassèrent et Hamida s'empara des bagages de Winter et des siens et la rejoignit dehors. Un instant plus tard, le ruth s'en allait sur la route. Une main fit un bref salut entre les rideaux et Ameera disparut.

La voiture emmena Winter et Hamida sous le chaud soleil et elles atteignirent une longue route blanche bordée d'arbres et d'un mur au bout duquel se trouvait l'immense grille d'un portail crénelé, en pierre blanchie à la chaux, assez large pour une voiture et assez haute pour permettre le passage d'un éléphant surmonté d'un *howdah*. Une grille garnie d'une bougainvillée de couleur flamboyante et sous laquelle Sabrina Grantham, condesa de los Aguilares, était passée à cheval dix-huit ans auparavant pour habiter avec son oncle Ebenezer, alors invité à la Résidence dont son neveu Conway était maintenant le Résident.

25

La fille de Sabrina ne leva pas les yeux sur la grille, mais regarda l'avenue qui conduisait à la maison à un seul étage qui allait être la sienne. Elle était enfin arrivée. Conway se trouvait dans cette maison et, très bientôt, elle serait mariée avec lui.

La voiture alla jusqu'à un porche en pierre bordé de fleurs grimpantes, et un chupprassi étonné resta bouche bée devant la jeune fille en costume de cheval ajusté qui en descendait.

Oui, dit Durga Charan, le chupprassi en chef, le sahib Résident était chez lui, mais il ne pouvait voir personne. Il était bien trop malade pour recevoir des visiteurs.

– Je sais, dit Winter, c'est la raison pour laquelle je suis venue. Je vais voir le sahib immédiatement. Emmenez-moi jusqu'à sa chambre.

Déjà surpris par cette jeune sahib Miss qui parlait si bien sa propre langue, le chupprassi en chef essaya de l'arrêter, mais Winter passa devant lui et entra dans le hall.

La chambre de Conway était obscurcie par des rideaux tirés devant les fenêtres et l'odeur en était déplaisante. Une femme s'y trouvait. Une Indienne grassouillette vêtue de mousseline bariolée, couchée sur le sol près du lit et agitant un éventail en feuilles de palmier. Elle tressaillit à l'entrée de Winter et se leva avec un bruit de bijoux tintants. Elle n'était plus de première jeunesse, mais haute en couleur et hardie, elle faisait un certain effet. Elle avait mâché du *pan*, et cette odeur mélangée au musc dont elle se parfumait dominait presque la puanteur des vomissures et du cognac. Elle n'avait rien d'une garde-malade qualifiée, et elle fixa Winter avec indignation et hostilité, ses yeux noircis au khôl énormes dans son visage rond.

– Le sahib ne va pas bien, dit-elle d'une voix aiguë et furieuse. Il ne peut voir personne. Personne !

– Il me verra, moi, dit Winter en la dépassant pour s'approcher du lit.

Le tas posé sur le lit gémit, grogna, remua et dit d'une voix pâteuse :

– Qu'est-ce ? Qu'est-ce que c'est ? Fermez la porte, non ! Saloperie de vacarme...

La masse de chair se tourna sur le dos et grogna fortement. Winter vit un visage enflé, impossible à reconnaître. Était-ce... cela *pouvait*-il être Conway ? Elle s'attendait à un squelette d'homme, hagard, usé, peut-être même avec des cheveux gris, dévoré de fièvre, et ce visage gras et enflé, jaune dans la faible lumière d'une pièce aux rideaux tirés se révélait choquant et inattendu. Un relent d'alcool et de mauvaise haleine la fit reculer très vite. On avait dû lui prescrire du cognac ! Mais ce devait pourtant être mauvais avec de la fièvre.

Et soudain, elle se rappela les paroles de Mr Carroll : « Une fièvre produisant un œdème. » Bien sûr ! C'était la raison pour laquelle Conway paraissait si volumineux et enflé. Ce n'était pas étonnant qu'il ne veuille pas qu'elle le voie ainsi. Il n'avait pas eu confiance en son dévouement et craint l'effet que son aspect pourrait avoir sur elle. La pitié et l'amour la suffoquaient et ses yeux s'emplirent de larmes de compassion. Elle se pencha sur lui et posa une main fraîche sur son front.

Conway grogna et ouvrit les yeux avec effort. Complètement perdu, il fixa longuement Winter, essayant d'accommoder. Il devait être plus ivre qu'il ne le croyait la nuit dernière, ou bien cela venait-il de l'opium ? Dieu, comme sa tête le faisait souffrir ! Une langue comme une pelote de corde poussiéreuse. Il avait déjà vu des choses auparavant, des choses bizarres qui rampaient et sautaient. Pas des femmes. Pas des femmes jeunes et jolies. Ce ne pouvait être le cognac. Devait être l'opium. La créature parlait. Il souhaitait qu'elle se taise et s'en aille. Il aimait les femmes, mais pas après une cuite. Pour l'instant le bruit, tout bruit, lui faisait abominablement mal à la tête.

– … Winter. Conway, c'est Winter. Mon cher Conway, ne me reconnaissez-vous pas ? Pourquoi ne m'avoir pas prévenue que vous étiez malade ? Je suis venue m'occuper de vous. Vous irez mieux bientôt, mon très cher. Conway, c'est moi… Winter…, je suis ici…

À la longue, le sens des paroles pénétra le tourment et le brouillard qui emplissaient sa tête et son estomac… *Winter !* Ce n'était ni l'opium ni le cognac. C'était la fortune qu'il allait épouser. La vilaine petite créature maigreuse de Ware. Elle était ici. Comment était-elle arrivée ? Il n'en savait rien… Sûrement il ne pouvait pas s'être effondré à la suite d'une débauche et être inconscient depuis des semaines ? Quelle importance d'ailleurs ? La fille était là. Devait se débarrasser d'elle. Il allait vomir d'un instant à l'autre, et cela achèverait tout. Fallait s'en débarrasser…

Il vomit. Il vomit énormément. Mais à la faveur du moment de lucidité qui suivit, il découvrit avec étonnement que Winter lui tenait la tête et tamponnait son front d'eau froide, murmurant des mots tendres et l'assurant qu'il serait bientôt guéri. Furieuse, Yasmin commença à protester et Conway tourna lentement la tête, il ne pouvait tourner les yeux, et la chassa d'un mot cinglant.

Les petites mains fraîches reposèrent sa tête sur l'oreiller et il demeura immobile, les yeux fermés, essayant de penser, obscurément conscient d'un désastre et de l'obligation d'agir. Il ouvrit un peu les yeux sous ses paupières bouffies et dit d'une voix épaisse :

– Vous attendais pas. Gentil de votre part d'être venue. Appelez Ismail, m'valet de chambre. Là, v's'êtes une bonne fille.

Le valet de chambre, qui se tenait devant la porte avec une bande de domestiques curieux, se précipita au chevet de son maître. Après un bref colloque, il se tourna vers Winter qu'il salua très bas. Si la sahib Miss voulait bien le suivre, il la conduirait à sa chambre où des rafraîchissements lui seraient apportés. Le Huzoor voulait qu'Ismail s'occupât d'elle.

– Allez avec lui, dit Conway se forçant à parler, v' pourrez revenir plus tard.

Ismail rejoignit son maître qui, après s'être aspergé d'eau froide, but le lait chaud mélangé de cognac préparé par le valet. Ismail raconta ensuite l'arrivée de la sahib Miss et de son ayah.

Conway écoutait, à demi stupéfié et encore secoué de vagues de nausée et de colère inutile. Au diable, cette fille ! Que lui avait-il pris de courir ainsi la prétentaine ? C'était impensable ! Cela allait tout gâcher. Il comptait organiser les choses pour que le mariage ait lieu une heure ou deux après l'arrivée de Winter afin de ne pas lui laisser le temps de changer d'idée. Et maintenant, la voilà qui arrivait, seule et sans crier gare, pour le trouver en train de subir les conséquences d'une orgie, dans une maison empestant l'alcool, le santal et les parfums des cinq *nautch-girls* venues de la ville pour amuser ses invités. Pourquoi cette fille était-elle tombée ainsi chez lui ? Avait-elle entendu des rumeurs et voulait-elle le prendre sur le fait ?

– Apprenant que le Huzoor était malade, la sahib Miss est arrivée en hâte de Delhi pour le soigner, dit Ismail en changeant les draps.

Une maladie. Elle avait dit quelque chose de ce genre. Mais, naturellement ! Une innocente créature telle que Winter ne pouvait avoir aucune expérience de l'ivresse. Elle avait imaginé qu'il était atteint d'une maladie quelconque.

La voie qui s'ouvrait devant lui était si simple qu'il en aurait ri tout haut si cela n'avait pas été aussi douloureux. Winter était ici, seule, sans escorte. Elle ne connaissait personne à Lunjore et ne pouvait passer la nuit sous le toit de Conway sans être mariée avec lui. En fin de compte, ce serait très facile. Il allait faire chercher le *padre* et lui expliquer que le mariage devait avoir lieu immédiatement pour protéger la réputation de la jeune fille. Jusque-là, il maintiendrait la fable selon laquelle il souffrait d'une fièvre. Ce ne pouvait être mieux !

Revigoré par cette perspective, il trébucha jusqu'à son lit et ordonna à Ismail d'envoyer immédiatement un message au sahib padre lui demandant de venir, et un autre au colonel Moulson pour la même raison.

– Et envoie-moi le barbier. Fais nettoyer cette pièce, ouvrir les fenêtres et renouveler l'air. Et puis, empêche la sahib Miss de venir ici. Dis-lui que je dors, que je suis dans mon bain. N'importe quoi mais qu'elle ne vienne pas. Allez, ouste !

Le padre, un mince jeune homme aux yeux fragiles et souffrant de malaria latente, écouta avec un effort de concentration le récit de l'arrivée inopinée de la jeune condesa. Tremblant de fièvre, il fut d'accord pour reconnaître que, puisqu'elle était seule, un mariage immédiat était l'unique solution. Le marié était si manifestement en mauvais état de santé que la cérémonie aurait lieu sur place. Il allait prendre les mesures nécessaires, mais le Résident devait trouver deux témoins.

Trois heures plus tard, dans le frais salon, la fille de Sabrina se tenait devant un autel de fortune où brûlaient des bougies et fut mariée au neveu d'Emily et d'Ebenezer.

Elle avait apporté sa robe de mariée avec elle,

mais ne la mit pas car elle ne possédait pas de crinoline pour en supporter les plis et ne voulait pas en expliquer la raison. Elle portait son costume de cheval gris clair et un bouquet de jasmin blanc. Hamida avait planté des jasmins blancs dans ses cheveux, tout en trouvant que le léger voile de mariée blanc conviendrait mieux à une veuve.

Hamida se sentait mal à l'aise. Elle ne connaissait guère les habitudes des sahib-łog, mais les serviteurs du Résident ne paraissaient éprouver aucun respect à l'égard de ce dernier. Une demi-heure passée à la Résidence ne lui avait laissé aucune illusion en ce qui concernait la femme installée au *bibi-gurh*, la petite maison discrètement cachée par une haie de poinsettias et un bouquet de poivriers.

Mais si Hamida éprouvait des angoisses, Winter n'en avait aucune. Sa seule inquiétude concernait la santé de Conway et son intention de quitter son lit pour la cérémonie. Et s'il faisait une rechute ? Cependant, Conway l'avait assurée que son arrivée lui avait tellement remonté le moral qu'il se sentait déjà un autre homme, et que se lever pour une aussi heureuse occasion ne lui ferait aucun mal.

Conway lui avait dit cela au cours d'une brève entrevue dans la chambre aux rideaux tirés pour protéger du violent soleil. Le révérend Eustace Chillingham, présent lui aussi, avait paru surpris d'apprendre la maladie du Résident dont il n'avait jamais entendu parler auparavant; mais il se sentait tellement souffrant lui-même qu'il ne prêta pas plus attention à l'affaire.

Winter ne revit pas Conway avant l'arrivée du colonel Moulson qui devait l'emmener au salon. L'apparition du colonel Moulson qu'elle n'aimait franchement pas causa un choc à Winter. Elle avait oublié qu'il serait à Lunjore et ne se doutait pas qu'il était avec son fiancé en termes d'intimité tels qu'il serait choisi pour la conduire à l'autel.

Ses joues pâles devenues roses, ses yeux brillants, jeune et un peu terrifiée, Winter regardait le colonel Moulson sans le voir. Elle voyait à la place l'image familière de Conway avec ses cheveux d'or, ses yeux bleus, portant une armure scintillante et s'interposant entre elle et cousine Julia et le malheur.

Cette image ne disparut pas lorsqu'elle regarda à travers son voile le gros homme âgé aux yeux pâles et protubérants, aux cheveux grisonnants et clairsemés, dont les doigts boudinés et moites tremblaient tellement qu'il eut beaucoup de mal à passer l'anneau au doigt de son épouse.

Elle ne connaissait pas cet étranger volumineux, mais c'était Conway et il venait d'être malade. Si malade et si défiguré par sa maladie qu'il n'avait pas voulu qu'elle le voie. C'était la preuve suffisante de son affection pour elle et de sa bonté. Le changement opéré en lui n'était que physique et maintenant qu'elle était là pour le soigner, l'aider et l'aimer, il guérirait vite et redeviendrait fort et en bonne santé. Elle baissa les yeux sur l'anneau trop lâche pour son doigt, comme la première bague qu'il lui avait donnée, et ses yeux s'emplirent de larmes de bonheur.

Une demi-heure après le mariage arrivèrent un certain nombre de personnes et une quantité considérable de bouteilles de champagne.

Le révérend Chillingham était parti dès la cérémonie achevée, mais à la grande détresse de Winter, Conway avait refusé de regagner son lit.

– Le lit ? Ridicule ! Ridicule ! M'suis jamais senti mieux de toute ma vie. V's avais dit que j'allais vers la guérison. On ne se marie pas tous les jours. J'ai envoyé prévenir quelques amis et ils seront bientôt là pour voir la mariée. V's êtes la Résidente maintenant, devez apprendre à faire les honneurs. Prenez un peu de champagne, merveilleux pour vous redonner de la vie. Vous vous apercevrez que nous avons une bonne cave.

Il but à la santé de Winter et la regarda avec approbation. Maintenant qu'il était en sécurité et triomphant, il scrutait la mariée en trouvant que le destin l'avait gâté.

Winter n'était pas exactement son type, il préférait les blondes plantureuses, mais elle était assez bien. Les yeux se révélaient magnifiques, et s'il s'y connaissait bien en femmes, cette bouche promettait une agréable nuit de noces. Quant à son corps, si son costume de cheval ne mentait pas, il n'aurait pas à se plaindre.

– Fred m'avait bien dit que vous étiez devenue une beauté et, diantre, il ne se trompait pas. Une fortune et une beauté en plus, j'ai de la chance.

Il enlaça la mince silhouette de Winter qu'il serra et le champagne déborda et tomba sur sa veste.

Winter dit avec sollicitude :

– Je vous en prie, Conway, asseyez-vous, je suis sûre que vous n'êtes pas assez solide pour rester debout. Colonel Moulson, persuadez-le de retourner au lit.

– Le persuader d'aller au lit ? s'exclama le colonel Moulson qui avait fait ajouter du cognac à son champagne pour en avaler trois coupes consécutives. Vous ne devriez avoir aucune difficulté à l'y amener ! Si j'étais à sa place, la difficulté consisterait à m'en écarter. Le veinard !

Winter ne comprit pas bien l'allusion, mais la vulgarité du rire qui l'accompagnait la fit rougir et s'écarter du colonel avec dégoût. Des voitures et des cavaliers commençaient à arriver et la pièce s'emplit d'étrangers bruyants.

Pas tellement nombreux, peut-être une douzaine en tout dont deux femmes seulement, ils parurent deux ou trois fois plus aux yeux de Winter. Le bruit, les rires et les félicitations, ainsi que les airs approbateurs et hardis des hommes la déconcertaient, et les femmes n'étaient pas du genre auquel elle était habituée. Ces invités lui donnaient l'impression d'être jeune, raide et gauche, et tous semblaient très bien connaître Conway. Les femmes l'appelaient par son prénom, comme elles le faisaient pour tous les hommes présents d'ailleurs, si bien que Winter éprouvait des difficultés à savoir qui étaient les deux maris.

Si Mrs Wilkinson était petite, grassouillette et jolie, Mrs Cottar, au contraire, était grande et mince, rousse aux yeux verts et laide. Très élégante, tendant même vers un style *outré*, elle plaisait beaucoup aux hommes qui étaient suspendus à ses paroles, l'applaudissant et l'appelant « Lou ».

Winter restait silencieuse, un petit sourire figé sur le visage et ses yeux fixés sur Conway. Une fois, après qu'un éclat de rire particulièrement bruyant eut salué une boutade de Mrs Cottar, il remarqua que sa femme ne participait pas à la gaieté générale et lui enjoignit de ne pas être une telle innocente.

– Il n'y a pas grande chance pour qu'elle demeure longtemps innocente en votre compagnie, remarqua Moulson en hoquetant. Ce n'est pas votre genre de vous mettre à l'eau de rose après des années de champagne et de cognac.

Le Résident se joignit à une nouvelle explosion de rires et Mrs Cottar regarda le visage du marié, puis celui de la mariée et fronça les sourcils.

Lucy Cottar possédait un esprit caustique et malicieux et peu de bonté vis-à-vis des autres femmes, mais quelque chose dans les yeux étonnés de Winter lui donna un remords de conscience momentané.

– Conway, dit-elle à mi-voix, vous n'auriez pas dû faire cela. Ce n'est pas décent.

– Qu'est-ce qui n'est pas décent ? demanda Mr Barton.

– Vous ne l'êtes pas. Quelle idée s'est emparée de la famille de cette enfant en vous l'envoyant ? Voyons, ce n'est rien d'autre qu'un viol. Ne vous connaissaient-ils pas ?

– J'ai diablement pris garde à ce qu'ils ne me connaissent pas !

Son triomphe lui donnait la tête légère. Toute cette attente, toute cette peine prise. Il avait épousé une fortune. Il était riche. Riche et diantrement habile. Il avait tout combiné et tout réussi. Quelle habileté !

Encore sous l'influence de ses remords inattendus, Mrs Cottar s'adressa à Winter :

– Vous devez être un peu surprise au début de rencontrer tant de personnes que vous ne connaissiez pas et qui, elles, connaissent aussi bien votre mari. Mais vous vous habituerez très vite à elles. Vous ne devez pas vous attendre à beaucoup de gaieté à Lunjore qui est très différent de Calcutta et de Delhi.

– Oh ! Mais je ne me suis jamais attendue à ce que ce soit gai. Et je sais que Conway, lorsqu'il sera guéri, aura beaucoup trop de travail pour se distraire.

– Comment, il a été malade ? demanda Mrs Cottar avec une certaine surprise. Je ne le savais pas, mais aussi je ne l'avais pas vu depuis une semaine, ce qui est inhabituel car nous nous rencontrons beaucoup et ici même, car cette maison est très fraîche.

Winter dit lentement, comme si elle éprouvait de la difficulté à articuler :

– Mais… mais Conway est malade depuis le mois d'août.

– Malade ? Quelle idée ! Vous a-t-il dit ça ? Il plaisantait…

– Mais Mr Carroll m'a dit !…

– Vous connaissez Jack Carroll ? Ce devait être sa manière d'exprimer qu'il avait assisté à une réunion de célibataires donnée par Conway et qu'il se sentait mélancolique le lendemain. Je crains que ces distractions ne manquent aux hommes maintenant que Conway est marié, mais j'espère que vous ne supprimerez pas nos « mardis ». Nous jouons, vous savez. Oh ! pas de grosses sommes, mais suffisamment pour que ce soit excitant. Jouez-vous aux cartes ?

– Non, répondit Winter, non, je n'ai jamais…

– Nous vous apprendrons. Ne craignez pas que Conway soit trop occupé pour se joindre à nos distractions. Il est le plus paresseux des hommes. Il laisse Alex Randall faire tout le travail et lui en reçoit tous les compliments. C'est une honte.

– Je trouve, moi, qu'il s'agit là d'une organisation tout à fait satisfaisante, Lou, mon amour, dit le Résident en vidant le verre qu'un *khidmatgar* obséquieux venait de lui remplir. (Il regarda alors le visage rigide et pâle de son épouse.) Dois pas oublier que je suis un homme marié, maintenant… Dois me surveiller.

Il pinça le menton de Winter et, ce faisant, renversa une bonne quantité de cognac sur sa robe.

Le reste de la soirée fut un cauchemar pour Winter. Un terrible rêve fiévreux de bruit, de voix, de verres qui s'entrechoquaient au cours duquel elle ne comprenait pas un mot de ce qui se disait. Assise sur un canapé le dos raide, la tête haute, un petit sourire de politesse figé sur son visage, elle répondait lorsqu'on lui parlait, mais sa voix ne semblait plus lui appartenir.

Le soleil se coucha et la pièce s'emplit d'ombres. On alluma lampes et chandeliers et les *chiks* furent roulés pour laisser pénétrer l'air frais de la nuit, mais le bruit continuait car personne ne partait. Des heures plus tard, semblait-il, un repas fut servi dans la grande salle à manger où Winter présida au côté du marié. Pâle et les yeux secs, elle se força à manger ce qu'on mettait dans son assiette. Des toasts furent portés et des discours prononcés, et elle restait dans la même position, comme en transe. Elle en fut enfin éveillée par quelqu'un qui la tirait par le bras : Mrs Cottar.

– Pardonnez-moi, chère Mrs Barton, mais je pense que vous n'êtes pas encore habituée à votre rôle de maîtresse de maison. Nous attendons que vous donniez aux dames le signal de quitter la table. Si nous ne laissons pas rapidement les hommes à leur porto, nous ne nous coucherons pas de la nuit.

Les invités ne s'en allèrent qu'à minuit, et encore ne seraient-ils pas partis si le major Mottisham, second témoin au mariage, se souvenant soudain qu'il s'agissait d'un mariage et non d'une bringue, n'avait fait un petit speech plein d'allusions péniblement grossières, puis dirigé le troupeau des invités vers la sortie.

Toujours le même sourire figé aux lèvres, Winter resta avec son mari sur le porche tandis que les voitures des invités s'éloignaient. Enfin, ils étaient partis et la maison redevint calme.

Le clair de lune baignait le jardin et, dans le

salon, les domestiques empilaient les verres, vidaient les cendriers et éteignaient lampes et bougies.

– Eh bien ! nous n'avons pas eu un mariage en grande tenue, dit Conway, mais nous l'avons bien fêté. On ne se marie pas tous les jours, il faut en profiter. Manger, boire, se marier ! C'est bien ça, n'est-ce pas, ma chère ?

Comme il semblait attendre une réponse, Winter lui dit d'une voix inexpressive :

– Je suis très fatiguée, aussi si cela ne vous contrarie pas, je vais aller me coucher.

– C'est juste, allez vous coucher. Je ne vous ferai pas attendre !

Il se mit à rire bruyamment et Winter se détourna. Elle se dirigea lentement et d'un pas incertain vers sa chambre, comme si c'était elle et non pas Conway qui était ivre.

Hamida l'attendait et le spectacle du visage blanc et des yeux hébétés de Winter l'emplit d'une inquiétude qui se traduisit par des gloussements. Mais Winter ne prit pas garde à des paroles qu'elle n'entendait même pas. Elle se laissa déshabiller, baigner et mettre au lit comme si elle était, non pas une enfant, mais une grande poupée. Son monde, le monde de rêve qu'elle bâtissait depuis des années, qu'elle attendait et pour lequel elle vivait, s'écroulait autour d'elle, mais elle ne pouvait même pas penser.

Au moins, le silence régnait. Le bruit et le brouhaha des conversations, les paroles futiles, les plaisanteries incompréhensibles, les éclats de rire, le cliquetis des verres avaient cessé et elle était seule, car Hamida elle-même était partie. Peut-être maintenant allait-elle pouvoir se remettre à penser, à pleurer pour calmer la terrible souffrance de son cœur. C'est alors que la porte s'ouvrit et que Conway entra.

Winter se mit rapidement sur son séant et remonta les draps sur elle. Elle se demanda, non sans ennui, pourquoi il était là et ce qu'il voulait lui dire à une pareille heure de la nuit. Elle n'avait pas compris la signification de sa dernière phrase, et dans le cauchemar brumeux de cette horrible réception de mariage, elle avait oublié que les gens mariés partagent le même lit. Comme abrutie, elle le regardait s'approcher d'elle en zigzaguant un peu, poser son bougeoir sur la table de nuit et commencer à ôter sa robe de chambre. Alors, tout d'un coup, la torpeur la quitta pour faire place à l'horreur et à la panique pures.

Cet homme, cet étranger obèse, répugnant et ivre allait entrer dans son lit. Se coucher à côté d'elle, peut-être la toucher, l'embrasser ! Elle tira les draps jusqu'à son menton, ses yeux s'agrandirent et devinrent énormes dans son visage.

– Allez-vous-en ! Je vous en prie, allez-vous-en ! (Sa voix s'enrouait de crainte et de dégoût.) Vous ne pouvez pas coucher ici cette nuit, pas cette nuit. Allez-vous-en !

Conway approuva d'un gloussement d'ivrogne :

– Mais elle est farouche, ma petite vierge timide ? C'est ce qu'il faut ! Mais vous êtes une épouse maintenant.

Les yeux rougis qu'il jeta sur elle contenaient quelque chose dans le regard qu'elle avait déjà vu auparavant. Chez Carlyon.

– Sapristi, mais vous êtes une beauté, en fin de compte ! (L'épaisse voix laissait transpercer une note de crainte.) Avec une telle fortune, cela aurait valu la peine d'épouser une souillon, mais hériter d'une beauté par-dessus le marché... !

D'une main tremblante, il leva une longue

tresse brune non défaite et, dans sa fureur et sa terreur, Winter frappa cette main.

– Ne me touchez pas ! Vous n'allez tout de même pas oser me toucher !

Conway se précipita sur elle à travers le lit. Winter rejeta ses draps et bondit hors du lit, atteinte de la même panique que celle éprouvée lorsque Carlyon l'avait regardée à la porte de sa chambre dans le dâk-bungalow. Mais son mari saisit ses cheveux et les tira avec une telle brutalité qu'elle tomba en arrière, prisonnière. Et cette fois-ci, il n'y eut pas d'échappatoire.

26

Alex était à la fois solide et en bonne santé et Niaz s'y connaissait assez bien en commotion et en clavicule cassée pour maîtriser la situation de manière satisfaisante. Après s'être assuré que la blessure n'était pas grave, il avait ôté la veste d'Alex et bandé solidement la clavicule avec son *puggari*. Puis, dans un village traversé un peu plus tôt, il avait été chercher un palanquin et des porteurs. Une heure plus tard, Alex était installé dans la cabane du chef du village et confié aux soins d'une vieille toute ridée, versée dans la pratique des herbes médicinales.

Alex ne reprit conscience que longtemps après l'aube et se mit à divaguer en plusieurs langues. Puis il redevint normal, mais ses souvenirs s'arrêtaient au dâk-ghari accidenté au cours du trajet depuis Calcutta. Ce ne fut qu'au matin du sixième jour qu'il se souvint de Delhi et de ce qui s'y était passé. Il lui fallut un certain temps pour se rendre compte du nombre de jours écoulés depuis sa poursuite de Winter et de Carlyon. Il se souleva alors sur son bras valide et, pris d'une sombre fureur, injuria Niaz parce qu'il l'avait laissé au lit, bourré de calmants, au lieu de le remettre en selle pour aller à Lunjore ou retourner à Delhi.

– Si j'avais agi ainsi, cela ne t'aurait pas réussi.

– Prépare les chevaux, nous partons maintenant.

– Pour Delhi ?

– Non, pour Lunjore.

Niaz observa Alex d'un œil pensif et dit d'une voix neutre :

– J'ai envoyé un homme jusqu'au gué pour avoir des nouvelles. La rivière est rentrée dans son lit depuis trois jours et le sahib lord est passé avec voiture, chevaux et nauker-log. Ils allaient à Delhi.

– La sahib lady était-elle avec eux ?

– Non. Mais l'homme a parlé avec l'un des palefreniers. Il paraît qu'elle a rencontré des amis et a continué avec eux jusqu'à Lunjore.

Après un long silence d'Alex, Niaz se hasarda à demander :

– Partons-nous aujourd'hui ?

– Non. (Alex ferma les yeux et parla sans regarder Niaz.) Je vais attendre ici pendant que tu iras chercher mes affaires à Delhi.

Alex et Niaz partirent dans la fraîcheur brillante d'un petit matin, après avoir absorbé le copieux repas préparé par l'épouse du chef du village. Les étapes du voyage furent plus courtes qu'elles ne l'auraient été en temps normal, car les longues heures en selle fatiguaient plus Alex qu'il ne l'admettait. Winter était mariée depuis presque une semaine lorsqu'il atteignit son propre bungalow par la longue route poussiéreuse qui passait devant la Résidence.

Son bungalow, dont les lampes étaient allumées, lui parut agréablement frais après la chaleur du trajet. Prévenu à l'avance par Niaz, Alam Din, le domestique, avait préparé un repas. Alex avait parcouru moins de cinquante kilomètres ce jour-là, mais il se sentait insupportablement fatigué et furieux contre lui pour cette raison. Il comptait se coucher immédiatement et ne se présenter au Résident que le lendemain, mais Mr Barton avait envoyé un message demandant à Alex de venir le soir même.

Il se rendit à la Résidence à la clarté des étoiles et s'arrêta sous le portail pour parler à Akbar Khan, le portier, qui se leva en le voyant. Il devait être en conversation avec quelqu'un, car l'ouïe fine d'Alex avait saisi un murmure de voix en s'approchant, mais personne n'était visible maintenant, et Akbar Khan bloquait la porte.

Akbar Khan salua et exprima ses regrets au sujet de la blessure du Huzoor, mais son regard évitait celui d'Alex et il paraissait désireux de le voir s'éloigner. Conscient de ce fait, Alex s'attarda tout en se demandant qui pouvait bien se trouver dans l'obscurité.

Une légère odeur assez familière flottait sous le porche. Une odeur rance, quasi animale, qui rappela à Alex celle de la pièce souterraine de Khanwai. Ses yeux se rétrécirent et il dit d'une voix douce :

– Qui est assis là, à l'intérieur et reste si immobile ? Demande-lui de sortir.

Le visage d'Akbar Khan resta impassible et son regard n'était plus embarrassé :

– C'est ma femme venue apporter de l'huile pour la lampe, Huzoor. Elle s'est cachée car elle n'est pas voilée.

Alex le regarda d'un air pensif. Son instinct et l'odeur légèrement nauséabonde lui disaient que l'homme mentait.

– Dis à ton... épouse que de sortir ainsi, même de nuit, n'est pas avisé car d'autres que moi pourraient la voir. Et en parler.

L'allusion et la menace ne furent pas perdues pour Akbar Khan car ses yeux clignotèrent une fraction de seconde, puis il salua très bas en une sorte d'acquiescement. Alex passa, se souvenant de Khanwai et de la nuit, plus d'un an auparavant, où il avait surpris cette curieuse réunion sous le banian. Les musulmans (et Akbar Khan en était un très convaincu) ne se réunissent pas avec de saints hommes hindous... Cependant celui qui s'était adressé aux hommes rassemblés à Khanwai était à la fois un mulsuman et un maulvi. Perdu dans ses pensées, Alex gravit les marches du perron et fut introduit dans le salon du Résident.

Brillamment éclairée, la grande pièce présentait un aspect inhabituel. Ce n'était plus le désordre familier. L'arrangement des meubles différait; la pièce, propre et ornée, contenait au moins trois bouquets de fleurs dont un de lys orange et de jasmin jaune. Une porte s'ouvrit à l'autre extrémité, Alex leva les yeux et vit Winter.

Il aurait dû être préparé à cette éventualité, mais il ne l'était pas. À son avis, Winter possédait trop de caractère et de courage pour permettre aux circonstances de la forcer à ce mariage une fois qu'elle aurait vu son fiancé et compris ce qu'il était devenu. À vrai dire, il était bien venu à l'idée d'Alex qu'elle pouvait encore se trouver à Lunjore, mais très probablement les amis rencontrés sur la route l'avaient déjà aidée à retourner chez les Abuthnot ou à Calcutta. Qu'elle ait épousé ce débauché au visage bouffi était, devait être, impossible. Alex n'était préparé ni à voir Winter, ni à l'effet qu'une telle rencontre lui ferait.

Conway n'avait pas signalé à Winter le retour d'Alex et elle n'imaginait pas qu'elle eût jamais à le revoir. Sachant son mari installé à boire avec deux de ses amis, elle s'était glissée dans le salon pour y chercher des ciseaux à broderie laissés dans la soirée.

Alex et Winter restèrent tous deux immobiles, à se regarder, leurs visages blancs sous l'effet du choc, leurs yeux agrandis, fixes et incrédules. D'un geste tâtonnant d'aveugle, Alex tendit la main et agrippa le dossier d'une chaise. Winter vit ses jointures blanchir et de la sueur perler à son front.

Ses doigts à elle serrèrent le bouton de porte et une vague de honte et de désespoir l'envahit comme au cours de sa nuit de noces. Alex avait dit la vérité au sujet de Conway sans qu'elle veuille le croire. De son mieux, il s'était efforcé de l'empêcher d'être prise au piège de sa propre stupidité, et le revoir maintenant semblait intolérable à Winter.

Alex demanda avec dureté :

– L'avez-vous épousé ?

– Oui. (Le mot ne fut guère qu'un souffle.)

– Pourquoi ?

Winter ne lui répondit pas, mais fit de la tête un geste d'impuissance qui ressortait moins du refus de répondre que du désespoir.

Quelque chose dans le petit mouvement de Winter causa à Alex une souffrance quasi sauvage qui n'était pas entièrement physique comme celle d'un fer rouge.

– Était-ce parce que vous n'aviez personne vers qui vous tourner ? Vous auriez pu…

Il s'arrêta brusquement, conscient de la futilité des questions et des réponses. Qu'importait-il maintenant ? L'irréparable était accompli. Il dit d'une voix bizarrement cérémonieuse donnant l'impression qu'il était ivre :

– Je suppose que je dois vous féliciter. Voulez-vous m'excuser auprès de votre mari ? Il m'a fait demander, mais j'ai eu une journée très fatigante, et je suis sûr qu'il me pardonnera si je remets notre rencontre à demain. Bonsoir.

Il tourna les talons et Winter l'entendit trébucher sur les marches du perron, puis le bruit de ses pas s'évanouit dans le silence.

Alex était parti. Elle l'avait laissé partir, et pourtant elle aurait pu l'arrêter. Même maintenant, si elle courait après lui, il pourrait l'aider. Non à dissoudre son mariage qui était irrévocable. Mais il ne refuserait pas de l'aider. Il ferait quelque chose, elle ne savait pas quoi, mais quelque chose. Cependant, comment pourrait-elle avoir recours à lui après ce qui s'était passé à Delhi ? Après les insultes qu'elle lui avait lancées ? Elle souhaitait seulement n'avoir plus à le revoir. Et il n'y avait personne d'autre à qui faire appel.

Elle serait bien allée chez Ameera, mais Ameera ne pouvait la recevoir au Gulab Mahal pour l'instant. Et retourner à Delhi ? Carlyon risquait de s'y trouver, ou d'être sur la route pour s'y rendre. Elle n'avait ni argent ni moyen de s'en procurer car Conway s'était emparé de ses bijoux pour les mettre dans son coffre. Hamida elle-même était partie.

Le matin suivant sa nuit de noces, Winter s'était éveillée après un profond sommeil d'épuisement physique. Avec désespoir, elle comprit ce qu'elle avait fait. Un bras lourd, dont le poids abîmait sa poitrine, était en travers d'elle et, à ses côtés, son mari ronflait la bouche ouverte. Elle remua et il grogna, puis roula sa tête sur l'oreiller sans s'éveiller pour autant. Winter avait rampé hors du lit, frissonnant de dégoût et de désespoir, étourdie et meurtrie. Un châle drapé autour d'elle, elle avait marché en trébuchant jusqu'au cabinet de toilette et verrouillé la porte derrière elle.

Hamida l'y attendait et Winter s'était accrochée à elle, les yeux secs, en proie au désespoir. Hamida l'avait bercée et cajolée, mais il était visible qu'elle considérait ce genre d'aventure comme faisant partie de la vie normale. Elle aussi s'était mariée, et beaucoup plus jeune que Winter encore; et son mari s'était révélé vigoureux, un véritable ours ! Hamida avait hurlé de terreur pendant sa nuit de noces, pleuré et frissonné encore longtemps après. Mais avec le temps, elle s'était mise à aimer son mari et leurs étreintes. Les maris étaient souvent brutaux au lit, dit Hamida, mais les épouses devaient les supporter et apprendre à leur plaire afin qu'ils ne se tournent pas vers des femmes légères.

La déclaration hystérique de Winter selon laquelle elle avait l'intention de quitter Lunjore immédiatement scandalisa Hamida. C'était impossible, impensable ! Les épouses ne se conduisaient pas ainsi. Elle était mariée maintenant et ne pouvait plus revenir en arrière. Personne ne l'avait obligée à ce mariage : elle y était venue librement et ne devait pas se sauver.

Une seule phrase de Hamida atteignit Winter : elle était mariée maintenant et ne pouvait plus revenir en arrière. Hamida avait raison. Mais moins d'une semaine plus tard, Hamida était partie.

La responsable de ce départ, Yasmin, la femme grassouillette installée au chevet de Conway, vivait au bibi-gurh. Reconnaissant en Hamida une ennemie, elle décida de prendre des mesures pour la faire partir. Conway demanda à sa femme de renvoyer Hamida, car une autre ayah était engagée pour elle. Mais Winter refusa tout net de se séparer de Hamida. Ne pouvant rien pour la faire changer d'avis, Conway s'était fâché. Winter n'avait pas cédé, mais le lendemain Hamida, tombée brusquement malade, chuchota à sa maîtresse qu'on lui avait empoisonné sa nourriture. L'Indienne proposa à Winter d'acheter et de cuire elle-même ses propres repas, mais cette dernière ne voulut pas en entendre parler. Elle n'accepta pas de mettre la vie de Hamida en danger et la renvoya à Oudh avec des messages et des cadeaux pour Ameera. Avec Hamida s'en alla le seul lien de Winter avec le monde extérieur jusqu'à l'arrivée des Gardener Smith à Lunjore. Peut-être pourraient-ils l'aider, lui prêter de l'argent pour retourner à Ware. À Ware ! Elle n'aurait jamais cru désirer un jour y retourner, mais n'importe quoi – *n'importe quoi* – valait mieux que la vie dans cette horrible maison avec cet étranger vulgaire, brutal et grossier, ce mari qui l'avait épousée uniquement pour son argent, il ne se gênait pas pour le dire.

Alex n'était pas revenu et Winter pensait qu'il cherchait un autre poste. Elle ne connaissait rien à l'administration et voyait là le cours normal des choses. Alex ne se faisait aucune illusion sur son chef dont il parlait en termes non mesurés. Il avait embrassé la fiancée du Résident et avait été accusé en retour d'être jaloux et menteur. Il ne voudrait sûrement pas rester à Lunjore et elle ne le reverrait plus.

Restait Mrs Gardener Smith venue lui rendre visite l'après-midi de son arrivée. Elle fut tout à fait aimable avec Mr Barton et ce dernier, émoustillé par Delia qui représentait exactement son type, se montra très agréable. Mrs Gardener Smith fut favorablement impressionnée par le Résident et s'étonna de ce que sa femme eût aussi mauvaise apparence. Elle avait vieilli de dix ans. Son visage tiré et sa pâleur se remarquaient même dans le salon abrité par les jalousies, et les cernes sous les yeux de Winter les faisaient paraître encore plus grands. Cependant la jeune femme était parfaitement calme et très intéressée par le récit du mariage de Lottie. Elle avait demandé à venir voir Mrs Gardener Smith le lendemain et était arrivée à onze heures. Mais la rencontre se révéla pénible pour les deux femmes.

Les idées de Mrs Gardener Smith sur les jeunes épousées et leurs devoirs à l'égard de leurs maris, spécialement les maris de l'âge et de l'affabilité du Résident de Lunjore, ne différaient pas de celles de Hamida. Non seulement elle n'avait témoigné aucune sympathie à Winter, mais encore avait-elle été scandalisée. Évidemment, tous les hommes buvaient ! Et à certaines occasions buvaient trop et se conduisaient en conséquence. Mais les dames ne parlaient pas de ces choses-là. Elles regardaient d'un autre côté. Quant à la suggestion d'aider Winter à quitter son mari, elle ne voulait pas se mêler de cette histoire à dormir debout. Il ne pouvait en résulter que des désagréments entre le Résident et elle, et rien que pour cela, elle n'acceptait pas d'en entendre parler. Mais même si Winter *était* assez folle pour se sauver, elle n'irait pas loin car la loi serait pour Mr Barton et on pourrait l'obliger à revenir. Mrs Gardener Smith se déclara choquée que cette chère Winter manque à ce point de retenue, et de sens des responsabilités vis-à-vis de son mari et de la société pour seulement envisager une chose pareille !

Winter redescendit en voiture la route poussiéreuse du camp militaire, son dernier espoir envolé. Comme Hamida, Mrs Gardener Smith était dans le vrai. Elle avait épousé Conway et ne pouvait partir. Parce qu'elle n'avait aucun endroit où aller et que, aussi loin qu'elle aille, on pourrait venir la chercher pour la ramener de force chez son mari légitime. Comme elle avait fait son lit, elle devait s'y coucher.

En retournant d'un air las à la grande maison blanche devenue la sienne, Winter ne pensait pas qu'il fût possible d'éprouver plus grande humiliation ou plus profond désespoir. Jusqu'au moment où, le soir de ce même jour, elle avait ouvert la porte du salon et vu Alex Randall. Elle sut alors qu'elle s'était trompée.

Au cours des lentes journées, puis des semaines qui suivirent, Winter vit rarement Alex et ne lui parla jamais. Il était toujours à Lunjore et elle qui avait eu l'intention – comme cela semblait loin ! – de décider Conway à le faire muter, elle en devenait presque contente. Même si elle ne lui parlait pas ou le voyait rarement, le fait qu'il fût là était curieusement réconfortant : le seul anneau solide dans une chaîne rouillée. Si l'existence quotidienne dépassait ce qu'elle pouvait endurer, il resterait Alex. Lui, au moins, ne refuserait pas de l'aider : il connaissait Conway.

Alex passait une grande partie de son temps dans les régions éloignées du district et, lorsqu'il n'était pas en tournée, il évitait de venir dans les pièces d'habitation de la Résidence. Mais il se trouvait souvent dans le bureau du Résident, et Winter entendait sa voix uniforme s'adressant à son mari avec les intonations de quelqu'un qui explique patiemment un problème à un enfant gâté et un peu retardé. Obscurément consciente du fait qu'Alex modérait son humeur, elle se demandait pourquoi il prenait cette peine, car Mrs Cottar avait dit vrai : le capitaine Randall faisait tout le travail et le Résident Barton en recevait toutes les louanges.

Conway signait les papiers posés devant lui par Alex, se rangeait à toutes les décisions de ce dernier, s'imaginant à la manière dont elles étaient présentées qu'elles étaient siennes. En fin de compte, il n'avait pas donné sa démission de son poste, car une rumeur courait selon laquelle le gouverneur général envisageait de faire une grande tournée passant par Lunjore l'année suivante, et le Résident voyait là l'espoir d'un titre. La perspective de se retirer non seulement en homme riche, mais encore en tant que « sir Conway » tentait beaucoup sa vanité, aussi avait-il décidé de différer d'un an sa démission, et aussi de passer cette année le plus agréablement possible. Il cessa de prendre un intérêt même fortuit aux affaires de Lunjore, et le travail d'Alex s'en trouva simplifié.

Maintenant tranquille grâce à la possession d'une grande fortune, le Résident recevait avec prodigalité et sa maison était toujours pleine d'invités. Il commanda de nouveaux meubles à Calcutta et parla d'ajouter une aile nouvelle au bâtiment. Fier de l'allure de son épouse, il lui plaisait que ses vêtements, ses bijoux et sa dignité impressionnent ses invités. Mais il s'était vite fatigué d'elle en tant que femme. Elle n'avait plus jamais crié ni pleuré et ne s'était plus débattue, mais le dégoût froid et passif avec lequel elle endurait ses étreintes le priva vite du plaisir qu'il y prenait et il retourna vers Yasmin, plus vulgaire mais plus coopérative.

À un moment, alors que Conway s'intéressait encore à son épouse, Winter mangea des aliments qui la rendirent malade tandis que le Résident demeura indemne. Elle se souvint alors de Hamida et eut peur. Mais qui dans la maison voudrait se débarrasser d'elle ? Le cas de Hamida était différent puisqu'elle représentait une rivale pour la femme choisie par Conway afin d'occuper un emploi lucratif. Ce ne pouvait être du poison, son imagination lui jouait des tours.

La maladie de Winter écarta pour quelques jours Conway de sa chambre. Une fois guérie, elle prit soin de manger seulement les mêmes plats que son mari. Elle se méprisait d'agir ainsi, mais au moins elle ne retomba pas malade et Conway revint coucher avec son épouse.

Deux jours plus tard, elle échappa à une mort pénible. Elle se préparait à prendre un bain dans un récipient métallique empli à l'aide de seaux. La salle de bains n'était éclairée que par une seule lampe à pétrole, noircie lorsque Winter entra. Elle la prit pour en monter la mèche, ce qui lui sauva la vie en lui permettant de voir le cobra qui leva la tête à ce moment-là. Elle ne cria pas, mais sa main bougea involontairement et la flamme vacilla puis s'éteignit, la laissant dans le noir avec le serpent en colère. Elle tâtonna pour trouver la porte et trébucha dans son cabinet de toilette.

Le cobra fut tué, mais aucune explication satisfaisante ne fut trouvée à sa présence dans la salle de bains. Seules des hypothèses furent avancées, aucune certitude ne put être obtenue.

Winter fut plus secouée qu'elle ne voulut l'admettre. Mais il n'y eut plus d'incidents du même genre et il ne lui vint pas à l'idée que le fait qu'elle n'intéressait plus Conway, qui couchait à nouveau dans sa propre chambre, eût quelque rapport avec cette affaire.

27

Mr Barton ne laissa guère son état d'homme marié changer son mode de vie et ses amis les plus dissolus continuèrent à fréquenter la Résidence. On y voyait souvent, avec ou sans leurs maris, la spirituelle mais acide Mrs Cottar et la grassouillette Mrs Wilkinson, toujours minaudière et féline. Les réunions du mardi ne cessèrent pas. Winter jouait son rôle d'hôtesse à toutes les réceptions pouvant être considérées comme officielles, mais elle refusait de présider aux longues soirées de jeu et de boisson et, le mardi, elle allait se coucher de bonne heure en prétextant une migraine.

Conway l'avait prise à partie à ce sujet et insisté pour qu'elle restât, sous prétexte que son attitude était insultante pour ses invités. Mais là, comme pour Hamida, il s'aperçut que sa jeune épouse ne se laissait pas intimider. Elle remplirait de son mieux ses devoirs d'épouse du Résident, mais ces devoirs ne comportaient pas sa présence à des réunions aussi discutables et bruyantes que les mardis de la Résidence.

Elle ne se fit pas d'amis au sein de la communauté britannique de Lunjore et n'appréciait pas les domestiques de la Résidence; en particulier son ayah, Johara, la sœur de la femme du bibigurh qui, d'après Conway, était l'épouse d'Iman Bux, le maître d'hôtel. Mais Winter n'avait aucune raison de les renvoyer. Ses capacités de gaieté, de chaleur et de bonheur, révélées timidement au cours du long trajet depuis l'Angleterre, ainsi que celle de rire libérée par Ameera, avaient été fauchées comme les fleurs par le gel, et la société de Lunjore considéra la jeune Mrs Barton comme froide.

Mrs Gardener Smith prétendant que sa fille était la meilleure amie de Mrs Barton, on vit souvent Delia à la Résidence. Mais, à vrai dire, elle venait davantage pour le colonel Moulson que pour Winter. Cette dernière fut surprise et déconcertée lorsque Delia devint l'une des habituées des « mardis de la Résidence » car elle n'aurait pas cru que Mrs Gardener Smith l'y autoriserait. Winter était certaine que le colonel Gardener Smith, un homme d'un certain âge, silencieux, sérieux et complètement absorbé par son bien-aimé régiment, n'aurait pas approuvé la participation de sa fille à ces réunions s'il l'avait su.

Winter appréciait le colonel Gardener Smith qui lui rappelait son grand-oncle que l'amour des livres isolait de la vie réelle. Le colonel venait de réussir à mettre sur pied un projet caressé depuis longtemps et destiné à améliorer l'existence de ses cipayes et de leurs familles : l'ouverture d'une école à l'européenne et d'un centre de soins. Mais il avait découvert que ses réalisations philanthropiques étaient considérées par ses cipayes comme une méthode subtile de détruire leurs castes, aussi s'empressa-t-il de rejeter ce blâme sur le colonel Packer qui commandait le 105e régiment d'Infanterie du Bengale stationné à Lunjore.

Le colonel Packer essayait de convertir au christianisme son régiment tout entier. Le colonel Gardener Smith, presque tous les officiers britanniques intelligents et tous les cipayes considéraient ce projet avec consternation et hostilité; et le capitaine Randall, au nom du Résident de Lunjore, avait violemment protesté auprès du commandant en chef et suggéré que le colonel Packer soit prié de ne pas prêcher la Parole ou muté de son commandement.

Le colonel Gardener Smith refusait de voir que ses projets d'améliorations sociales n'étaient pas mieux considérés par ses hommes que les assauts religieux de Packer. Il n'était pas étonnant que, dans ces conditions, il accorde si peu d'attention aux activités mondaines de sa femme et de sa fille. Il n'aimait guère Moulson, mais devait reconnaître qu'il était acceptable du point de vue militaire, de bonne famille et possédant sûrement des moyens supérieurs à sa solde. Il comprenait donc pourquoi sa femme le considérait comme un parti possible, mais ne pensait pas que Delia puisse envisager de l'épouser alors qu'il existait de jeunes officiers.

En cela, il se trompait. Delia n'était pas le moins du monde amoureuse du colonel Moulson, mais intriguée et flattée par ses attentions, elle était décidée à l'épouser. Elle comptait bien lui donner l'occasion de se déclarer et comme on le trouvait généralement en compagnie du Résident, elle se mit à rechercher la jeune Mrs Barton, et on put souvent rencontrer Delia sur le chemin de la Résidence.

Winter avait essayé d'expliquer à la mère de Delia le genre des « mardis de la Résidence », mais que ce soit réel ou feint, Mrs Gardener Smith s'était révélée plutôt obtuse sur le sujet. Elle affirmait être persuadée qu'il n'arriverait aucun mal à Delia dans une réunion où Winter jouait le rôle d'hôtesse. Et puis, après tout, la chère petite Delia était jeune et l'on ne pouvait lui demander d'assister à des réunions pour gens d'un certain âge.

– Le colonel Moulson n'est pas jeune, dit Winter. Mr Cottar et le major Mottisham ne le sont pas non plus. Vous ne comprenez pas. Je... je n'assiste pas moi-même à ces réceptions du mardi et je préférerais qu'elles ne se tiennent pas chez moi. Mais elles avaient lieu avant... avant que j'épouse Mr Barton et il désire les continuer.

Winter se fit une amie dans l'enceinte de la Résidence. Zeb-un-Nissa, neuf ans, la petite-fille d'Akbar Khan, le portier. Une frêle petite créature dont les énormes yeux sombres avaient un curieux regard aveugle comme si elle voyait, non pas les gens, mais à travers eux. On la considérait comme sujette à des crises et douée de seconde vue, et les domestiques la craignaient.

Cette enfant solitaire passait une grande partie de son temps entre les racines du grand banian proche de l'entrée de la Résidence (1), à observer les oiseaux et les écureuils qui n'avaient nullement peur d'elle et mangeaient dans sa main ou picoraient des graines sur ses lèvres.

Winter avait demandé que l'enfant aide aux travaux de la maison avec l'arrière-pensée de la former pour être sa femme de chambre à la place de Johara, mais cette suggestion ne fut pas appréciée et elle soupçonna Yasmin, la sœur de Johara, de s'y être opposée. La mère de Nissa, au contraire, aurait été ravie pour sa fille et Akbar Khan avait remercié l'aimable sahib lady de s'intéresser à son indigne petite-fille, mais malheureusement celle-ci n'était pas assez solide pour remplir cet emploi. Nissa n'entra pas dans la maison, mais Winter lui parlait souvent dans le jardin et elles se faisaient des signes lorsque Winter passait près du banian au cours de ses sorties quotidiennes à cheval.

(1) Le banian, un très grand arbre de l'Inde, a une partie de ses racines extérieures et il est parfaitement normal que Zeb-un-Nissa s'y soit installée avec ses animaux. (*N.d.T.*)

Au fur et à mesure que les semaines passaient, Winter se sentait moins profondément malheureuse et une morne résignation remplaçait la plaie à vif de son cœur. Il lui restait encore l'Inde, le seul bien à ne pas s'être écroulé avec ses rêves. Elle montait à cheval tous les soirs et au petit matin avant le lever du soleil, galopant à travers la plaine et le long de la rivière, ou bien au milieu des récoltes humides de rosée où le paon lançait son appel à l'aube, tandis que des bandes d'oies sauvages traversaient le ciel en poussant des cris pour se diriger vers les jheels de Hazrat Bagh et Pari.

La gloire du soleil se levant sur les plaines infinies et la large rivière aux nombreux méandres; la calme beauté du soir où le soleil se couchait à une vitesse incroyable, parant la rivière, ses longues rives argentées, la ville et la plaine, et tous les arbres, et toutes les cannaies d'une chaude couleur abricot; le bref crépuscule opale et la nuit s'ouvrant comme la roue d'un paon, vert, bleu et violet, mouchetée des derniers ors du jour et parsemée d'étoiles – toutes ces beautés réconfortaient Winter, renouvelant chaque jour pour elle un enchantement inépuisable.

L'Orient possédait aussi un fatalisme qui l'attirait; la saleté, la misère et la cruauté sous-jacentes ne diminuaient en rien son amour du pays. La ville était laide, malsaine, emplie de spectacles insoutenables pour des regards occidentaux et Winter les voyait bien. Mais elle aimait cette ville aussi. Les pyramides colorées de fruits, de légumes et de graines dans le bazaar. La puissante odeur d'huile de moutarde et de masala, de musc, d'épices et de ghee. Les échoppes du potier et de l'orfèvre. Les étalages où l'on vendait des bracelets de verre aussi fins et légers que de la soie et aussi fragiles qu'une feuille sèche, ces bracelets brillants, étincelants, rouges, bleus, or et vert gazon. Les magasins de soieries aux balles pimpantes empilées dans l'ombre. Les foules qui se bousculaient et les paresseuses vaches sacrées de Siva se frayant leur chemin dans les ruelles étroites tout en prenant leur dû chez les marchands de légumes.

On voyait rarement des femmes blanches en ville, et lorsque parfois elles s'y aventuraient, c'était en voiture et escortées par des hommes blancs. Winter, elle, y allait avec le seul Yusaf, le palefrenier; au début, les badauds se rassemblaient pour la regarder en gloussant, la suivaient et chuchotaient. Mais ils finirent par s'habituer, car elle venait souvent et parlait couramment leur langue, ce qui n'était pas fréquent chez les sahib-log. Elle finit par avoir de nombreux amis et connaissances en ville. Des amis inattendus et d'étranges connaissances qui auraient horrifié et dégoûté son mari s'il avait été au courant. Mais Conway s'intéressait peu aux faits et gestes de son épouse et ne savait pas où elle allait.

Alex le savait, lui, et au début il avait été contrarié que Winter circule aussi librement et aussi loin dans la campagne et en ville. Puis il en était arrivé à penser que, peut-être un jour, les amitiés de la jeune femme assureraient sa sécurité et il avait interrompu la surveillance discrète qu'il exerçait sur elle.

Lorsqu'il n'était pas en tournée, Alex aussi montait à cheval tous les matins avant le lever du soleil et Winter l'avait parfois aperçu sans se rendre compte qu'il veillait sur elle. Alex savait l'histoire du cobra dans la salle de bains et en avait tiré ses conclusions. La femme du bibi-gurh, l'ex-danseuse qui s'était pavanée avec la grosse émeraude de Kishan Prasad, craignait une rivale et soit elle, soit sa famille pouvait prendre des mesures pour supprimer celle-ci.

Sa complète impuissance en la matière emplissait Alex de fureur et il avait parlé à Iman Bux qu'il savait être parent de la femme, l'informant qu'au cas où d'autres accidents surviendraient à la memsahib, ou s'il apprenait qu'elle était tombée malade à cause de sa nourriture, de gros ennuis arriveraient à plusieurs membres de la maisonnée et, malgré son influence, le Résident n'y pourrait rien changer.

– Et l'on doit savoir que je tiens parole, dit Alex.

– On le sait, murmura Iman Bux.

Restait l'éventualité d'un accident combiné pour Winter lorsqu'elle se trouverait au-dehors. Alex n'approuvait pas son mari de l'autoriser à sortir quotidiennement sous la seule escorte d'un palefrenier. Par la suite, il était arrivé à mettre un de ses hommes à ce poste. Avec Yusaf derrière elle, Alex savait qu'il n'arriverait rien à Winter et, à partir de ce moment, elle le vit rarement lorsqu'elle montait avant ou après le coucher du soleil.

Elle se trouvait plus heureuse hors de chez elle. Dans la maison vivait Conway, autrefois rêve enfantin de bonté, paré des qualités d'un héros de roman, mué à présent en une horrible parodie de chevalier. Dans la maison se trouvaient aussi des étrangers dont les visages ne lui étaient que trop familiers, tout en restant des étrangers. Cette maison était différente des autres. Avec son mari, ses amis ou les domestiques, elle n'était qu'un cadre pour ceux qui l'habitaient. Lorsque Winter était seule, tout changeait et il lui semblait entendre des murmures.

Une fois, au début de la nouvelle année,

Winter s'éveilla en ayant froid. Elle couchait seule dans le grand lit car, une fois de plus, Conway était retourné habiter sa chambre et il la visitait rarement. Elle se mit sur son séant et tendit la main pour prendre son couvre-pieds, mais il n'était pas là et elle se rappela l'avoir laissé dans son cabinet de toilette où elle se rendit en frissonnant. Au moment où elle allait le prendre, il lui sembla percevoir des chuchotements. Ne s'agissait-il pas des murmures qu'elle avait souvent cru entendre ? Immobile, elle resta à écouter.

Tout à coup, elle comprit que les voix parlaient hindi et que leur écho un peu fantomatique venait par le trop-plein d'évacuation des eaux. Quelqu'un était accroupi derrière le mur le plus éloigné de la salle de bains sans se rendre compte que le trop-plein servait de tube acoustique.

Winter entendit le bouillonnement d'un hookah et supposa qu'il provenait de Dunde Khan, le veilleur de nuit, tuant le temps avec un ami domestique. Elle allait partir lorsque la voix désincarnée murmura dans le silence :

– Il montera Chytuc ou Shalini, car Eagle a perdu un fer. L'un ou l'autre se profilera sur les récoltes...

Son attention soudain alertée, Winter se figea sur place. Il s'agissait là des chevaux du capitaine Randall. Était-ce d'Alex que les hommes cachés parlaient ? Elle attendit et une seconde voix, moins distincte, s'éleva :

– Mais, et Niaz Mohammed Khan ? Sahib Randall monte rarement sans lui.

– C'est arrangé. Je pense qu'à l'heure actuelle, il doit être un peu souffrant. Légèrement, car c'est inutile d'éveiller des soupçons, mais assez pour le retenir au lit demain. Je pense que le sahib sera seul.

Une autre voix s'éleva, mais plus lointaine et Winter ne put saisir ses paroles. Elle s'accroupit pour que sa tête soit au niveau du tuyau et sursauta, car elle eut l'impression qu'on lui parlait à l'oreille :

– Et s'il ne passe pas par Chunwar ?

– Il le fera. Je l'ai entendu dire au sahib Résident qu'il irait demain à l'aube vérifier l'exactitude d'un rapport. Et pour aller à Chunwar, il doit traverser le nullah près des arbres, il n'existe pas d'autre chemin pour un cavalier. On croira qu'il s'agit d'un accident.

– Mais si... si j'échoue...

La voix marquait un tremblement de froid ou de peur.

– Tu n'échoueras pas, c'est un jeu d'enfant. Souviens-toi que Mehan Lal aussi sera là. Et il y aura ensuite des témoins pour dire que le cheval du sahib a eu peur.

– Pourquoi ne pas en finir avec un fusil ou un couteau ?

– Pour être pris ? Non. En outre, il faut éviter un meurtre visible qui risquerait de faire croire à des troubles à Lunjore. On pourrait envoyer un régiment d'Angrezi et nous n'en voulons pas. Les ordres sont que l'on doit croire à un accident.

– Pourquoi est-ce nécessaire ? Il s'agit seulement d'un sahib et ils sont si nombreux.

– Il y a beaucoup de fous pour un seul homme sage. À Peshawar, on dit qu'il y a de nombreux sahibs, mais un seul Nikal Seyn (Nicholson) ! Il en est de même partout et avec tout le monde. Si ceux qui voient, alors que les autres sont aveugles, sont ôtés du chemin, les choses deviennent plus faciles.

– Mais..., mais c'est un homme bon. Il nous connaît et est juste.

– *Fou !* Ce ne sont pas ceux qui crachent sur

nous qui sont dangereux pour nous, car ils tressent ainsi la corde pour les pendre. Ce sont des hommes tels que sahib Randall, parlant nos dialectes comme l'un de nous, ayant des amis parmi les nôtres et veillant à ce qu'il soit fait justice à tous, qui sont un obstacle sur notre chemin. Parce que beaucoup des nôtres les écouteront et encore davantage les suivront jusqu'à la mort, prenant même les armes contre ceux de leur race. Ce sont ces hommes-là qu'il faut d'abord supprimer.

Pelotonnée dans son châle et transie, Winter attendit encore un quart d'heure, mais elle n'entendit plus parler. Elle se leva alors, toute raide, pour regagner son lit.

Winter n'osa pas s'endormir de crainte de s'éveiller trop tard pour empêcher Alex de courir à sa mort. Enfin, une lueur grise émergea de l'obscurité et un coq chanta. Winter alluma une bougie et s'habilla rapidement. Elle traversa en courant la maison silencieuse et secoua l'un des serviteurs qui dormaient dans le hall afin qu'il appelle le palefrenier, et selle son cheval immédiatement.

La maisonnée était trop habituée aux levers matinaux de Winter pour s'étonner. Yusaf devait être déjà levé car, à peine un quart d'heure plus tard, elle galopait sur la longue avenue dans la lueur grisâtre du petit matin. Une lumière brûlait dans une des pièces du bungalow du capitaine Randall et un palefrenier promenait un cheval rétif devant la véranda. Il n'était donc pas encore parti ! Winter retint sa monture avec difficulté et s'engagea à une allure tranquille sur un chemin étroit recouvert de branches de tamaris, tout en écoutant si le bruit de sabots de Chytuc venait.

Winter ne connaissait pas l'identité des hommes qui chuchotaient de l'autre côté du mur la nuit précédente, mais ils ne se seraient pas trouvés là si l'un d'entre eux au moins n'avait pas eu de liens avec la Résidence. Winter se refusait à croire que son palefrenier Yusaf appartenait à ce groupe, mais elle ne voulait courir aucun risque. Elle l'aurait bien laissé à la Résidence, mais puisqu'elle n'était jamais sortie sans lui, le faire ce matin aurait pu prêter à commentaires.

Le chemin débouchait sur un terrain découvert au-delà duquel s'étendaient un verger de manguiers et une large bande de terrains cultivés. À droite, la ville et la rivière, et à gauche le *maidan* (terrain d'exercice) et le champ de tir. Winter serra la bride de son cheval à la croisée des chemins, comme si elle hésitait sur lequel choisir. Elle entendit venir Shiraz, le cheval monté par Yusaf, puis le bruit qu'elle guettait. Elle fit pivoter Furiante de manière qu'Alex soit obligé de s'arrêter. Il stoppa brusquement et elle vit qu'il était seul. En cela, au moins, elle ne s'était pas trompée.

À l'intention de Yusaf, et avec une pointe de surprise dans la voix, elle dit :

– Capitaine Randall ! Quelle chance de vous rencontrer, je souhaitais justement vous voir. Puis-je vous accompagner ?

C'était la première fois qu'elle lui parlait depuis le soir de l'arrivée du jeune homme à Lunjore, presque trois mois auparavant; mais si Alex fut le moins du monde étonné d'être ainsi accosté, il ne le laissa pas transparaître. Il s'inclina légèrement et dit d'une voix sans expression :

– Bien sûr, si vous le souhaitez, madame. Mais je me rends à Chunwar ce matin et je crains que vous ne trouviez cela peu amusant. La route est plutôt mauvaise.

– Peut-être alors pouvons-nous aller jusqu'au

maidan à la place. Chunwar sera pour un autre matin.

– Je ne voudrais pas paraître désobligeant, commença Alex, mais…

Les sourcils levés, Winter le regarda par-dessus son épaule tout en relâchant les rênes, mais à l'abri de sa jupe longue elle éperonna Furiante. Le cheval n'attendait que cela, car il piétinait et s'ébrouait d'impatience depuis un quart d'heure et il réagit au coup d'éperon à la vitesse d'une fusée qui explose.

Winter poussa un seul cri à l'intention du capitaine Randall, puis se concentra pour rester en selle sans toutefois faire le moindre effort pour ralentir Furiante. À vrai dire, elle n'était pas sûre de pouvoir y arriver si elle le voulait, car Furiante avait pris le mors aux dents et galopait comme s'il était poursuivi par une légion de démons.

Heureusement, le sol était uni et, une fois les arbres dépassés, le maidan s'étendait devant eux. Dans l'étroit chemin qui y menait, des branches fouettèrent la jupe de Winter; son chapeau tomba et ses cheveux se déroulèrent comme un drapeau de soie noire. Elle entendit les sabots de Chytuc derrière elle et la voix d'Alex hurler : « À gauche… à gauche ! » Elle tira sur la rêne gauche de toutes ses forces, mais ne put faire virer le cheval affolé. Alex arriva à son niveau et saisit la bride de Furiante qu'il réussit à faire pivoter juste avant le dangereux fossé. Deux minutes plus tard, les chevaux étaient arrêtés.

Prise d'une faiblesse soudaine, Winter se pencha sur le cou de Furiante. Elle sentit les doigts d'Alex la saisir par l'épaule :

– Allez-vous bien ?

Elle leva la tête et vit son expression de compréhension lorsque leurs regards se rencontrèrent. La main d'Alex tomba et il demanda d'un ton incrédule :

– L'avez-vous fait exprès ?

Winter se redressa et prit une longue inspiration pour se calmer :

– Il le fallait. Je regrette. Je devais absolument vous parler. *Je le devais*. Dites à Yusaf de rester en arrière.

Sur un ordre rapide, Yusaf se mit à les suivre à distance respectueuse.

– Vous feriez mieux d'arranger vos cheveux. Donnez-moi les rênes.

Se penchant en avant, il les lui prit et la regarda se recoiffer de son mieux. La colère quitta le visage d'Alex et il sourit un peu de guingois :

– Vous ressemblez à une Spartiate « peignant ses longs cheveux pour aller mourir » dans le défilé des Thermopyles. N'ayez pas l'air aussi tragique. Que se passe-t-il ?

– Je m'excuse, mais je voulais vous empêcher d'aller à Chunwar. Pourquoi êtes-vous seul ce matin ? Votre ordonnance ne vous accompagne-t-elle pas généralement ?

– Elle est malade. Pourquoi cette question ?

Winter émit un petit hoquet :

– Parce que..., parce que cela signifie que c'est vrai, que je n'ai pas tout imaginé.

– Qu'est-ce qui est vrai ? Quelle est cette histoire ?

Elle lui raconta alors ce qu'elle avait entendu chuchoter de l'autre côté de sa salle de bains la veille au soir. Lorsqu'elle eut fini, Alex resta un moment silencieux puis demanda à Winter si elle avait reconnu les voix :

– Non. Ils parlaient très doucement et l'écho rendait tout étrange.

– Ont-ils prononcé des noms ?

– Un seul. Un homme appelé Mehan Lal sera dans le ravin pour aider. Aucun serviteur ne porte ce nom.

– Mais il y en a un parmi mes connaissances.

Sans tourner la tête, Alex claqua des doigts à la hauteur de ses épaules. C'était un geste presque imperceptible mais à vingt mètres en arrière, Yusaf le vit et éperonna son cheval :

– Huzoor ?

– As-tu un pistolet ?

Yusaf enfouit une main dans sa tunique et en sortit un Colt à cinq coups; une arme étonnante chez un palefrenier. Alex le prit, le glissa dans sa poche et dit :

– Je peux avoir besoin des deux. Ramène la memsahib chez elle par les cantonnements et tiens ta langue.

Alex remarqua l'air étonné de Winter et sourit :

– Ne vous inquiétez pas : Yusaf est l'un de mes hommes. Je trouvais que vous ne deviez pas aller aussi loin en campagne sans une escorte digne de confiance. Les temps ne sont pas aussi sûrs que certains le croient.

Il commença à faire pivoter Chytuc et Winter s'agrippa à sa bride :

– Non ! Alex, non !

La panique rendait sa voix aiguë.

Alex baissa les yeux sur le visage pâle de frayeur et les lignes dures de son visage s'adoucirent. Pendant un bref moment, il posa sa main sur celle de Winter et la serra très fort pour la rassurer.

– Tout ira bien, je vous le promets. Un homme averti en vaut deux, vous le savez bien.

Mais les doigts de Winter restaient accrochés aux rênes :

– Qu'allez-vous faire ? demanda-t-elle essoufflée.

D'une manière inattendue, Alex sourit :

– À vrai dire, je n'en sais rien. Mais je n'aime pas servir de cible et j'ai l'intention de décourager les tireurs. Tomber dans une embuscade ou s'y engager les yeux ouverts font deux.

– Je vais venir avec vous, et Yusaf peut nous accompagner aussi.

Alex secoua la tête :

– Oh ! non, vous ne viendrez pas, cela gâcherait tout. Ils m'attendent seul et s'ils voient quelqu'un avec moi, ils abandonneront jusqu'à une nouvelle occasion. Et une autre fois, je peux ne pas être averti.

– Alex...

Alex arracha de la bride la main de Winter et dit soudain avec une certaine sauvagerie :

– Pour l'amour du ciel, ne me regardez pas ainsi ! (Il la vit tressaillir comme s'il l'avait frappée. Son ton se fit encore plus brusque :) Je regrette. Je vous suis très reconnaissant de m'avoir prévenu. Maintenant, allez... , retournez chez vous.

Il fit faire volte-face à Chytuc et partit au galop à travers le terrain découvert vers la lointaine ceinture d'arbres. Winter tourna son cheval et regarda Alex devenir de plus en plus petit à travers la plaine incolore jusqu'à ce que les arbres l'engloutissent.

Le ciel, gris perle au moment où elle franchissait le portail de la Résidence, se mettait à briller avec le lever du soleil, et seule l'étoile du matin scintillait encore faiblement dans la lumière safran de l'est – l'étoile du matin et un pâle croissant de lune se noyaient dans la marée montante de l'aurore. Elle avait quitté la Résidence depuis moins d'une heure, mais il lui semblait que des heures, ou même des années s'étaient écoulées. Comme si elle n'était plus la même personne que celle qui avait franchi la grille.

Pourquoi n'avait-elle pas su plus tôt qu'elle aimait Alex Randall ? Pourquoi était-ce seulement maintenant, alors qu'il s'éloignait pour aller peut-être à la rencontre de sa mort, qu'elle comprenait ce qu'il signifiait pour elle ? Elle l'aimait depuis si longtemps et avait été trop obsédée par cette image de Conway, puérile, folle, cette image de carton-pâte clinquante, pour s'en apercevoir. Une fois, à Malte, elle avait désiré qu'il l'embrasse et en avait été horrifiée à cause de Conway. Et lors du baiser d'Alex à Delhi, sa réaction instinctive l'avait étonnée et choquée parce qu'elle l'avait considérée comme une trahison vis-à-vis de son futur mari, et elle s'en était détestée. Comme elle avait haï Alex de l'entraîner dans ce piège !

C'était seulement maintenant, face à l'éventualité de la mort d'Alex, que tous les sentiments mélangés et incontrôlables s'éclaircissaient, ne laissant émerger qu'un seul fait : elle aimait Alex. Mais qu'il vive ou non, il était trop tard parce qu'elle avait épousé Conway Barton.

Suivie de Yusaf, Winter retourna chez son mari. Mais elle n'entra pas dans la maison. Elle descendit de cheval au portail et alla jusqu'au grand banian où elle s'assit en silence, au milieu des racines, pour regarder la petite-fille d'Akbar Khan partager son repas avec les oiseaux. Le spectacle de la frêle silhouette calme, aux mouvements lents, entourée d'oiseaux familiers et d'écureuils apaisait toujours Winter. Les petites créatures la connaissaient suffisamment pour lui prêter peu d'attention, mais aujourd'hui elles se montraient plus sauvages qu'à l'accoutumée.

– Ils savent que tu as peur, dit Zeb-un-Nissa. (Elle tourna ses grands yeux qui n'accommodaient pas vers Winter et lui sourit de son habituel sourire vague et doux.) Tu n'as pas besoin d'avoir peur. Il ne lui arrivera rien.

Les mots furent prononcés avec beaucoup de conviction et bien qu'ils aient pu se rapporter seulement à un oiseau ou à un écureuil, Winter se sentit soudain étrangement rassurée. La terreur et la tension diminuèrent et un geai bleu, dont le plumage brillait comme une poignée de joyaux dans la lumière matinale, fonça pour cueillir un morceau de pain dans la petite paume de Nissa.

LIVRE QUATRIÈME

LE LEVER DE LA LUNE

28

Le soleil était encore au-dessous de l'horizon lorsque Alex laissa les cultures vertes derrière lui et lâcha la bride de Chytuc à travers la plaine découverte où son grand corps noir ne jetait aucune ombre.

La ligne du ravin était encore invisible, mais le grand groupe de *dhâk* constituait un point de repère vert sur la plaine brune. L'air matinal était vif, frais et vivifiant. L'épaisse couche de rosée et la pluie de la veille avaient lavé le sol. Seules se détachaient des empreintes d'hommes qui avaient dû passer il y a quelques heures. Alex le remarqua, mais sans optimisme. Des renforts pouvaient très bien être venus par le côté opposé du ravin.

Mehan Lal... Oui, il se souvenait de lui pour l'avoir vu au cours d'une chasse aux perdrix. Un léopard avait bondi sur un terrain découvert et Mehan Lal avait lancé une corde de soie lestée avec une vitesse et une précision incroyables, attrapant ainsi les pattes avant du léopard. On disait Mehan Lal capable de prendre ainsi un cheval au galop aussi bien qu'un héron, et Alex n'en doutait pas.

Comme il approchait des arbres, Alex mit son

cheval au pas, il n'était pas nécessaire de risquer que Chytuc se casse une patte. Il sortit de sa selle le couteau que Niaz entretenait toujours très bien affûté et, après avoir donné un coup de talons à Chytuc, homme et cheval dépassèrent les dhâk et descendirent le ravin.

Les sabots de Chytuc glissaient un peu sur la pente et Alex parlait doucement au cheval. Il avançait mollement, en apparence détendu sur sa selle, et rien ne pouvait trahir que chacune de ses facultés et chacun de ses nerfs étaient sur le qui-vive. Il entendit un léger bruissement sur un côté de la piste et le sifflement de la corde lestée; et parce qu'il l'attendait, il tira les rênes en arrière et leva sa main gauche en même temps.

La corde tourna autour de lui comme une chose vivante, mais ne réussit pas à plaquer les bras d'Alex contre ses côtés. L'un de ceux-ci se leva à la rencontre de la corde que la lame du couteau coupa et Chytuc, violemment retenu, recula au lieu de plonger en avant.

Presque en même temps, un homme sortit des hautes herbes proches de la piste et s'accrocha à la botte d'Alex, mais Alex avait laissé tomber les rênes après cette brusque secousse et un pistolet apparut dans sa main droite. L'explosion et le hurlement de douleur qui suivit firent reculer violemment Chytuc sur l'étroite piste, et le coup cinglant d'un lathi à bout de fer manqua son but et atterrit sur le flanc de l'animal, y laissant une vilaine trace. Lâchant son couteau, Alex fit feu à nouveau tandis qu'avec un hennissement de rage, Chytuc se cabrait. L'instant suivant, cheval et cavalier avaient bondi hors du ravin et galopaient dans la plaine à la vitesse et avec la violence d'un météore.

Alex n'essaya pas de calmer le cheval furieux et lui lâcha la bride jusqu'à ce que sa douleur et sa peur se soient évanouies. Ils atteignirent Chunwar par le bord de la rivière et, une fois son affaire réglée, Alex repartit pour le ravin accompagné du *kotwal*, le chef du village, et de quelques-uns des villageois.

Grâce à la trace du sang perdu lors de la blessure du cheval, un homme fut découvert caché dans les fourrés à quelques centaines de mètres de la piste. Mehan Lal n'avait pas été aussi loin. Un genou fracassé est une blessure douloureuse et il gémissait dans l'herbe à éléphant près du sentier. Le troisième homme avait fui.

Leurs blessures une fois pansées hâtivement, les deux hommes furent installés dans une carriole et confiés à la police. Après avoir pris son petit déjeuner dans son bungalow, Alex se rendit à la Résidence où, sans en avoir l'air, il examina soigneusement le comportement de chaque serviteur qu'il rencontra. Aucun visage n'exprima de surprise, mais il nota avec intérêt que si Durga Charan, le chef des chupprassi, pouvait contrôler son visage et ses yeux, il ne réussit pas à empêcher ses mains de trembler. Alex attarda son regard sur ces mains mal assurées.

– Durga Charan, dit-il doucement, il me semble avoir entendu parler de troubles dans ton village. Peut-être devrais-tu prendre un congé pour voir ce qu'il en est... lorsque ta santé le permet encore.

L'homme n'avait rien dit, mais une heure plus tard, il demandait à retourner chez lui.

Winter avait entendu les pas d'Alex et sa voix calme. Elle s'était alors retirée dans sa chambre et, la porte verrouillée, pleura pour la première fois depuis sa nuit de noces : larmes de soulagement et d'actions de grâces, alors qu'elle n'en avait pas versé sur la perte de ses illusions.

C'était un mardi, et ce soir-là une séance des « mardis de la Résidence » devait se tenir comme à l'accoutumée. Winter se sentait trop épuisée par les angoisses de la nuit précédente et les émotions de la journée pour affronter une scène avec Conway, et elle accepta de dîner avec les invités de son mari, à la condition de pouvoir se retirer immédiatement après.

Conway fut d'accord sur ce projet. En fait, il apprécierait que son épouse les quitte de bonne heure, elle jetait un tel froid sur ces soirées ! Il la regarda avec une irritation maussade, se demandant comment il avait pu trouver, même un instant, qu'elle était devenue une beauté. Il ne lui avait guère prêté attention ces derniers temps, et fut soudain frappé de ce qu'elle avait perdu du poids et de ce que son teint paraissait spécialement jaunâtre. Dommage. Il n'aimait pas les maigres. Et les yeux de sa femme étaient trop grands. Il les avait trouvés spécialement beaux à son arrivée à Lunjore. Les yeux les plus expressifs qu'il eût jamais vus chez une femme. Des cils comme... comme des papillons noirs ! Sacrebleu, rumina le Résident tout surpris de son inhabituel élan d'imagination poétique. Mais maintenant, ces mêmes yeux semblaient vides; ils regardaient autour de lui, ou à travers lui, mais jamais lui-même. Et des ombres bleues les entouraient comme des meurtrissures.

Un peu mal à l'aise, il dit à Winter :

– Vous ne paraissez pas être dans votre assiette, ma chère. Ne vous sentez-vous pas bien ? Lunjore n'est pas considéré comme un bon endroit pour les femmes avec ce climat. Peut-être serait-il bien que vous partiez un peu pour vous remettre avant la période chaude. Je suis sûr que les Abuthnot seraient heureux de vous voir. Ou peut-être pourrions-nous envisager une visite à Lucknow ? Vous aimeriez voir la maison de votre père ? Qu'en dites-vous ?

Il vit la couleur affluer aux joues pâles de son épouse et ses yeux perdre de leur vague pour redevenir brillants, et pensa avec étonnement : « Mais, diantre, *c'est* bien une beauté... »

D'une voix tremblante, Winter demanda :

– Pourrais-je vraiment aller à Lucknow ? Je le désire tellement. Le pourrais-je vraiment ?

Le Résident fut heureux de la réponse faite à son insouciante suggestion, mais il trouva que Winter aurait dû montrer plus de regret à l'idée de le quitter. À vrai dire, dans l'ensemble, elle se révélait une créature facile à part ses quelques entêtements. Et puis, elle était jolie. Au fond, l'était-elle bien ? Étrange qu'il n'ait jamais pu trancher à ce sujet. Il tapota l'épaule de Winter avec une affectueuse condescendance et dit que... on verrait ce qu'on allait faire. Ce pouvait ne pas être une mauvaise idée après tout. La Casa de Ballesteros, il lui semblait qu'elle portait un nom fantaisiste se rapportant aux paons, était une très belle maison. Il y avait habité une ou deux fois en venant inspecter les terres en sa qualité d'administrateur.

Satisfait de cette étincelle de beauté momentanée et de sa propre bonté, Conway avait enlacé Winter pour l'attirer près de lui et lui planter un humide baiser d'ivrogne sur les lèvres. Mais Winter avait détourné la tête, puis était demeurée immobile, les yeux fermés, tout en souhaitant avec une intensité passionnée que ce soit Alex qui l'enlace. Elle entendit des pas dans le hall et Iman Bux murmurer « Huzoor » et comprenant que, dans un instant, un visiteur pénétrerait dans le salon, elle essaya de se libérer :

– Conway, je vous en prie. Quelqu'un arrive...

– Laissez-le arriver ! murmura-t-il d'une voix pâteuse.

Il s'était mis à boire de bonne heure pour être en forme à l'arrivée de ses invités et, comme toujours, sentir une femme dans ses bras, même une femme aussi mince et aussi peu coopérative que son épouse, lui paraissait tout à fait agréable.

Les bras de Winter pendaient tout raides à ses côtés, mais pour réussir à repousser Conway, elle leva les mains et attrapa les manches de son vêtement, si bien que, l'espace d'un instant, elle donna l'impression de rendre son étreinte à son mari. Elle entendit alors la porte s'ouvrir et vit le visage impassible d'Alex Randall.

Ce fut une répétition soudaine et cauchemardesque du jour où, à Delhi, Alex l'avait trouvée dans les bras de Carlyon. Cette fois-ci, c'était Conway qui la tenait. Mais c'était Alex qu'elle aimait.

Conway la lâcha et se retourna :

– Bonjour, Alex, m'garçon. V's êtes tombé sur les tourtereaux. Prenez un verre, faites comme chez vous. Rien d'urgent j'espère, car je n'ai pas le temps de m'en occuper maintenant. Mrs Barton est déjà prête mais moi, je dois prendre un bain et me changer.

Il cria que l'on apporte des boissons, s'en servit une et se dirigea vers la porte.

– Ne partez pas. M' femme vous tiendra compagnie. Pourquoi ne resteriez-vous pas à dîner ? Cela va être une joyeuse réunion, je compte sur vous.

– Je crains, monsieur..., commença Alex, puis il s'arrêta. (Il jeta un regard sur le visage tiré de Winter, et après une pause imperceptible, il dit de propos délibéré, comme s'il avait toujours eu l'intention de finir ainsi sa phrase :)... d'avoir récemment négligé mes obligations mondaines. Je viendrai avec plaisir.

– Bon, bon. Occupez-vous de lui, m'chère.

Conway sortit et Winter dit d'un ton guindé :

– Je suis désolée que Mr Barton ne puisse vous accorder son attention, mais nous attendons des invités. J'espère que votre affaire peut attendre ?

Alex traversa la pièce et s'arrêta devant elle. Il se sentait plus en colère qu'il ne l'avait jamais été dans sa vie. Une colère purement illogique, car il était sûrement content, qu'après tout, elle fût moins malheureuse dans son mariage qu'il ne le supposait. Cette colère accentua son ton légèrement traînant.

Il posa son verre sur la cheminée et dit :

– Je ne suis pas venu voir Mr Barton, mais m'acquitter de mes dettes.

– Vos dettes ?

– Disons plutôt mes remerciements. Je crains de ne pas m'être montré particulièrement reconnaissant ce matin. Mais je le suis. Je sais que je vous dois la vie, et le moins que je puisse faire est de vous remercier convenablement pour ce cadeau. (Il baissa les yeux et sourit d'une manière pas tout à fait affable :) Je crois que j'avais l'intention de vous faire des phrases, mais elles seraient plus à leur place au théâtre, aussi me bornerai-je à vous dire merci ! À vrai dire, je vous suis très reconnaissant.

Il tendit la main et avant qu'elle eût compris ses intentions, il s'était emparé de la sienne et s'était incliné cérémonieusement, la levant assez pour qu'elle touche à peine ses lèvres.

Winter retira sa main et recula rapidement, inquiète de la proximité d'Alex et de l'effet que cette proximité lui procurait, étonnée aussi de la note de dérision dans sa voix. Un peu haletante, elle dit :

– Vous n'avez pas à me remercier, capitaine Randall. Tout le monde aurait agi comme moi dans les mêmes circonstances.

Elle fit un effort pour assurer sa voix et paraître calme, puis alla s'asseoir, ses larges jupes étendues autour d'elle :

– Vous ne m'avez pas dit ce qui s'est passé ce matin. Alors, il n'y avait personne dans le ravin ?

– Si, ils étaient là.

Il lui raconta ce qui s'était passé, puis se lança sur un autre sujet. Il mentionna une lettre reçue récemment de Mrs Abuthnot et demanda si Winter avait des nouvelles de Lottie.

Winter avait reçu par la dernière dâk une longue lettre d'extase de Lottie qui n'était guère de nature à intéresser le capitaine Randall. Quant à la seule nouvelle importante qu'elle contenait, le fait que Lottie attendait un enfant pour l'été, elle ne pouvait la communiquer : de telles choses ne se disent pas à un homme, bien sûr !

Le capitaine Randall ne s'attarda pas. Puisqu'il dînait à la Résidence, il devait rentrer se changer. Winter se leva avec un bruissement de gros de Chine jaune. Elle n'avait pas regardé Alex depuis dix minutes au moins, mais elle le fit alors :

– Pourquoi avez-vous changé d'avis pour le dîner de ce soir alors que vous aviez l'intention de refuser ? demanda-t-elle à brûle-pourpoint. Je sais que vous n'aimez pas les réunions mondaines et si vous vouliez seulement me remercier, vous l'avez fait. Vous n'avez pas besoin de dîner si cela ne vous plaît pas. Je vous excuserai auprès de Mr Barton.

– Qu'est-ce qui vous fait croire que cela ne me plaît pas ?

– Eh bien !... vous n'avez accepté aucune invitation auparavant.

Alex leva un sourcil d'une manière légèrement ironique :

– Vraiment ? Mettez cela sur le compte du travail, c'est l'excuse que j'ai donnée. Mais vous vous trompez, j'aime les sorties. Ce sont leurs suites que je trouve parfois ennuyeuses. De toute façon, il me semble avoir assisté à quelques réunions mondaines au cours de cette saison.

– Pas ici.

– Très mal élevé de ma part. Mais il y sera remédié ce soir.

Il s'inclina alors et s'en alla, laissant la question de Winter sans réponse.

Il était revenu une demi-heure plus tard et Winter avait eu le douteux plaisir d'observer sa parfaite aisance au milieu du cercle des intimes du Résident. Mrs Cottar l'appelait par son prénom et lui accorda une grande part de son attention; sa conversation semblait amuser considérablement Alex. Il se montra inhabituellement agréable avec Delia Gardener Smith, refusant en même temps toute discussion avec le colonel Moulson qui continuait à le regarder d'un œil hostile.

À la fin du repas, les invités retournèrent au salon dont les meubles avaient été ôtés pour faire place à une longue table couverte d'un tapis vert avec cartes et dés. Généralement, plusieurs invités indiens se joignaient alors à la réunion : riches propriétaires et nobles, ou leurs fils, qui jouaient gros jeu et qui, pour cette raison, étaient en très bons termes avec le Résident et ses amis les plus dissolus. Les invités appartenant à la religion hindoue et dont la caste interdisait certains aliments arrivaient après le repas. Ce soir-là, Kishan Prasad, que Winter n'avait pas vu depuis Calcutta, se joignit à eux.

Elle était sur le point de partir en prétextant

une migraine lorsque deux choses la firent changer d'avis. L'arrivée de Kishan Prasad et l'expression du visage d'Alex en le voyant.

Alex se tenait à l'extrémité de la pièce et Winter avait cru distinguer une lueur de satisfaction sur son visage à l'arrivée de Kishan Prasad, comme s'il avait parié sur une carte et gagné. Puis il avait tourné le dos, s'engageant dans une conversation avec Mrs Cottar, tandis que Winter s'avançait pour accueillir le sahib Rao.

Kishan Prasad s'inclina cérémonieusement à la mode indienne et exprima son plaisir à la retrouver. Les jeux de cartes n'avaient pas encore commencé et, après avoir salué le colonel Moulson et une ou deux autres de ses connaissances, Kishan Prasad vint s'asseoir près de Winter et lui parla dans sa propre langue. Sachant sa parfaite connaissance de l'anglais, Winter apprécia le compliment, et aussi le fait qu'il n'abordât pas les potins de Lunjore. Riche de toute l'imagerie de l'Orient, la conversation de Kishan Prasad était distrayante et Winter bavarda avec lui avec plus d'intérêt et d'aisance qu'elle ne l'avait fait depuis son arrivée à Lunjore. Elle ne put que regretter l'arrivée du colonel Moulson et de Delia Gardener Smith qui obligea Kishan Prasad à parler anglais.

Kishan Prasad mit alors la conversation sur la prochaine chasse aux canards à Hazrat Bagh, un jheel qui s'étendait à quelque vingt-cinq kilomètres à l'ouest des cantonnements. Hazrat Bagh, le « Bois aux mille arbres », était jadis le terrain de chasse d'un roi oublié dont il ne restait que de solitaires étendues d'eau entrecoupées de levées de terre, sur lesquelles les « mille arbres », des kikar et des arbres des conseils, poussaient au milieu des herbes à éléphant et des roseaux. Aucun village n'étant proche, le gibier d'eau venait là par milliers. La plupart des officiers britanniques de la garnison étaient invités à cette chasse très bien organisée. Les dames assisteraient à la battue depuis la lignée d'arbres d'une levée de terre ou d'une cachette artificielle, et plusieurs centaines de cipayes, prêtés pour l'occasion, serviraient de rabatteurs. Une route était en cours de construction pour permettre l'accès en voiture.

– J'espère que nous aurons le plaisir de vous voir, madame ? demanda Kishan Prasad à Winter. Je serai l'un de vos hôtes.

– Je viendrai certainement, je n'ai jamais assisté à une grande chasse.

– Il faudra me laisser organiser une chasse au tigre.

– N'est-ce pas dangereux ? demanda Delia.

– C'est la raison pour laquelle c'est si excitant. Tout sport digne de ce nom comporte toujours un élément de risque.

– Est-ce là une croyance religieuse ou une simple opinion personnelle ? demanda une voix agréable derrière eux. Bonsoir, sahib Rao. Quand êtes-vous arrivé à Lunjore ?

Aucun d'entre eux n'avait entendu Alex s'approcher, et Winter remarqua le tressaillement involontaire de Kishan Prasad au son de cette voix. Mais il se reprit vite, et son ton se fit aussi agréable que celui d'Alex.

– Une croyance, bien sûr, capitaine Randall. Je me permets rarement d'émettre une opinion. Je suis arrivé à midi.

– À temps pour les obsèques, en fait, dit Alex avec un large sourire. Je regrette de vous avoir déçu.

– Oui ?

Les fins sourcils de Kishan Prasad se soulevèrent et il eut l'air étonné mais poli, comme s'il imaginait qu'Alex avait lancé une plaisanterie d'Occidental qui restait nébuleuse pour lui.

Winter regarda attentivement les deux visages, car la remarque sans signification apparente d'Alex était tout à fait claire pour elle, mais elle ne comprenait pas pourquoi il l'avait faite. Suggérer que Kishan Prasad ait pu tremper dans cet essai d'attentat était absurde puisque Alex lui avait sauvé la vie et que l'Indien n'était pas du genre à l'oublier. Cependant, elle ne croyait pas qu'Alex ait l'habitude de faire des remarques sans raison.

Kishan Prasad *savait-il* qu'il y avait un projet de meurtre sur la personne d'Alex ? Non, c'était impossible, bien sûr… L'était-ce vraiment ? Elle ne pouvait en être certaine, aussi eut-elle soudain peur.

Alex rit sans donner d'explications :

– J'espère que vous m'inviterez à votre chasse au tigre. Quand sera-ce ? ajouta-t-il.

– Je n'y ai pas pensé, dit Kishan Prasad gravement. Ce n'était qu'une suggestion. (Il croisa le regard d'Alex avec un sourire un peu narquois et le soutint pendant un certain temps. Puis il dit doucement :) À un moment quelconque au cours de la saison chaude. Les tigres sont toujours plus faciles à atteindre à cette époque-là, car au lieu de rôder un peu partout, ils sont forcés de rester près des points d'eau et sont moins nerveux.

– Je ne compterais pas trop là-dessus, dit Alex en le regardant à travers ses paupières tombantes.

Kishan Prasad haussa les épaules :

– Bien sûr que non. N'ai-je pas dit qu'il y a toujours un facteur de risque ? C'est la raison pour laquelle il faut prendre des précautions spéciales quand les dames assistent à une chasse au tigre. Mais au moment des chaleurs, peu d'entre elles seront intéressées par ce spectacle et je ne pense pas que Mrs Barton sera alors parmi nous. Je suis sûr qu'elle sera partie pour les montagnes afin d'échapper à la pire période. Je viens justement de prévenir ces dames que Lunjore peut être une véritable fournaise dans les mois qui précèdent la mousson; mais elles viennent d'Europe et n'ont aucune idée de la férocité d'un été indien.

– Je ferai de mon mieux pour leur inculquer cette notion.

– J'en suis sûr, capitaine Randall. Mais je crains que vos avertissements ne soient voués à l'échec. Vous vous apercevrez que celles qui n'ont pas encore d'expérience croiront que vous exagérez beaucoup, tandis que celles qui en ont une auront oublié à quel point la chaleur est pénible.

Delia dit avec bonne humeur :

– Maudie Chilton, qui a passé quatre ans à Lunjore, prétend qu'il ne faut pas penser à ces choses-là lorsqu'il fait frais car, une fois la chaleur venue, il n'y a plus rien à faire, et quand elle est passée, on peut l'oublier jusqu'à la prochaine fois.

Winter ne trouva rien d'amusant dans cette remarque, mais Alex et Kishan Prasad se mirent à rire, et leurs rires contenaient une même note troublante et sardonique. On aurait presque pu croire, pensa-t-elle non sans un certain malaise, que leur conversation à bâtons rompus possédait deux sens différents et que chacun des deux interlocuteurs savait ce que l'autre donnait à entendre. Elle regarda les deux hommes et, un instant, il lui sembla leur trouver une certaine ressemblance. Une ressemblance qui n'avait rien à faire avec la couleur de peau ou les traits, mais qui venait du plus profond d'eux-mêmes.

Kishan Prasad se leva à l'approche de Mrs Cottar et s'en alla avec Alex, discutant amicalement de la prochaine chasse au canard et Winter décida qu'elle laissait son imagination s'égarer. Pourtant, ce soir-là, elle ne quitta pas de bonne heure la réception. Pour la première fois, elle resta, surveillant Alex et Kishan Prasad et se persuadant qu'il n'y avait rien, absolument rien. Que Kishan Prasad avec son air narquois n'avait pas obscurément averti Alex de quelque chose que ce dernier aurait compris.

Comme à l'accoutumée, le Résident avait trop bu. Au lieu de jouer aux cartes, il était vautré sur un canapé avec Mrs Wilkinson qu'il enlaçait. Le commandant Wilkinson, ayant succombé aux effets du porto de la Résidence, n'était plus en état de se froisser de cette tenue.

Winter regardait le visage rouge et vulgaire de son mari avec ses yeux pâles et protubérants et sa moustache souillée de cognac. Elle le vit caresser les épaules grassouillettes de Chrissie Wilkinson, tout en lui chuchotant quelque chose qui la fit éclater de rire. Winter savait qu'elle ne devait pas rester, donnant ainsi caution à une telle manière de se tenir. Et pourtant, elle ne partait pas. Elle restait assise toute raide, les plis jaunes de sa robe étalés autour d'elle comme une rose trop ouverte, un sourire figé aux lèvres comme au cours des heures de cauchemar qui avaient suivi son mariage.

Elle ne pouvait pas partir parce qu'Alex était là. Soudain, cela lui avait suffi d'être dans la même pièce que lui, de pouvoir le regarder, d'entendre sa voix et son rire : l'ayant imaginé mort, de le savoir vivant, réel; de sentir la douleur de l'aimer tourmenter son cœur.

La vie ne valait pas cher en Inde et toutes sortes de morts guettaient Alex. Comme pouvaient le guetter d'autres événements moins désastreux tels qu'une mutation qui l'écarterait de Winter. Il pouvait aussi tomber amoureux et épouser une jolie fille comme Sophie Abuthnot ou quelqu'un comme Delia. Oh ! non, sûrement pas Delia ! Il s'était toujours montré seulement poli à l'égard de Delia. Mais il était plus que poli avec elle maintenant...

Winter le surveillait discrètement à travers la grande pièce et le soupçonnait d'être un peu ivre. Ses yeux brillaient et ses épais cheveux noirs étaient ébouriffés. De fort joyeuse humeur, il semblait n'avoir aucune difficulté à distraire Miss Gardener Smith, ou aussi bien Mrs Joseph Cottar dont le mari discutait affaires avec l'un des invités indiens.

Kishan Prasad partit à minuit, mais son départ n'entraîna pas pour autant celui des autres invités, car les « mardis de la Résidence » se terminaient rarement avant trois ou quatre heures du matin. Mais peu avant une heure, le Résident, qui était passé par tous les états de l'intoxication, sombra finalement dans l'inconscience. Comme s'il n'avait attendu que cela, Alex posa son verre encore plein et ses cartes, puis se leva.

– Où allez-vous, Alex ? demanda Mrs Cottar.

– Au lit. Et vous tous aussi.

Incroyable mais vrai, il réussit à se débarrasser des invités. Winter ne sut pas comment il y était parvenu, mais en un quart d'heure la dernière voiture tournait le coin de l'avenue et seul Alex resta. Il regarda pensivement la masse ronflante qu'était le Résident, puis Winter, et demanda :

– Avez-vous besoin d'aide ?

Winter ne savait pas exactement ce que signifiait cette question, mais elle choisit l'interprétation la plus évidente et dit d'un air guindé :

– Ne vous dérangez pas, Ismail va le mettre au lit.

Alex haussa très légèrement les épaules et allait partir lorsqu'elle l'arrêta :

– Capitaine Randall...

Il se retourna :

– Madame ?

– Saviez-vous que le sahib Rao viendrait ici ce soir ?

– J'avais entendu dire que c'était possible.

– Est-ce pour cela que vous êtes ici ?

Les sourcils levés, Alex la regarda :

– Chère madame, je suis venu à cette soirée parce que votre mari m'y a invité.

– Mais vous auriez refusé si vous n'aviez pas pensé que le sahib Rao pouvait être des nôtres.

Alex haussa à nouveau les épaules :

– Peut-être. Pourquoi cette question ?

– Pourquoi vouliez-vous le voir ?

Le regard d'Alex s'attarda quelques instants sur Winter, puis il dit :

– Parce qu'il se trouve qu'il m'intrigue. Il y a une raison derrière tous les actes de Kishan Prasad, et c'est toujours la même. C'est un homme qui n'a qu'une idée en tête.

– Laquelle ?

– Ma chère enfant, dit Alex avec une impertinence soudaine, vous la connaissez aussi bien que moi. Vous avez vu un jour son visage sans fard au moment où nous passions devant cette épave de la mer Rouge. Il n'a qu'un but dans la vie : abattre la Compagnie des Indes. Et pour atteindre ce but, il est prêt à couper de ses mains la gorge de tout homme blanc se trouvant dans ce pays, avec peut-être une seule exception.

– Vous voulez dire vous-même ? Mais vous pensiez qu'il avait ordonné à ses hommes de vous tuer. C'était bien la signification de vos paroles ?

Alex secoua la tête :

– Non. Il ne prendra pas ma vie de propos délibéré, pas plus qu'il ne combinera de me la faire prendre, et cela parce que j'ai commis une fois la grave erreur de sauver la sienne. Mais si quelqu'un d'autre le fait, ce sera entièrement différent.

Winter s'assit un peu brusquement :

– De quoi parliez-vous tous les deux ? Cela ressemblait à une conversation banale, mais cela n'en était pas une, n'est-ce pas ?

– Pas exactement. Je pense qu'il avait l'intention de vous rendre un service, ou à moi, et qu'il est suffisamment sûr de lui pour pouvoir se le permettre. Sans doute a-t-il raison.

– Je ne comprends pas, dit Winter tandis qu'Alex la regardait à travers ses cils.

– Cela vaut peut-être mieux. Irez-vous en montagne cet été ?

– Non. Je ne pense pas que la chaleur m'affecte à ce point. Pourquoi changez-vous de sujet ?

– Je n'en change pas. Je trouve que vous devriez partir et je ferai tout ce qui est en mon pouvoir à cet effet. Êtes-vous particulièrement désireuse de rester ?

Les yeux d'Alex se dirigèrent vers le canapé où le Résident ronflait.

– Oui, répondit Winter en regardant tourner la tête d'Alex.

Était-ce cela que voulait dire Kishan Prasad ? Insinuait-il qu'éclateraient des troubles à Lunjore au cours des mois à venir ? Mais s'il en était ainsi, comment pourrait-elle partir pour la montagne sachant qu'Alex demeurerait à Lunjore ?

Elle dit d'une voix presque imperceptible :

– Il y a des moments où... où on aimerait mieux ne pas être envoyée au loin.

Alex se méprit sur les mots hésitants. Il fit

brusquement volte-face, ses lèvres devenues subitement blanches :

– Attendez-vous un enfant ? demanda-t-il brutalement.

Winter ne bougea pas, mais il vit son visage se figer terriblement et sentit un frisson parcourir tout son corps, comme s'il l'avait touchée à ce moment-là au lieu d'être séparé d'elle par deux grands pas.

Il serait stupide de dire que Winter n'avait jamais envisagé une telle éventualité, car elle s'était souvent imaginée en mère des enfants de Conway, mais avant leur mariage. D'une manière assez incroyable, cette idée n'avait pas effleuré son esprit depuis. Peut-être parce que, inconsciemment, elle ne pouvait pas croire qu'un enfant puisse être conçu au cours d'un acte qui ne lui inspirait que crainte et répulsion.

La brusque question d'Alex la plaçait face à quelque chose qui l'emplissait d'horreur et de malaise. Son visage perdit toutes ses couleurs et devint jaunâtre et pincé. Cela ne pouvait lui arriver, non vraiment pas ! Les enfants doivent naître d'un acte d'amour...

Alex reprit :

– Attendez-vous un enfant ?

La dureté de sa voix le surprit lui-même.

Trop secouée pour être choquée par la question, Winter, en un grand effort, calma le tremblement de ses lèvres blanches :

– Non.

Alex se leva brusquement et s'approcha de la table où il prit son verre non vidé. Le cognac lui brûla la gorge et il le but comme s'il mourait de soif. Il emplit à nouveau son verre et revint près de Winter :

– Je regrette. Peut-être n'aurais-je pas dû vous poser cette question. Je pensais que votre phrase signifiait cela et votre départ de Lunjore pendant la saison chaude en devenait encore plus nécessaire.

– Je voulais seulement dire que je ne me déroberais pas.

– Vous dérober à quoi ?

– À... à tout.

– Non, dit Alex pensivement, je ne crois pas que vous le feriez.

Il s'assit, étendit ses longues jambes devant lui et appuya sa tête au dossier du canapé. Le silence tomba entre eux.

Winter resta immobile sur son siège, encore rigide sous le choc. Elle ne regarda pas le visage d'Alex se détachant sur le brocart doré. Elle fixa la main tenant le verre : brune, mince aux doigts longs et nerveux; une main douée d'une force inattendue en même temps que d'une grande douceur, et il lui sembla voir à côté les doigts moites, gras et tremblants de l'homme qu'elle avait épousé. Elle savait qu'elle ne pourrait mettre au monde des enfants de Conway. Ce serait de la dernière indécence. Elle irait à Lucknow comme il l'avait suggéré. Non pas dans la maison qui avait été celle de son père, mais dans la seule maison où elle s'était sentie chez elle : le Gulab Mahal. Chez Ameera qui peut-être comprendrait, ou si elle ne comprenait pas serait au moins aimante. Si seulement elle pouvait retourner au Gulab Mahal, elle verrait les choses plus clairement, ferait des projets d'avenir. Elle ne pouvait le faire lorsque Alex était là et qu'elle avait tant besoin de lui. Lorsque Conway était auprès d'elle et que son aversion pour lui l'emplissait de désespoir et de malaise. Elle retournerait chez elle...

Elle vit le corps d'Alex se détendre et ses doigts se relâcher un peu autour du verre. Il demeurait silencieux, et la sensation familière de sécurité et de protection que sa présence apportait à Winter la calmait peu à peu, et elle put alors appuyer sa tête au dossier de sa haute chaise.

Alex lui avait toujours inspiré ce sentiment de sécurité et, en le regardant, Winter pensa qu'il était étrange qu'il en fût encore ainsi. Maintenant qu'elle avait découvert son amour pour lui n'aurait-elle pas dû se sentir embarrassée, timide ou honteuse en sa présence ? Elle était mariée et c'était tout à fait indécent de sa part de tomber amoureuse d'un autre homme. En tout état de cause, elle aurait dû être envahie par la honte. Mais elle ne s'était pas laissée aller à devenir amoureuse d'Alex : elle avait découvert cette situation une fois qu'il était bien trop tard pour y remédier. Elle ne l'avait même pas comprise lorsqu'il l'avait embrassée. Elle s'interrogea alors sur la raison de ce baiser. S'agissait-il seulement d'une subite impulsion née de la beauté romantique d'un clair de lune ? Ou bien l'avait-il aimée un peu ? Elle savait qu'il s'était senti responsable d'elle et en était irrité. Elle était persuadée que ce sentiment demeurait en lui malgré son mariage. Assise, détendue et silencieuse, elle regardait le visage calme d'Alex et se demandait à quoi il pensait.

Alex ne pensait pas à Winter. Il avait rarement le temps de penser à elle, ou de se le permettre. Il avait trop de choses en tête. Trop de choses qui devaient être faites et jamais assez de temps pour les faire...

Ainsi Kishan Prasad était l'un des hôtes de la chasse au canard. Kishan Prasad qui ne faisait jamais rien sans raison. Qu'y avait-il derrière cette chasse de Hazrat Bagh ? Était-elle destinée à endormir les officiers supérieurs et les personnages officiels, à les bercer d'un sentiment plus profond de sécurité et de confiance en la bonne volonté des *talukdars* locaux ? Cette chasse signifierait que, pendant la majeure partie de la journée, la place serait pratiquement privée d'officiers britanniques puisque le plus grand nombre d'entre eux assisterait à cette distraction. Que se passerait-il en leur absence ? L'armurerie ? Le dépôt de munitions ?

Non, c'était absurde. Kishan Prasad avait dit la saison chaude. Il ne se serait pas donné la peine de le dire si cela était inexact. Et la véritable saison chaude ne commençait officiellement qu'à la fin d'avril ou à la première semaine de mai. Ou bien Kishan Prasad jouerait-il un double jeu ? Ce serait bien son genre. Et cependant... Non, il voulait dire quelque chose. Il pouvait se permettre de fournir ce renseignement à Alex, bien persuadé que personne d'autre n'y croirait.

Les cipayes... On avait demandé des cipayes pour aider à faire lever les oiseaux. Pourquoi, alors que l'on pouvait faire appel à tant de villageois et de coolies ? Qu'y avait-il derrière ? « *...Cela peut suffire pour les villages mais non pour les cipayes. Pour eux, il faut quelque chose de plus profond qui touche chaque homme. Ils sont déjà comme de l'amadou, mais une étincelle est nécessaire. Peu importe, nous la trouverons.* » Kishan Prasad avait-il trouvé cette étincelle ? Qu'est-ce qui l'avait rendu assez sûr de lui pour donner cet avertissement ? Car cela *avait bien été* un avertissement...

« Il faut que je voie Packer, Gardener Smith et Moulson dans la matinée, pensa Alex, bien qu'aucun d'entre eux ne puisse croire un mot de ce que je leur dirai. Cependant, ils peuvent être prêts à admettre que le régiment de l'autre est pourri, et c'est déjà une aide. Ils doivent tout de même savoir ce qui peut atteindre leurs cipayes. Que cache cette damnée chasse ? Je le sentais en moi bien avant de savoir que Kishan Prasad y était mêlé. Maynard prétend que la police est solide. Je me le demande. Seigneur, pourquoi ne nous envoie-t-on pas davantage d'officiers britanniques..., rappeler les civils qui perdent leur temps dans l'armée et renvoyer quelques-uns de ces officiers supérieurs gâteux !... William avait parfaitement raison de dire qu'à l'âge où les officiers deviennent colonels ou commandants, pas un sur cinquante n'est capable de supporter lc côté épuisant du service en Inde. Il n'y a qu'à voir comment les dépôts de munitions et les arsenaux sont laissés sans protection. S'il y a un soulèvement à Lunjore, qui défendra le dépôt de munitions ? Heureusement, le nôtre est petit. Mais l'arsenal de Suthragunj : fusils, armes, poudre en quantité suffisante pour faire sauter la moitié de l'Inde et un seul régiment de la Reine contre trois d'Infanterie indigènes et un de Cavalerie indigène si l'on en vient là... Et puis, à quoi bon penser à ça, ce n'est pas mon affaire... »

La pendule de la cheminée sonna deux coups. Le regard d'Alex quitta le plafond et se tourna vers Winter :

– Je ne comptais pas vous faire veiller aussi tard, excusez-moi... Monterez-vous ce matin ?

– Oui.

– Où ?

– N'importe où. La colline de Parry ?

– Très bien. À six heures, alors.

Ils se sourirent. Alex vida son verre et se mit debout. Winter se leva en un bruissement de soierie et l'accompagna jusqu'au hall où un domestique ensommeillé se tenait accroupi près de la porte de la salle à manger.

Alex lui dit brièvement :
– Envoie son valet de chambre au sahib. (Il se tourna ensuite vers Winter :) Bonsoir. Ou plutôt bonjour. Je suppose que je devrais ajouter : merci pour cette agréable soirée.
– Fut-elle agréable ?
Alex réfléchit à la question, tenant toujours la main que Winter avait mise dans la sienne. C'était une habitude chez lui de réfléchir à une question avant d'y répondre. Il dit pensivement :
– Instructive certainement. Et je pense assez agréable.
Il parut sur le point d'ajouter autre chose, mais il se ravisa et resta silencieux une minute ou deux, les yeux baissés sur Winter, ne souriant pas tout à fait, le dessin de sa bouche inhabituellement tendre. Puis il leva la main qu'il tenait et la tourna paume en l'air. Il y déposa sans hâte un léger baiser puis, après avoir refermé les doigts de Winter sur le baiser, il lâcha la main.
Rien de passionné dans ce geste qui aurait aussi bien pu être une excuse muette qu'une caresse de réconfort faite à un enfant. Il se détourna alors pour disparaître dans la nuit. Winter l'entendit parler à un domestique sous le portail et, debout dans le hall silencieux, elle attendit jusqu'à ce que le bruit de ses pas s'évanouisse dans l'obscurité.

29

Moins de quatre heures plus tard, Alex attendait Winter sur la route de la Résidence, et ils traversèrent à cheval les cantonnements et le champ de tir jusqu'à la rase campagne au-delà, Niaz et Yusaf derrière eux.

Le soleil se levait lorsqu'ils atteignirent le sommet de la colline de Parry et ils s'arrêtèrent pour regarder la vue, tandis que les gouttes de rosée faisaient briller chaque brin d'herbe et que les brumes du matin se dissipaient par couches successives, si bien que le pays semblait se dérouler et s'étendre jusqu'à l'infini.

– C'est Hazrat Bagh là-bas, n'est-ce pas ? Qu'y a-t-il au-delà ?

– Rien de plus proche que Suthragunj. Mais il n'existe pas de route.

– On est en train d'en construire une, dit Winter en désignant de sa cravache une mince ligne brune qui parcourait la plaine.

– Oui. Une piste temporaire pour que les invités puissent circuler confortablement le jour de la chasse. Aucune dépense n'est épargnée pour montrer à votre mari et à la garnison à quel point les propriétaires locaux sont amicaux et coopératifs. Je donnerais cher pour savoir...

Il ne termina pas sa phrase et Winter dit avec curiosité :

– Que vous demandez-vous ?

Alex ne répondit pas. Winter avait découvert qu'il répondait rarement à une question s'il ne le souhaitait pas; il l'ignorait simplement. Il se tourna alors, clignant des yeux sous l'éblouissement du soleil qui venait de se lever.

– Écoutez l'appel de ces perdrix. Je viendrai avec un fusil un de ces soirs.

Winter resta un moment silencieuse, écoutant le bruit strident des perdrix, l'esprit ailleurs.

– Vous en aviez un hier, n'est-ce pas ? Je veux dire un pistolet. En portez-vous toujours un ?

– Non. Seulement récemment.

– En avez-vous un ce matin ? interrogea Winter.

Alex acquiesça, les yeux fixés sur une couvée

de perdrix. Winter lui demanda à brûle-pourpoint :

– Voulez-vous me le donner ?

Alex fit brusquement volte-face :

– Quoi ?

– Voulez-vous me donner un pistolet ?

– Pour quoi faire ?

– Je me sentirais plus tranquille, dit Winter en feignant de s'intéresser à un couple de tisserins qui battaient des ailes autour de leur nid pendant d'un acacia épineux.

Alex examina la jeune femme avec des yeux rétrécis et l'interrogea sèchement :

– Comptez-vous tuer quelqu'un ?

– Non. Pas même moi.

Alex lui demanda alors si elle s'était déjà servie d'une arme à feu.

– Non. Mais je suppose que ce n'est pas très difficile.

– Essayez.

Il mit pied à terre, et aida Winter à en faire autant. Le soleil brillait sur le canon du petit revolver Tranter tandis qu'il en expliquait le mécanisme.

– Est-il chargé ?

– Ma chère enfant, pensez-vous vraiment que je l'emporterais s'il ne l'était pas ? Prenez-le. Non, ne visez pas aussi bas. Tirez en l'air.

La détonation fit danser et s'ébrouer Furiante et effraya un paon et ses cinq épouses perchés à l'abri d'un bouquet d'herbes de la pampa qui s'envolèrent en poussant leurs cris rauques.

– Bien, dit Alex d'un ton approbateur. Vous n'avez pas sauté, mais il faut compter avec le recul.

– Montrez-moi comment.

Winter fit plusieurs essais en se conformant aux conseils avisés d'Alex qui lui dit :

– Ce n'est pas mal, vous pouvez le garder.

– Merci, répondit-elle gravement. (Elle lui tendit alors le revolver.) Voulez-vous me le recharger, s'il vous plaît ?

– Non, tant que je ne vous aurai pas parfaitement appris à vous en servir. Pour l'instant, il est moins dangereux non chargé. Et probablement aussi dissuasif.

Alex vit soudain la rougeur monter de la gorge de Winter jusqu'à la racine de ses cheveux, et eut l'intuition de la raison qui lui faisait vouloir un pistolet. Elle jeta l'arme dans la poche de sa tenue de cheval et s'en alla rejoindre Furiante. Alex l'aida à se mettre en selle et la regarda sous ses sourcils froncés. Winter ne lui rendit pas son regard. La rougeur subite quittait son visage et son expression ne laissait rien transparaître. Après un moment, Alex retira sa main qui tenait l'étrivière.

Ils rentrèrent en file indienne à travers les hautes herbes et les acacias épineux. À la grille de la Résidence, Alex s'arrêta et dit brièvement :

– Apportez ce pistolet avec vous demain, je vous enseignerai le maniement. Cela peut vous être utile.

Winter se révéla une bonne élève. Sa vue était excellente et elle ne sursautait pas au bruit. Au bout d'une semaine, elle fut capable de toucher un but normal à dix pas et un plus grand à vingt.

Alex ne lui posa plus de questions sur la raison qui lui avait fait vouloir un pistolet et il ne sut pas que, trois jours après qu'il le lui eut donné, elle s'en était servie, non chargé; mais comme il l'avait prédit, il eut un effet dissuasif sur son supérieur.

Conway venait rarement dans la chambre de son épouse, mais il s'y rendit le lendemain du « mardi de la Résidence » pour trouver la porte verrouillée. Le jour suivant, la porte étant encore verrouillée, il décida de donner une leçon à sa femme. Le soir même, il entra alors que Winter s'habillait pour le dîner. Raisonnablement sobre, il n'en était que plus dangereux. Il hurla à Johara, qui aidait Winter d'un air maussade, de sortir et de rester dehors.

– Maintenant, ma chère femme, dit Conway d'un ton désagréable, ses yeux pâles rougis par la colère et le cognac, vous allez vous apercevoir qu'il existe d'autres heures dans la journée où je peux demander votre soumission. Otez cette robe, vous n'en avez pas besoin.

Winter demeura imperturbable. Elle ouvrit un tiroir de sa coiffeuse et se tourna vers son mari, le revolver Tranter à la main. Elle fut parfaitement polie, en même temps que très précise. Il ne l'avait pas épousée par amour, mais pour son argent. Il avait eu ce qu'il voulait et devait s'en contenter. Elle remplirait tous ses devoirs d'épouse sauf celui-là et si jamais il essayait de la forcer, elle tirerait.

– Non pour vous tuer, Conway. Je m'arrêterai avant le meurtre. Mais je vous blesserai assez douloureusement pour empêcher qu'un tel essai se reproduise. J'espère que vous comprenez que je parle sérieusement ?

Si elle avait crié ou s'était mise en colère, Conway ne l'aurait peut-être pas crue. Comme elle ne s'abaissa ni à l'un ni à l'autre, mais le regarda calmement, il avait fait le fanfaron, crié, traité sa femme de tous les noms, mais s'était retiré de la chambre sans essayer d'y revenir. Ses recherches du revolver se révélèrent sans succès, et ni Yasmin ni Johara ne l'aidèrent à ce propos. Ensuite, comme il éprouvait peu de désir à l'égard de Winter, il la laissa tranquille. Le revolver avait rempli son but, mais Winter continua ses leçons pour apprendre à bien s'en servir. En partie parce que cela l'amusait, mais surtout parce que cela lui donnait un prétexte pour voir Alex.

Un matin, celui-ci apporta un fusil à la promenade à cheval. C'était, paraît-il, un nouveau modèle, le fusil Enfield qui devait remplacer le mousqueton d'infanterie démodé. Lors du premier essai fait devant Winter, Niaz à la vue de l'explosion de poussière avait retenu son souffle et dit : « Wah ! » d'une voix terrifiée. Yusaf et lui examinèrent alors le fusil avec un intérêt considérable.

– Il doit être difficile à charger, commenta Niaz.

– Non, car le papier des cartouches est graissé.

Alex en sortit une de sa poche et, après en avoir arraché l'extrémité avec ses dents, l'enfonça dans le canon et tira à nouveau.

– Puis-je essayer ? demanda Niaz.

Alex lui tendit l'arme et une autre cartouche dont Niaz déchira le bout et le cracha sur le sol :

– Pouah ! s'exclama-t-il avec une grimace. Avec quoi est-ce graissé ?

Il se coucha, visa avec soin et tira. Un nuage de poussière montra que la balle avait atteint une fourmilière et Niaz se mit à rire.

– Ha ! C'est une bonne arme. Ce qu'il nous faut maintenant, c'est une guerre pour l'essayer sur l'ennemi.

– Peut-on acheter un tel fusil pour son usage personnel ? demanda Yusaf les yeux brillants. De l'autre côté de la frontière, il vaudrait son pesant d'argent.

Yusaf était pathan et les guerres à mort ajoutaient beaucoup de piquant à la vie de sa province.

Alex ne répondit pas. Il fixait le petit bout de papier graissé craché par Niaz et son visage reflétait un aspect bizarre. Il sortit une autre cartouche de sa poche et l'examina, la retourna dans sa main et frotta lentement de son pouce l'emballage de papier graissé jusqu'à ce que Winter lui dise :

– Qu'y a-t-il ?

– Hum !

Il se retourna vers elle, mais ses yeux vides d'expression n'accommodaient pas et regardaient au-delà, comme si elle ne s'y trouvait pas.

– Huzoor, puis-je essayer le fusil, moi aussi ? demanda Yusaf.

Les yeux d'Alex se rétrécirent soudain et redevinrent vifs; sa main se serra très fort sur la cartouche qu'il tenait.

– Bien sûr !

Il se retourna lentement et tendit la cartouche. Winter, qui le surveillait comme elle le faisait toujours lorsqu'il ne la regardait pas, fut immédiatement consciente de ce que, derrière ce geste banal, ses nerfs étaient tendus comme s'il allait survenir quelque chose, une réaction attendue, ou inattendue. Elle en était tellement certaine qu'elle se tourna très vite pour regarder Yusaf, pensant presque le voir reculer devant la main tendue d'Alex; mais il prit la cartouche sans hésitation, en mordit l'extrémité comme l'avaient fait Alex et Niaz et en chargea le canon.

Yusaf ne tira pas couché comme un cipaye, mais à la manière de sa tribu. La balle frappa le haut de la fourmilière.

– *Shabash !* applaudit Niaz.

Alex tendit une seconde cartouche à Yusaf sans cesser de le fixer calmement, et une curieuse étincelle donna de la vie à ses yeux lorsque Yusaf, après avoir mordu cette cartouche, s'essuya rapidement la bouche du revers de la main. Puis, après avoir tiré une deuxième fois, Yusaf tendit le fusil à Niaz et passa à nouveau le revers de sa main sur sa bouche.

Alex remarqua ce geste, se tourna et resta à contempler la plaine, les mains dans les poches. Au bout de quelques instants, Winter l'entendit murmurer des mots qui ressemblaient à « ... et fournir le prétexte... »

– Qu'y a-t-il ?, demanda-t-elle à nouveau, troublée par quelque chose qu'elle ne comprenait pas dans son attitude.

Alex fronça légèrement les sourcils comme s'il avait oublié sa présence.

– Comment, qu'y a-t-il ?

– Vous avez murmuré : « fournir le prétexte ».

– Vraiment ? J'ai dû penser tout haut.

– À quel sujet ? demanda Winter, inexplicablement troublée.

Alex émit un petit rire.

– Je pensais à quelques lignes de Dryden qui me semblaient remarquablement appropriées.

Il tourna les talons, et bien qu'il fût encore tôt, ils n'allèrent pas plus loin ce jour-là et reprirent le chemin des cantonnements. Alex chevaucha à une vitesse et avec une imprudence jamais montrées lorsqu'il sortait avec Winter, comme s'il avait à nouveau oublié sa présence.

Une heure plus tard, il était introduit dans le bureau du colonel Gardener Smith. Après avoir fait attendre Alex, celui-ci entra, les sourcils froncés, et demanda avec plus d'hostilité qu'il n'en avait l'intention :

– Que se passe-t-il pour que vous veniez ici à cette heure matinale ?

Alex se tenait près de la fenêtre, tournant et retournant entre ses doigts un objet qu'il vint poser sur la table, et dit sans préambule :

– Voici une des cartouches destinées au nouveau fusil Enfield, monsieur. Pouvez-vous me dire avec quoi elles sont graissées ?

Le colonel le regarda, effaré, pris de court par la question et le ton sur lequel elle était posée. Il s'empara de la cartouche, l'examina et la laissa tomber; il marqua son mécontentement en s'asseyant derrière son bureau tout en laissant Alex debout. Il répondit d'un ton froid :

– Je n'en ai aucune idée. Et j'ai peine à croire que la composition de la graisse d'une cartouche soit de votre ressort.

– Peut-être pas, mais elle doit être du vôtre. L'emballage de ces cartouches se déchire avec les dents et s'il existe un doute quelconque sur l'origine de la graisse, la caste de tous les cipayes de l'armée en sera affectée. Un grief qui fera l'unité entre les hommes de tous les régiments – un dénominateur commun.

Le rappel d'un terme qui était venu si récemment à son esprit calma la colère montante du colonel et il jeta un regard effrayé sur l'objet à l'aspect innocent qu'Alex venait de jeter sur son bureau. Pendant une minute ou deux, il le contempla en silence, puis regarda le visage sans expression d'Alex et pensa à part soi que ce dernier avait beaucoup vieilli récemment.

– Vous pensez que, s'il s'agissait de graisse animale... dit-il lentement.

– Si cet emballage contient du lard ou de la graisse animale, on ne pourra demander à aucun cipaye de le toucher, et encore moins de le mordre. Le porc est un animal impur pour tout musulman, la vache un animal sacré aux yeux de l'hindou et le gras de toute créature morte est une abomination dans les deux religions. Mais personne ne sait cela mieux que vous, monsieur.

Le regard troublé du colonel Gardener Smith retourna à la cartouche. Il fronça les sourcils en tirant sa lèvre. Mal à l'aise, il dit sans conviction :

– Ce point n'a pas dû échapper à l'attention des autorités responsables ?

– Pourquoi pas ? Ces cartouches ont été inventées et fabriquées en Angleterre et non en Inde; et il n'est guère probable que les hommes qui en sont responsables soient au courant du système des castes en vigueur ici.

– Je ne crois pas..., commença le colonel, et une fois de plus un sentiment d'irritation et de frustration l'envahit.

Bien sûr il existait toujours un risque de troubles dans un pays conquis ! Récemment, il s'était rendu compte d'un changement d'atmosphère, d'un manque de coopération entre officiers et hommes de troupe. Il pouvait le sentir dans l'air et sur les visages de ses soldats et n'aimait pas cela. Mais l'armée du Bengale demeurait la plus belle machine de combat au monde. Si seulement des gens tels que Randall cessaient de jouer aux oiseaux de mauvais augure, la vie serait plus agréable. *Ses* hommes étaient très bien. C'étaient ses hommes à lui, Gardener Smith, et il savait les prendre en main; ils le suivraient n'importe où, ne l'avait-il pas prouvé ?

Il frappa soudain la table de son poing.

– Qu'attendez-vous de moi, de toute façon ? Ce n'est ni mon affaire ni la vôtre ! Je ne suis pas général du matériel ! Ces cartouches seront bientôt livrées à tous les régiments de l'Inde.

– Je sais, dit Alex d'un ton las. Mais cela ne peut pas faire de mal de demander une analyse officielle de la composition de ces cartouches et pendant ce temps-là, on pourrait peut-être fabriquer nos propres emballages ici, à Lunjore, et nos hommes verraient par eux-mêmes ce qu'il en est.

– Impossible, répondit brièvement Gardener Smith.

– Rien n'est impossible maintenant, dit Alex lentement. Pas même une mutinerie de l'Armée du Bengale.

Le colonel Gardener Smith se leva brusquement, repoussant sa chaise avec une violence inutile.

– Il s'agit là d'un point sur lequel nous n'avons aucune chance de tomber d'accord. Si vous n'avez rien d'autre à me dire, je dois vous demander de m'excuser car j'ai beaucoup à faire. Je me souviendrai de ce que vous m'avez dit et vais écrire immédiatement pour m'informer de la nature du lubrifiant employé. Mais vous pouvez être aussi tranquille que je le suis : vos craintes sont sans fondement.

– Merci, monsieur, dit Alex d'un ton neutre, et il sortit dans le flamboiement du soleil du milieu de la matinée.

Alex monta moins souvent avec Winter par la suite et n'emmena plus le fusil Enfield au-dehors.

Ces promenades du petit matin en compagnie d'Alex manquèrent à Winter. Elle ne savait pas que leur diminution venait du fait que l'on ne peut rentrer chez soi à l'aube et s'éveiller à temps pour monter à cheval avant le lever du soleil.

Alex passait la majeure partie de ses nuits dans des endroits inattendus, écoutant, surveillant et, à l'occasion, tout à fait à l'occasion, posant des questions. C'était facile la nuit de passer inaperçu dans les bazaars surpeuplés et les ruelles de la ville. Il trouvait là des sources de renseignements dont l'utilité aurait été sérieusement diminuée si l'on avait vu ses informateurs venir chez lui. Il était préférable de se rencontrer hors des cantonnements et sous un déguisement, et il avait ainsi appris quantité d'informations curieuses.

Niaz aussi passait beaucoup de temps d'une manière similaire, mais non en ville. Il avait des amis parmi les cipayes et visitait les casernes. Beaucoup des renseignements recueillis par lui concordaient avec ceux d'Alex, et aucun n'était rassurant.

– On dit, rapporta Niaz, que le but du Gouvernement est de convertir, par force ou par fraude, tous les hommes au christianisme.

– Dans quel but ? demanda Alex, les yeux fixés sur le soleil bas qui illuminait la rivière.

– Utiliser les cipayes afin de conquérir le monde pour les feringhis. Lorsque les cipayes vont en bateau et dans les pays lointains, ils tombent malades et ne peuvent plus combattre aussi bien. Il n'en est pas ainsi des sahib-log; et cela à cause de la nourriture qu'ils absorbent. Par conséquent, s'il n'existait qu'une seule caste dans l'armée, les chrétiens, tout le monde aurait la même alimentation et la même force, et en tant qu'esclaves des sahib-log, les cipayes se battraient pour eux dans des centaines de pays. Le bruit court même que la Compagnie a moulu les os des cochons et du bétail et mélangé cette poudre à la farine et au grain, et tous ceux qui en mangeront perdront leur caste. Et étant sans caste, ils seront obligés de devenir chrétiens.

– Croit-on cela dans les casernes ?

– Beaucoup le croient et disent qu'étant donné

que les feringhis ont gagné villes, provinces, et aussi Oudh par fraude, pourquoi ne recommenceraient-ils pas ? Il est bien connu que les enfants achetés durant les années de famine ont été placés dans des écoles chrétiennes. Que dit-on en ville ?

– Ils ont refusé le dernier envoi de farine du Gouvernement. Il n'a pas été déchargé des carrioles. J'ai envoyé chercher du grain à Deesa afin qu'ils puissent le moudre eux-mêmes. N'y a-t-il pas dans les pultons des anciens, capables de voir qu'il s'agit là de mensonges destinés à effrayer ?

– Ce sont des moutons, dit Niaz d'un ton méprisant. Celui qui est en tête trébuche, et les autres tombent sur lui. Sûrement les jours de la Compagnie sont comptés lorsque ceux qui commandent les pultons ne connaissent plus la mentalité de leurs soldats.

Lorsque Alex rentra chez lui cette nuit-là, une lampe brûlait dans sa chambre et le *chowkidar*, son *chuddah* tiré sur la tête, dormait à poings fermés sur sa natte et ne bougea pas au passage de son maître. Mais deux ombres se levèrent quand les éperons s'entrechoquèrent dans le silence. L'une d'entre elles s'avança et, pour passer, souleva le chik qui pendait de la porte.

– Qui est là ? demanda Alex à voix basse.

– Le kotwal de Jalodir, dit Niaz. Il voulait partir et revenir demain matin, mais je l'ai obligé à rester car il a des nouvelles qui te concernent d'une certaine manière.

– Envoie-le-moi.

L'homme se glissa sous le chik soulevé et cligna nerveusement des yeux sous la lumière jaune. Alex le salua gravement et s'excusa de l'heure tardive.

– Quels ennuis as-tu, Chuman Lal ?

– Je ne sais pas, murmura le kotwal en roulant des yeux comme un cheval effrayé. C'est au sujet d'une chose que je ne comprends pas, alors je te l'ai apportée, et de nuit bien sûr. On m'a dit que tu dînais avec le pulton et je voulais rentrer chez moi, mais ton serviteur m'a obligé à attendre. Il... il m'a dit que tu étais au courant. Si c'était vrai et s'il y a un sortilège dans cet objet, tu peux peut-être le faire partir.

L'homme jeta un coup d'œil rapide par-dessus son épaule et ne vit que le seul Niaz. Il plongea une main tremblante dans les plis de son vêtement et en sortit un chuppatti.

L'expression d'Alex ne changea pas, mais il attendit une minute ou deux avant de parler :

– Quel mal y a-t-il là-dedans ?

– Je ne sais pas, murmura le kotwal en frissonnant. Un coureur de Chumri, à quatre koss au nord, me l'a apporté hier soir. Il en avait cinq autres semblables, ainsi qu'un morceau de viande de chèvre. Il m'a dit de préparer cinq autres chuppattis et de mélanger à la préparation un morceau d'un des siens. Je devais ensuite envoyer par coureur mes chuppattis et une part de viande de chèvre jusqu'au prochain village pour les remettre au chef. Celui-ci ferait de même et enverrait ses chuppattis jusqu'au village suivant. Et ainsi de suite. Une certaine phrase dite par le coureur de Chumri accompagnait les chuppattis : « Du nord au sud et de l'est à l'ouest. » À cette phrase, j'ai compris qu'il s'agissait d'un sortilège.

Alex étendit sa main, prit la mince galette de farine grossière et la contempla avec le sourire qu'il s'était appris à arborer lorsque son visage était scruté par des hommes nerveux ou apeurés cherchant à connaître ses pensées. Niaz, qui le comprenait bien, força un sourire et le kotwal, après les avoir regardés anxieusement l'un et l'autre, se détendit visiblement.

« La voici, la croix de feu, pensa Alex. Ce dont il parlait à Malte... *comme avant le soulèvement mahratte*. On distribua des gâteaux et du millet dans les villages à ce moment-là. Ce chuppatti est le résultat de cette réunion infernale de Khanwai : “... *Ceci pourra suffire pour les villages, mais non pour les cipayes...*” »

Alex rendit le chuppatti au kotwal et lui demanda :

– Et qu'as-tu fait ?

– Ce qu'on m'a dit. J'en ai préparé cinq et les ai envoyés par coureur. À l'exception de celui-ci, j'ai enveloppé les chuppattis reçus dans un chiffon et les ai enterrés profondément. Que signifie ceci, Huzoor ? Je suis un homme pauvre et ignorant, et je crains la malchance pour ma maison et mes champs.

– Il n'y a rien à craindre, dit tranquillement Alex. Comme tu le sais, les pluies ont manqué l'année dernière et beaucoup de récoltes s'en sont ressenties. Cette chose entre tes mains est la nourriture de tous et s'il s'agit d'un sortilège, c'en est un bon, envoyé en proposition pour que les pluies viennent et que les récoltes soient abondantes dans tous les villages où seront passés les chuppattis.

– Ah ! dit le kotwal avec reconnaissance, voici de bonnes paroles. Je vais répandre des morceaux de chuppattis dans mes champs et mes récoltes vont sûrement prospérer. Et la viande de chèvre, que signifie-t-elle ? Mon voisin pense qu'elle annonce la chute du gouvernement de la Compagnie, car n'est-il pas dit que...

Le kotwal s'arrêta brusquement et émit une petite toux embarrassée.

– ... que celui qui tue un Anglais sacrifie une chèvre à Kali, acheva Alex d'un ton sinistre. Je l'ai entendu dire aussi. Mais la viande de chèvre que tu as reçue annonce que tes troupeaux vont s'accroître, car pendant les bonnes années il y a de l'herbe et de l'eau pour beaucoup.

Le kotwal s'inclina très bas et s'en alla avec le chuppatti bien serré dans le vêtement qu'il portait.

– C'est donc enfin venu, dit Niaz doucement, en écho aux pensées d'Alex. Tu as réagi vite, te croira-t-il ?

– Espérons-le. C'est le Gouvernement qui ne me croira pas.

– Tous les gouvernements sont aussi aveugles que le singe de Mataram qui ne voulait pas voir, dit Niaz avec entrain.

Il s'accroupit alors pour aider Alex à ôter ses bottes et le régaler des potins des casernes.

Alex rédigea le lendemain un rapport sur la mystérieuse distribution de chuppattis et le remit en trois exemplaires au Résident qui fut ravi de se montrer facétieux sur le sujet :

– Si vous pensez que je vais envoyer ces fariboles au gouverneur, vous devez être fou. Une croix de feu vraiment !... Le soulèvement mahratte ! Qu'a-t-il à voir avec cette affaire ? Stupide, je n'en crois pas un mot..., simple coïncidence. Cette histoire s'est passée il y a un demi-siècle.

– Les gens de par ici, dit Alex lentement, disent que les valeurs numériques de cette année forment une anagramme : « *Angrezi tubbah shood ba hur sovrat* » (Les Anglais seront annihilés).

– Bah ! dit le Résident, une banalité.

– Ou une indication de l'opinion publique, suggéra Alex.

– Absurdité ! Quelle blague ! Je vais vous

dire : vous devriez vous reposer ou vous allez avoir des vapeurs, vous aussi. Prenez plutôt une femme, cela vous ferait le plus grand bien. Venez-vous à cette chasse demain ? Bon, bon. Une journée au grand air viendra à bout de ces idées noires.

Alex, qui vivait dehors la majeure partie de ses journées et s'occupait plus des gens que des paperasses, et récemment passait aussi ses nuits hors de chez lui, s'abstint de commentaires. Il refusa la boisson offerte et retourna à son bungalow en se demandant s'il avait cru une minute que le Résident adopterait une autre attitude.

Les chuppattis portaient-ils un message spécifique ? Ou bien ne constituaient-ils qu'un moyen de créer une atmosphère de soupçon et de crainte, génératrice de haines plus sauvages et de peurs ? Cinq... Cela signifiait-il quelque chose ? Alex connaissait la coutume indienne d'envoyer un message au moyen d'une poignée d'objets dépareillés, fleurs, feuilles, fruits, bracelets porte-bonheur ayant chacun sa signification propre. C'était un usage courant entre amoureux. Dans ce langage, tout objet en double représentait un nombre indiquant le temps, à moins d'être accompagné d'une pincée de safran ou d'encens, auquel cas il signifiait un lien. Cinq chuppattis... le cinquième mois ? Ce qui mettrait en mai, et Kishan Prasad avait dit « la saison chaude ».

Une voiture découverte passa près de lui transportant le capitaine Hossack, Mrs Hossack, leurs quatre enfants et June ayah. Mrs Hossack était une femme agréable, à l'air inquiet, et les quatre enfants pâles, dégingandés et fragiles constituaient une cause permanente d'anxiété pour leur mère. Reconnaissant Alex, les deux aînés lui firent de grands signes en passant, et Mrs Hossack s'inclina en souriant.

« Heureusement que je ne suis pas marié, pensa Alex avec une véhémence soudaine, au moins je n'ai pas cette angoisse. Il faut que je le décide à envoyer sa femme en montagne. Il faudra bien qu'elle y aille s'il le lui ordonne. Après tout, *c'est* son mari. »

Mais il ne pensait pas à Mrs Hossack.

FIN DU PREMIER VOLUME

GLOSSAIRE

Angrezi Anglais.
Angrezi-log Les Britanniques, le peuple anglais.
Ayah Nourrice, bonne d'enfants.

Bairagi Saint homme hindou.
Bakri Chèvre.
Begum Dame musulmane.
Belait L'Angleterre.
Beshak Certainement, sûrement.
Bhoosa Paille.
Bibi-gurh Maison des femmes.
Bourka Manteau féminin couvrant de la tête aux pieds, à l'exception d'une petite bande de filet à la hauteur des yeux.
Budmarsh Vaurien.
Bund Berge d'un canal d'irrigation.
Bunnia Marchand.
Burra-lat-Sahib Grand seigneur (gouverneur général).
Butchas Les enfants (littéralement : les petits).

Charpoy Lit indien (fait généralement de cordes ou de sangles).
Chatti Grand pot à eau en terre cuite.
Chik Store de bambou refendu.
Chirag Petite lampe à huile en poterie servant dans les fêtes.
Chowkidar Veilleur de nuit.
Chuddah Drap ou châle.
Chunam Plâtre finement poli.
Chunna Pois chiche grillé.

Chuppatti Sorte de mince galette sans levain très courante en Inde.
Chupprassi Domestique.

Dacoit Voleur.
Dâk Poste, courrier.
Dâk-bungalow Relais de poste.
Dâk-ghari Véhicule transportant le courrier et tiré par un cheval.
Dazi Tailleur.
Deputtah Fichu, écharpe pour la tête.
Dhobi Blanchisseur.
Dhooli Palanquin.
Durbar Audience publique, réception royale tenue l'après-midi à laquelle seuls les hommes sont admis.

Ekka Voiture légère à deux roues et bâchée.

Feringhi Étranger.

Ghari Tout véhicule tiré par un cheval.
Ghee Beurre clarifié.
Gopi Laitière.
Gurra Pot à eau en terre.

Havildar Sergent d'infanterie.
Hookah Narguilé.
Howdah Palanquin où l'on s'installe pour une promenade à éléphant.
Huzoor Votre Honneur.

Ilaga District.

Jehad Guerre sainte.
Jemadar Officier indien subalterne sorti du rang (cavalerie ou infanterie).
Jezail Mousquet à long canon.
Jheel Lac, marécage, peu profond.

Jung-i-lat sahib Commandant en chef.

Kala hirren Daim noir.
Khansama Cuisinier.
Khidmatgar Serveur à table.
Koss Deux miles (3,2 km).
Koti Maison.
Kotwal Chef d'une tribu.
Kutcha Moyen de fortune, expédient.

Lathi Long bâton très lourd, généralement en bambou.
Lotah Petit pot en cuivre pour l'eau.

Machan Petite plate-forme construite dans un arbre et destinée à la chasse.
Mahout Cornac.
Maidan Terrain d'exercice (militaire).
Manji Batelier.
Maro ! Frappe ! ou Tue !
Masala Épice.
Maulvi Titre d'un prêtre musulman.
Mem-log Femme blanche.
Mullah Prêtre musulman.
Munshi Professeur ou commis aux écritures.

Nani Grand-mère (diminutif).
Nauker-log La domesticité (littéralement : serviteurs).
Nautch-girl Danseuse.
Nullah Ravine, lit de rivière desséché.

Pan Noix de bétel roulée dans une feuille de laurier et mastiquée.
Parao Lieu de campement.
Piari Chéri, chérie.
Puggari Turban.
Pulton Régiment d'infanterie.
Punkah Écran ou tissu épais actionné par une corde pour donner de l'air dans une pièce.
Purdah Réclusion des femmes (littéralement : rideau).

Resai Couvre-pieds, édredon.
Rissala Régiment de cavalerie.
Ruth Carriole bâchée en dôme et tirée par des bœufs.

Sadhu Saint homme hindou.
Sahib-log Les « Blancs ».
Saht Bai Petits oiseaux bruns qui se réunissent généralement par sept (littéralement : sept frères).
Sepoy, Cipaye Soldat d'infanterie.
Serai Caravansérail.
Shabash ! Bravo !
Shadi Mariage.
Shahin Faucon pèlerin.
Shamianah Grande tente, marquise.
Shikar Tir, chasse.
Shikari Chasseur, rabatteur.
Sirdar Officier indien de haut rang.
Sowar Soldat de cavalerie.
Subadar Officier indien commandant une compagnie de cipayes.

Taklief Troubles, ennuis.
Talukdar Grand propriétaire.
Tulwar Épée recourbée.

Zenana Appartement des femmes.

Littérature

extrait du catalogue

Cette collection est d'abord marquée par sa diversité : classiques, grands romans contemporains ou même des livres d'auteurs réputés plus difficiles, comme Borges, Soupault, Goes. En fait, c'est tout le roman qui est proposé ici, Henri Troyat, Bernard Clavel, Guy des Cars, Alain Robbe-Grillet, mais aussi des écrivains étrangers tels que Moravia, Colleen McCullough ou Konsalik.

Les classiques tels que Stendhal, Maupassant, Flaubert, Zola, Balzac, etc. sont publiés en texte intégral au prix le plus bas de toute l'édition. Chaque volume est complété par un cahier photos illustrant la biographie de l'auteur.

ADAMS Richard	Les garennes de Watership Down 2078******
AKÉ LOBA	Kocoumbo, l'étudiant noir 1511***
AMADOU Jean	Heureux les convaincus 2110***
ANDREWS Virginia C.	Fleurs captives :
	- Fleurs captives 1165****
	- Pétales au vent 1237****
	- Bouquet d'épines 1350****
	- Les racines du passé 1818****
	Ma douce Audrina 1578****
APOLLINAIRE Guillaume	Les onze mille verges 704*
	Les exploits d'un jeune don Juan 875*
ARCHER Jeffrey	Kane et Abel 2109******
AVRIL Nicole	Monsieur de Lyon 1049***
	La disgrâce 1344***
	Jeanne 1879***
	L'été de la Saint-Valentin 2038**
	La première alliance 2168*** (mai 87)
BACH Richard	Jonathan Livingston le goéland 1562* illustré
	Illusions 2111**
BALZAC Honoré de	Le père Goriot 1988**
BARBER Noël	Tanamera 1804**** & 1805****
BAUDELAIRE Charles	Les Fleurs du mal 1939**
BAUM Frank L.	Le magicien d'Oz 1652**
BEAULIEU PRESLEY Priscilla	Elvis et moi 2157****
BLOND Georges	Moi, Laffite, dernier roi des flibustiers 2096****

BOLT Robert	Mission 2092***
BORGES & BIOY CASARES	Nouveaux contes de Bustos Domecq 1908***
BOYD William	La croix et la bannière 2139****
BRADFORD Sarah	Grace 2002****
BREILLAT Catherine	Police 2021***
BRENNAN Peter	Razorback 1834****
BRISKIN Jacqueline	Les sentiers de l'aube 1399**** & 1400****
BROCHIER Jean-Jacques	Odette Genonceau 1111*
	Villa Marguerite 1556**
	Un cauchemar 2046**
BURON Nicole de	Vas-y maman 1031**
	Dix-jours-de-rêve 1481***
	Qui c'est, ce garçon ? 2043***
CALDWELL Erskine	Le bâtard 1757**
CARS Guy des	La brute 47***
	Le château de la juive 97****
	La tricheuse 125***
	L'impure 173****
	La corruptrice 229***
	La demoiselle d'Opéra 246***
	Les filles de joie 265***
	La dame du cirque 295**
	Cette étrange tendresse 303***
	La cathédrale de haine 322***
	L'officier sans nom 331**
	Les sept femmes 347****
	La maudite 361***
	L'habitude d'amour 376**
	Sang d'Afrique 399** & 400**
	Le Grand Monde 447**** & 448****
	La révoltée 492****
	Amour de ma vie 516***
	Le faussaire 548****
	La vipère 615****
	L'entremetteuse 639****
	Une certaine dame 696****
	L'insolence de sa beauté 736***
	L'amour s'en va-t-en guerre 765**
	Le donneur 809**

	*J'ose 858***
	*De cape et de plume 926*** & 927****
	*Le mage et le pendule 990**
	*Le mage et les lignes de la main... et la bonne aventure... et la graphologie 1094*****
	*La justicière 1163***
	*La vie secrète de Dorothée Gindt 1236***
	*La femme qui en savait trop 1293***
	*Le château du clown 1357*****
	*La femme sans frontières 1518****
	*Le boulevard des illusions 1710****
	*Les reines de cœur 1783****
	*La coupable 1880****
	*L'envoûteuse 2016******
	*Le faiseur de morts 2063****
CARS Jean des	*Sleeping Story 832*****
	*Haussmann, la gloire du 2nd Empire 1055*****
	*Louis II de Bavière 1633****
	*Elisabeth d'Autriche (Sissi) 1692*****
CASTELOT André	*Les battements de cœur de l'Histoire 1620*****
	*Belles et tragiques amours de l'Histoire-1 1956*****
	*Belles et tragiques amours de l'Histoire-2 1957*****
CASTILLO Michel del	*Les Louves de l'Escurial 1725*****
CASTRIES Duc de	*La Pompadour 1651*****
	*Madame Récamier 1835*****
CATO Nancy	*L'Australienne 1969**** & 1970*****
	*Les étoiles du Pacifique 2183**** & 2184**** (juin 87)*
CESBRON Gilbert	*Chiens perdus sans collier 6***
	*C'est Mozart qu'on assassine 379****
CHARDIGNY Louis	*Les maréchaux de Napoléon 1621*****
CHAVELET É. & DANNE J. de	*Avenue Foch 1949****
CHEDID Andrée	*La maison sans racines 2065***
CHOUCHON Lionel	*Le papanoïaque 1540***
CHOW CHING LIE	*Le palanquin des larmes 859****
	*Concerto du fleuve Jaune 1202****
CLANCIER Georges-Emmanuel	*Le pain noir 651****
CLAUDE Madame	*Le meilleur c'est l'autre 2170*** (mai 87)*

CLAVEL Bernard	Le tonnerre de Dieu 290*
	Le voyage du père 300*
	L'Espagnol 309****
	Malataverne 324*
	L'hercule sur la place 333***
	Le tambour du bief 457**
	Le massacre des innocents 474*
	L'espion aux yeux verts 499***
	La grande patience :
	1 - La maison des autres 522****
	2 - Celui qui voulait voir la mer 523****
	3 - Le cœur des vivants 524****
	4 - Les fruits de l'hiver 525****
	Le Seigneur du Fleuve 590***
	Victoire au Mans 611**
	Pirates du Rhône 658**
	Le silence des armes 742***
	Écrit sur la neige 916***
	Tiennot 1099**
	La bourrelle - L'Iroquoise 1164**
	Les colonnes du ciel :
	1 - La saison des loups 1235***
	2 - La lumière du lac 1306****
	3 - La femme de guerre 1356***
	4 - Marie Bon Pain 1422***
	5 - Compagnons du Nouveau Monde 1503***
	L'homme du Labrador 1566**
	Terres de mémoire 1729**
	Bernard Clavel, qui êtes-vous ? 1895**
	Harricana 2153****
CLERC Michel	Les hommes mariés 2141***
COCTEAU Jean	Orphée 2172** (mai 87)
COLETTE	Le blé en herbe 2*
CORMAN Avery	Kramer contre Kramer 1044***
COSCARELLI Kate	Destins de femmes 2039****
DANA Jacqueline	L'été du diable 2064***
DAUDET Alphonse	Tartarin de Tarascon 34*
	Lettres de mon moulin 844*
DECAUX Alain	Les grands mystères du passé 1724****

DEFLANDRE Bernard	La soupe aux doryphores 2185**** (juin 87)
DÉON Michel	Louis XIV par lui-même 1693***
DHÔTEL André	Le pays où l'on n'arrive jamais 61**
DIDEROT	Jacques le fataliste 2023***
DJIAN Philippe	37,2° le matin 1951****
	Bleu comme l'enfer 1971****
	Zone érogène 2062****
	Maudit manège 2167***** (mai 87)
DORIN Françoise	Les lits à une place 1369****
	Les miroirs truqués 1519****
	Les jupes-culottes 1893****
DUMAS Alexandre	La dame de Monsoreau 1841*****
DUTOURD Jean	Henri ou l'éducation nationale 1679***
DZAGOYAN René	Le système Aristote 1817****
EPHRON Nora	La Brûlure 2112**
EXBRAYAT Charles	Le Château vert 2125****
EXMELIN A.O.	Histoire des Frères de la côte 1695****
FERRIÈRE Jean-Pierre	Jamais plus comme avant 1241***
	Le diable ne fait pas crédit 1339**
FEUILLÈRE Edwige	Moi, la Clairon 1802**
FLAUBERT Gustave	Madame Bovary 103***
FRANCIS Richard	Révolution 1947***
FRANCOS Ania	Sauve-toi, Lola ! 1678****
FRISON-ROCHE	La peau de bison 715**
	Carnets sahariens 866***
	Premier de cordée 936***
	La grande crevasse 951***
	Retour à la montagne 960***
	La piste oubliée 1054***
	La Montagne aux Écritures 1064***
	Le rendez-vous d'Essendilène 1078***
	Le rapt 1181****
	Djebel Amour 1225****
	La dernière migration 1243****
	Peuples chasseurs de l'Arctique 1327****
	Les montagnards de la nuit 1442****
	Le versant du soleil 1451**** & 1452****
	Nahanni 1579***

2155
★★★★

Photocomposition Communication Champforgeuil
Impression Brodard et Taupin à La Flèche (Sarthe)
le 27 mars 1987
1694-5 Dépôt légal mars 1987. ISBN 2-277-22155-4
Imprimé en France

Editions J'ai lu
27, rue Cassette, 75006 Paris
diffusion France et étranger : Flammarion